D1297016

Édouard BLED
Directeur honoraire de collège à Paris

Odette BLED
Institutrice honoraire à Paris

Lauréats de l'Académie française

COURS
D'ORTHOGRAPHE

COURS MOYEN
CLASSES DE 6ᵉ ET 5ᵉ

Ouvrage couronné par l'Académie française

HACHETTE
Éducation

Édouard Bled
avec la collaboration d'Odette Bled

• **Mes écoles**
(Éditions Robert Laffont, Coll. Vécu / Hachette, Livre de Poche)
Roman d'une famille, de l'école, d'une époque.
Ouvrage couronné par l'Académie française.
Prix Fabien, 1979.

• **J'avais un an en 1900**
(Fayard / Hachette, Livre de Poche-France Loisirs)
Roman des générations qui se sont succédé depuis 1900 avec les grands événements qui ont marqué notre histoire.
Ouvrage couronné par l'Académie française.
Prix Montyon, 1988.

Mise en page : CALLIOPE i.é.

ISBN 2.01.017695.2
© *Hachette Livre 1992*, 43, Quai de Grenelle - 75905 Paris Cedex 15

PRÉFACE

L'orthographe est une condition de la bonne compréhension de toute communication écrite. A celui qui lit, elle offre des indices qui facilitent la compréhension du texte ; à celui qui écrit, elle impose des contraintes qui réduisent les risques de malentendus : s'il lui fait subir de graves atteintes, il suscite chez la plupart de ceux à qui il s'adresse un jugement défavorable qui, selon la nature des relations sociales et professionnelles, peut aller jusqu'au discrédit. ***Pour ces motifs, il appartient à l'institution scolaire d'assurer une pratique adéquate de l'orthographe à tous ceux qu'elle contribue à former.*** (Instructions officielles pour l'enseignement de l'orthographe dans les écoles et les collèges.)

Or, la plupart du temps, on étudie l'orthographe sans méthode et par le seul moyen des dictées. Aussi les difficultés se présentent-elles au hasard, et certaines n'apparaissent-elles jamais. On ne concevrait pourtant pas qu'un enfant eût à résoudre des problèmes sans avoir acquis le mécanisme métrique et de géométrie. ***L'orthographe doit s'enseigner aussi logiquement et pratiquement que le calcul, par des exercices.*** Il faut donc une méthode. Celle que nous proposons a été expérimentée pendant des années, toujours avec succès.

Cet ouvrage n'est pas une grammaire ; il la complète, l'enseignement de la grammaire n'étant pas suffisant pour donner aux enfants une orthographe correcte.

Les mêmes Instructions officielles précisent que l'enseignement de l'orthographe doit être « soutenu par des exercices d'entraînement ».

Le présent ouvrage contient donc nombre de ces exercices d'entraînement destinés à faire passer la règle dans l'habitude. Il comprend trois parties bien distinctes :

L'orthographe grammaticale ;

La conjugaison ;

L'orthographe d'usage.

ORTHOGRAPHE GRAMMATICALE

Nous avons procédé par élimination. Chaque difficulté est étudiée pour elle-même, dans des phrases soigneusement choisies. Plus de pièges. Plus de confusions résultant des homonymies. Plus de lacunes dans les connaissances des enfants. *Il n'est pas question d'exclure la dictée d'un texte d'auteur, mais celle-ci, véritable mosaïque de difficultés, devient l'aboutissement de la méthode.* L'enfant, amené sur des difficultés graduées, ne les redoute plus. ***Il soumet à un examen rapide chaque mot qu'il écrit*** *pour en déterminer la nature et faire l'accord approprié.* Grâce à cet effort constant, les progrès se dessinent, l'enfant est encouragé.

La partie grammaticale commence par les leçons se rapportant à : **et, est – on, ont – a, à – ces, ses – se, ce,** etc., parce que ces mots sont si usuels qu'il importe d'aborder ces leçons dès le début de l'année. Pour le reste, nous avons serré de près l'enseignement de la grammaire.

CONJUGAISON

Le verbe est le mot essentiel de la proposition ; il importe de bien connaître ses formes multiples et variées. De nombreux exercices répondent à cette préoccupation. Nous avons aussi constamment rapproché des formes que l'oreille est tentée de confondre, comme *je plie, je remplis – il boira, il flamboiera,* etc. Enfin nous avons étudié avec soin les particularités et les verbes irréguliers usuels.

ORTHOGRAPHE D'USAGE

Beaucoup de mots peuvent être groupés par analogie de terminaison ou de difficulté ; l'enfant doit connaître les probabilités d'apparition de ces graphies.

Les mots usuels restant en dehors de toute règle et contenant une difficulté doivent être *appris par cœur. Chaque soir, l'enfant apprend ces mots difficiles.* Il les trouve à la fin de chaque leçon sous la rubrique « *Mots à étudier* ».

Le maître en fera des révisions fréquentes sous forme d'exercices ou de dictées de mots (voir livre du maître). Ainsi l'enfant acquerra rapidement la graphie correcte des mots usuels.

Emploi de l'ouvrage – Résultats

Le programme de chaque semaine pourra comprendre une ou deux leçons d'orthographe grammaticale, de conjugaison, d'orthographe d'usage.

Chaque leçon se divise en deux parties : les exercices au cahier d'essai, et l'exercice de contrôle, dicté au cahier de classe. Tous les exercices dictés – composés de phrases empruntées, pour la plupart, à des textes d'auteurs – figurent dans un livre complémentaire destiné aux maîtres.

Dans ce Cours d'orthographe nous avons établi un enseignement pratique, clair et progressif. Nous avons eu la seule ambition de donner aux maîtres et aux élèves un bon instrument.

« *À partir du moment où l'enfant aura acquis une orthographe spontanément, automatiquement correcte, la faculté d'attention sera libérée d'une besogne absorbante* ». *En outre, la répétition de tournures variées enrichit son vocabulaire.*

Bien mettre l'orthographe, c'est se préparer à bien penser.

Nota : Dans les cas douteux, nous avons adopté l'orthographe indiquée par le *Dictionnaire de l'Académie française.*

PREMIÈRE PARTIE

ORTHOGRAPHE GRAMMATICALE

et – est

La partie **est** agréable **et** bien arbitrée.
La partie **était** agréable **et** bien arbitrée.

RÈGLE

Et (e.t) est une **conjonction**, mot invariable.

Est (e.s.t) est le **verbe être** et peut se remplacer par l'imparfait **était**.

EXERCICES

■ 1. **Remplacez les points par *et* ou *est*. Justifiez l'emploi de *est* en écrivant *était* entre parenthèses.**

La parole ... d'argent ... le silence ... d'or. – La voiture ... fermée ... le coffre ... verrouillé. – Maintenant qu'elle ... servie, Julie peut manger. – Asseyez-vous là ... écoutez-moi : la situation ... grave ... nous devons nous préparer à agir. – Il ... clair que notre objectif ... d'apprendre à conduire une voiture ... de la conduire prudemment. – Cet homme ... toujours cité en exemple. – Laure porte une jupe blanche ... bleue, elle ... très élégante.

■ 2. **Remettez les mots dans l'ordre pour obtenir des phrases correctes.**

– cette, faut, être, route, est, il, prudent, et, sinueuse, longue.
– côté, terre, la, repousse, le, bulldozer, et, terrain, le, nivelle, le, sur.
– vert, feu, le, attend, voiture, est, la, et, à, le, l'arrêt, chauffeur.
– le, facilement, pas, roule, ne, il, rugby, n'est, ballon, de, et, rond, pas.
– réparer, le, réfrigérateur, faudra, le, est, en, et, il, panne.

■ 3. **Mettez les phrases suivantes à l'imparfait de l'indicatif :**

La piste est caillouteuse et défoncée.
La plume est blanche et fine.
Luc est sportif et endurant.
La côte est raide et longue.
Le rôti est tendre et juteux.

Le verre tombe et se casse.
La bête saute et fuit.
Le chien grogne et mord.
Le soleil se lève et brille.
La fumée monte et s'étale.

MOTS À ÉTUDIER :
1. **l'argent, le coffre, maintenant, un exemple, le terrain.**
2. **la situation, un objectif, apprendre, élégante, un arrêt.**
3. **prudemment, juteux, endurant, le réfrigérateur, le bulldozer.**

son – sont

> Les pages de **son** livre **sont** déchirées.
> Les pages de **ses** livres **étaient** déchirées.

RÈGLE

Son (s.o.n) est un **adjectif possessif** et peut se remplacer par le pluriel **ses**.

Sont (s.o.n.t) est le **verbe être** et peut se remplacer par l'imparfait **étaient**.

EXERCICES

■ 4. **Conjuguez au présent de l'indicatif.**
1. être prudent
   aimer son village
2. être attentif
   aider son camarade
3. être en vacances
   finir son exposé

■ 5. **Remplacez les points par** *son* **ou** *sont*. **Justifiez l'emploi de** *sont* **en écrivant** *étaient* **entre parenthèses.**
Le randonneur plie … matelas pneumatique et tout … attirail. – … matériel rangé, il repart pour une autre destination avec … compagnon de voyage. – À l'étape, chacun prend … sac de couchage et va s'installer sous la tente. – Quelles … ces montagnes que l'on aperçoit là-bas ?

■ 6. **Faites les transformations sur le modèle suivant :**
son ⟶ mon ⟶ ton   son frère ⟶ mon frère ⟶ ton frère

son problème | son amie | son canapé
son véhicule | son portefeuille | son fusil
son avion | son assiette | son lit

■ 7. **Mettez les expressions suivantes au pluriel :**
son tableau | la route est déviée | son disque
l'avis est partagé | le pneu est percé | le robinet est fermé
son scooter | son maillot | son bagage

■ 8. **Mettez les expressions en italique au pluriel et accordez les autres mots, s'il y a lieu.**
Il a réussi *son essai*, le rugbyman est fou de joie. – *Son moteur* est défaillant. – Alexis range *son vêtement*. – *Le square* est fréquenté. – *La forêt* est vaste et touffue. – *La vague* est haute. – *Le général* inspecte son régiment, qui est au garde-à-vous. – *L'architecte* finit son plan. – *Le magasin* est plein de clients.

MOTS À ÉTUDIER :
1. un avis, le maillot, un compagnon, attentif, le matelas.
2. un exposé, l'attirail, un fusil, le véhicule, un vêtement.
3. le randonneur, défaillant, la destination, un square, un architecte.

on – ont

| On félicite les athlètes qui **ont** gagné.
L'**homme** (**Il**, **elle**) félicitait les athlètes qui **avaient** gagné.

RÈGLE

Ont (o.n.t) est le **verbe avoir** et peut se remplacer par l'imparfait **avaient**.

On (o.n) peut se remplacer par l'**homme**, **il** ou **elle**. C'est un pronom personnel indéfini masculin **singulier**, toujours **sujet** du verbe.

EXERCICES

■ **9.** **Écrivez les verbes à la 3e personne du singulier de l'imparfait de l'indicatif.** Ex. : On chantait, il chantait, elle chantait.

casser un vase	réparer un meuble	affûter la scie
tailler un crayon	manquer le train	siffler le chien
rentrer le linge	brancher la cafetière	frapper à la porte

■ **10.** **Remplacez les points par** *on* **ou par** *ont.* **Justifiez l'emploi de** *on* **ou de** *ont* **en écrivant** *l'homme* **ou** *avaient* **entre parenthèses.**

Les volets … claqué et les vitres … volé en éclats. – … écoute les chanteurs qui … de belles voix. – … a du plaisir à rencontrer des amis qui … les mêmes idées que nous. – Les gendarmes … déblayé la route et … peut à nouveau circuler. – … alluma le barbecue et … fit griller des brochettes. – Bienheureux ceux qui … la chance de vivre en liberté. – Les coureurs … soif, … leur donne à boire. – … embauche dans cette usine, les chômeurs … du travail.

■ **11.** **Même exercice que 10.**

Les champs … ici les dimensions d'un mouchoir de poche ou si l'… veut éviter l'exagération d'un drap de lit. – Dans le port … aperçoit les lumières dansantes des embarcations. – Beaucoup d'espèces d'animaux … disparu ; les chasses qui leur … été faites en … eu raison ; les hommes … découvert récemment la nécessité de les protéger. – … écoute ceux qui … de l'expérience. – … acclame ceux qui … gagné la course. – Les ouvriers … étalé le sable qu'… avait déchargé. – Les employés … terminé leur travail.

■ **12.** **Remplacez les points par** *m'ont* **ou** *mon* **dans 1, par** *t'ont* **ou** *ton* **dans 2.**

1. Je réserve … temps libre pour garder mes enfants. – Aujourd'hui ils … donné beaucoup de mal. – D'abord ils … fait une crise de larmes, j'ai cru perdre tout … courage.

2. Tes parents … offert un vélo de course pour … anniversaire. – Tes amis … reproché … absence lors de la fête qu'ils ont donnée. – Malgré les farces que tu as faites, elles ne … pas gardé rancune.

> **On (o.n)** veut le **verbe** à la **3ᵉ** personne du **singulier**.
>
> **Ont (o.n.t)** veut le **participe passé**.

■ 13. **Écrivez les verbes en italique au présent et à l'imparfait de l'indicatif.**

on *(couper)*	on lui *(prêter)*	on les *(ranger)*
on *(jouer)*	on me *(donner)*	on les *(tailler)*
on *(finir)*	on te *(porter)*	on les *(écouter)*
on *(chanter)*	on le *(saluer)*	on les *(casser)*

■ 14. **Mettez les verbes en italique au présent de l'indicatif.**

On *(décoller)* à l'heure, on *(arriver)* à bon port. – On *(charger)* le camion et on *(livrer)* la marchandise. – On *(récupérer)* les vieux papiers et on les *(recycler)*. – On *(percer)* la cloison et on y *(placer)* une cheville. – On *(marcher)* sur la pointe des pieds. – On *(arracher)* le vieux papier, on *(encoller)* le nouveau et on *(tapisser)* les murs de la chambre. – On *(raconter)* des histoires drôles et on *(rire)* de bon cœur.

■ 15. **Mettez les verbes en italique à l'imparfait de l'indicatif.**

On *(préparer)* les valises et on *(partir)* aux sports d'hiver ; sur la route on *(oublier)* tous nos soucis. – Les acteurs jouaient, on les *(regarder)*. – On *(ramer)* lentement et on *(avancer)* sur le lac ; on *(admirer)* le paysage, on *(prendre)* le temps de vivre, on *(profiter)* du moment présent. – On ne *(pouvoir)* plus distinguer un fil blanc d'un fil noir, on *(appeler)* cela le crépuscule.

■ 16. **Écrivez correctement les verbes en italique.**

Les joueurs ont *(ramasser)* les balles. – Les chiens ont *(aboyer)* toute la nuit. – Les géomètres ont *(étudier)* leurs plans. – Les menuisiers ont *(scier)* une planche. – Les ouvriers ont *(arroser)* le terrain de tennis. – Les musiciens ont *(enregistrer)* leur premier disque. – Les bateaux ont *(virer)* de bord. – Les étoiles ont *(scintiller)* dans le ciel. – Les vendeuses ont *(mesurer)* l'étoffe. – Les gendarmes ont *(poser)* des radars. – Les grues gigantesques ont *(soulever)* les conteneurs. – Ils ont *(écouter)* les nouvelles. – Les Huns ont *(ravager)* le pays. – Les U.L.M. ont *(survoler)* la ville.

■ 17. **1. Analysez les** *ont* **et les** *on* **de l'exercice n° 10.**

2. Construisez cinq phrases renfermant à la fois *ont* **et** *on.*

MOTS À ÉTUDIER :
1. le crayon, la scie, les volets, la voix, un chômeur.
2. affûter, la dimension, l'exagération, le crépuscule, une embarcation.
3. récemment, une expérience, recycler, distinguer, scintiller.

a – à

> Le directeur **a** acheté une machine **à** calculer.
> Le directeur **avait** acheté une machine **à** calculer.

RÈGLE

à, accentué, est une **préposition**, mot invariable.

a, sans accent, est le **verbe avoir** et peut se remplacer par l'imparfait **avait**.

EXERCICES

■ **18.** **Conjuguez les expressions suivantes au présent de l'indicatif ; remplacez *il* par un nom :**

avoir du courage   avoir confiance   avoir des tickets

■ **19.** **Remplacez les points par *a* ou *à*. Justifiez l'emploi de *a* verbe, en écrivant *avait* entre parenthèses.**

Quelle joie … dix heures du matin quand j'aperçois la côte. Il est impossible qu'une barque de pêche puisse revenir sans aller … ma rencontre. Je suis décidé … demander une remorque jusqu'au port, cependant on ne m'… toujours pas aperçu. Mon compagnon, merveilleux de cran, d'endurance et d'égalité de caractère … la mer, n'… pas la force de résister … la douceur des escales.

Alain BOMBARD, *Naufragé volontaire*, Arthaud.

■ **20.** **Même exercice que 19.**

Le vent … ici des voix changeantes. – Son visage … encore une lumière merveilleuse. – Oh ! les petits mensonges, qui n'en n'… pas commis ? – Malgré le mauvais temps il continua … escalader la falaise. – Anne-Sophie … été élue meilleure gymnaste de toute l'école. – Alex se met … nager de toutes ses forces, il … beaucoup de mal … regagner la rive. – C'est … vous que je m'adresse pour obtenir un rendez-vous.

■ **21.** **Remplacez les points par *m'a* ou *ma* dans 1, par *l'a* ou *la* dans 2. Écrivez *m'avait* ou *l'avait* entre parenthèses, s'il y a lieu.**

1. Le caissier … remis … facture. – … gourmette en or … été offerte par … tante. – … toilette … pris beaucoup de temps. – … cousine … promis de venir me voir. – … voiture … donné satisfaction.

2. Il … appelé par … fenêtre. – Il … croisé dans … rue. – Le chien … mordu à … jambe. – Son ami a passé … journée avec lui, il … reconduit à … gare. – Cette fleur était … plus belle du jardin, il … cueillie pour … mettre dans un vase.

■ **22.** **Faites cinq phrases sur le modèle :** Le facteur **a** un colis **à** porter.

> **à**, préposition, veut l'**infinitif**.
> **a**, verbe, veut le **participe passé**.

■ **23.** **Mettez le participe passé en** *é* **ou l'infinitif en** *e.r.*

L'infirmière a *(assister)* le chirurgien dans son travail. – Le clown a *(amuser)* les spectateurs avec ses grimaces. – Mon voisin a *(alerter)* la gendarmerie, car il a entendu des bruits suspects. – Le cuisinier s'apprête à *(alléger)* sa sauce avant de la servir aux clients. – Le public est prêt à *(bisser)* le chanteur. – Le maire de Concarneau a *(baptiser)* un nouveau chalutier. – Le cow-boy a *(attacher)* son cheval avant d'entrer dans le bar.

■ **24.** **Même exercice que 23.**

Le principal du collège a *(afficher)* les résultats des examens. – Anne-Laure a *(agrémenter)* sa coiffure avec de beaux rubans dorés. – Estelle cherche à *(téléphoner)* à son amie. – Le garagiste a *(réparer)* le moteur. – L'architecte a *(dessiner)* les plans de la nouvelle usine. – La glace a *(craquer)* sous nos pas. – L'éclair a *(sillonner)* le ciel. – Un aveugle s'employait à *(accorder)* le piano de concert.

■ **25.** **Même exercice que 23.**

Le caissier a *(recompter)* le montant de la facture. – Avant les élections, le député est décidé à *(rencontrer)* bon nombre de ses électeurs. – Alexis a *(refermer)* la porte du garage avant de remonter à la maison. – Agnès a *(remplacer)* la lampe du salon, car elle a *(brûler)*. – Le pâtissier a *(napper)* le millefeuille d'un léger glaçage. – Régis s'active à *(orchestrer)* cette campagne publicitaire.

■ **26.** **Remplacez les points par** *a* **ou** *à.*

Le charcutier … une machine … couper le jambon. – Le détective … fini son enquête, il … découvert les coupables. – Le motard cherchait … éviter les trous de la chaussée. – Le président … résumé la situation. – Le chasseur … projeté de partir à l'aube. – L'alpiniste continuait … grimper le long du rocher, malgré le froid. – Le maçon … consolidé le mur. – Le moteur se mit … ronfler. – La mer grossit, le navire commence … tanguer.

MOTS À ÉTUDIER :
1. le président, un chirurgien, le concert, l'égalité, un examen.
2. un ticket, merveilleux, la satisfaction, la gendarmerie, orchestrer.
3. changeant, un gymnaste, s'employer, baptiser, s'apprêter.

ces – ses

> Sur **ces** étagères, le mécanicien a rangé **ses** clés.
> Sur **cette** étagère, le mécanicien a rangé **sa** clé.

RÈGLE

Ces (c.e.s) est un **adjectif démonstratif**, pluriel de **ce**, **cet** ou de **cette**.

Ses (s.e.s) est un **adjectif possessif**, pluriel de **son** ou de **sa**. Il faut écrire **ses (s.e.s)** quand, après le nom, on peut dire **les siens**, **les siennes**.

Ex. : Le mécanicien a rangé **ses** clés **(les siennes)**.

EXERCICES

■ **27.** **Mettez les expressions au pluriel, dans 1 ; au singulier, dans 2.**

1. cet ensemble   son crayon   ce meuble   cet homme
   cet appareil   ce clocher   sa ceinture   sa sacoche
2. ces robes   ses fleurs   ces sacs   ses bijoux
   ses draps   ces enfants   ses allées   ces sentiers

■ **28.** **Remplacez les points par *ces* ou par *ses*.**

… immeubles ont bien une douzaine d'étages. – Regardez … montagnes enneigées. – Il passa sa main dans … cheveux et dit : … propositions sont bonnes, ce sont les siennes. – Avez-vous vu … nouveaux avions supersoniques ? – Le désert déroule à l'infini … sables brûlants.

■ **29.** **Même exercice que 28.**

Le vent souffle, … rafales couchent l'arbre et brisent … branches. – … avalanches ont enseveli la maison et … habitants. – … fromages sont des spécialités de la région. – Le marin prépare … filets et part pour … mers où l'on pêche la sardine. – … légendes me rappellent la Bretagne et … champs de blé noir. – Jean range … vieux livres au grenier.

■ **30.** **Mettez les expressions en italique au pluriel et accordez.**

Ce jardin est bien entretenu. – *Ce livre* est passionnant. – *Ce car* est bondé. – *Sa chaussure* est décousue. – *Ce plat* est bien cuisiné. – *Cet homme* a été malade. – *Cette rivière* a des crues terribles. – *Ce chien* aboie sans arrêt.

■ **31.** **1. Analysez les ces et les ses de l'exercice n° 28.**
2. Construisez cinq phrases renfermant à la fois *ces* et *ses*.

MOTS À ÉTUDIER :
1. terrible, une étagère, un drap, le mécanicien, la pêche.
2. la ceinture, un immeuble, le champ, la crue, une allée.
3. passionnant, un ensemble, une avalanche, brûlant, enneigé.

se – ce

> **Se (s.e)** et **s'** appartiennent au **verbe pronominal**.
> **Ce** cycliste **se** faufile entre les voitures (**verbe pronominal** *se faufiler*).
> **Ce** que vous dites est vrai.

RÈGLE

Ce (c.e) est un **adjectif** ou un **pronom démonstratif**.

Se (s.e) est un **pronom personnel réfléchi**.

Se ne s'écrit **s.e** que dans les **verbes pronominaux** ; en les conjuguant, on peut remplacer **se (s.e)** par **me, te ...**

> Je **me** faufile, tu **te** faufiles, il **se** faufile .

Dans tous les autres cas, il faut écrire **ce (c.e)**.

Ainsi, dans : **ce que vous dites**, **ce (c.e)** ne peut pas se remplacer par **me, te...**

EXERCICES

■ **32.** **Conjuguez au présent et à l'imparfait de l'indicatif :**

se lever tôt	se promener tranquillement	se plaindre
se salir	s'étendre dans l'herbe	se rappeler

■ **33.** **Remplacez les points par** *ce, se* **ou** *s'*. **Justifiez l'emploi de** *se* **en écrivant l'infinitif du verbe entre parenthèses.**

Savez-vous où ... trouve ... monument ? – Laure ... glissait derrière son père pour échapper à son frère. – À ... rythme ... cahier sera rempli en deux jours. – Le soleil ... cache derrière ... gros nuage. – ... chien et ... chat ... entendent très bien, ils ne ... querellent jamais. – En ... jour de fête, les manèges ... installent sur la place du village. – ... crayon ... casse toujours. – ... boxeur ... bat avec courage.

■ **34.** **Même exercice que 33.**

J'ai choisi ... costume pour ses teintes gaies. – ... perroquet bavard ... agite sur son perchoir. – ... musée me plaît beaucoup, il ... visite rapidement. – Quand il sera grand, Matthieu ... lavera, ... peignera, ... habillera tout seul. – ... vieux mur ... lézarde. – Les danseurs ... avançaient au lever du rideau. – ... bois sec ... consume vite. – ... mal ... envenime faute de soins.

■ 35. **Remplacez les points par** *ce, se* **ou** *s'*, **puis mettez les phrases au pluriel.**
1. ... tapis ... élime sur les bords. – ... tissu ... lave facilement. – Si le navire ... approche de ... rocher, il ... y brisera. – ... glaïeul ... incline sur sa tige. – ... chanteur ... balance. – ... promeneur ... arrête aux vitrines des magasins. – ... fruit est un peu acide. – Il ... pourrait bien que les frontières s'ouvrent très prochainement.
2. ... malade ... rétablira vite. – ... toit ... couvre de mousse. – S'il continue à bien ... entraîner, à ... appliquer, ... jeune skieur ... verra récompensé par une victoire. – Il ... garantira du froid avec ... bon anorak. – ... vêtement ... use très vite.

■ 36. **Remplacez les points par** *ce, se* **ou** *s'*. **Justifiez l'emploi de** *se* **en écrivant l'infinitif du verbe pronominal entre parenthèses.**
Les joueurs ... rassemblent autour de leur capitaine. – Je crois ... que vous me dites. – Le client ... attend à ... que vous lui fassiez une réduction. – ... que je prédis ... produira. – Je me renseigne sur ... qui ...récolte et ... fabrique dans cette riche région. – Dis-moi ... à quoi tu penses. – Il ... empresse de réclamer ... qu'on lui a promis. – On ne fait pas toujours ... que l'on veut. – Elle ... contente de ... qu'on lui a donné. – Il ... demande ... qu'il va dire. – Le malade ... inquiétait jusqu'à ... que son médecin le rassure.

■ 37. **Même exercice que 36.**
... dont vous parlez m'intéresse beaucoup. – Le brocanteur ramasse tout ... qu'il trouve. – La pie ... précipite sur ... qui brille. – Alice ... ennuie loin de ses parents, ... dont je ne suis pas surpris. – Il faut ... dire que ... n'est pas facile d'arriver à nos fins. – Elle ... décide à faire ... qu'on lui a conseillé. – ... dont vous souffrez ... guérit très bien. – Les arbres que nous avons plantés commencent à ... couvrir de feuilles vertes.

■ 38. **Remplacez les points par** *ce, se* **ou** *s'*. **Justifiez l'emploi de** *se* **ou** *s'* **en écrivant le présent de l'indicatif du verbe pronominal entre parenthèses.**
Mon père ... rappelle ... qu'il a vu, ... qu'il a observé. – Loïc ... demande ... qu'il va faire, ... qu'il va dire. – Si ... qu'on lui propose ne lui convient pas, le client ... retire. – J'aime à écouter ... que les vieilles gens racontent. – Antoine ... intéresse à tout ... qu'il entreprend. – Elle ... repent de ... qu'elle vient de faire.

■ 39. **Construisez cinq phrases renfermant à la fois** *ce* **et** *se*.

MOTS À ÉTUDIER :
1. **un tapis, le monument, échapper, intéresser, le brocanteur.**
2. **tranquillement, facilement, un anorak, la réduction, le perroquet.**
3. **envenimer, ennuyer, inquiéter, se quereller, se renseigner.**

c'est – s'est   c'était – s'était

> **Se (s.e)** et **s'** appartiennent au **verbe pronominal**.
> **C'est** le coureur qui **s'est** échappé (**verbe pronominal**
> *s'échapper*).
> **C'était** le coureur qui **s'était** échappé.

RÈGLE

Se ne s'écrit **s.e** que dans les **verbes pronominaux** ; en les conjuguant, on peut remplacer **se (s.e)** par **me, te...**

Je **me** suis échappé, tu **t'**es échappé, il **s'**est échappé...

DANS TOUS LES AUTRES CAS, il faut écrire **ce (c.e)**.

Ainsi, dans : **c'est** le coureur, **c'** a le sens de **cela**.

De plus, cette expression **ne peut pas se conjuguer** à toutes les personnes.

EXERCICES

■ **40.** **Conjuguez au passé composé et au plus-que-parfait :**

se laver	se lever à l'aube	s'asseoir sur l'herbe
se salir	se perdre dans le bois	se servir modérément

■ **41.** **Remplacez les points par** *c' (ce)* **ou** *s' (se)*. **Justifiez l'emploi de** *s' (se)* **en écrivant l'infinitif du verbe pronominal entre parenthèses.**

… est en tombant qu'il … est blessé. – Elle … est allongée sur le canapé pour se reposer. – … est en forgeant qu'on devient forgeron. – … est au cœur d'une forêt que l'hélicoptère … est posé. – … est un pompier qui … est porté au secours de la fillette. – … est la meilleure équipe qui … est fait battre ; … est le public qui est étonné. – La lune … est levée, … est un plaisir de la suivre dans le ciel. – … est un objet que j'ai fait de mes mains.

■ **42.** **Même exercice que 41.**

La barque … est écrasée sur les rochers ; … est une lourde perte pour le pêcheur. – … était la brume du soir qui rapprochait l'horizon. – … était un campeur qui … était installé dans la clairière. – Les convois … étaient ébranlés. – … était à regret que les amis … étaient quittés. – Les camions … étaient embourbés dans le chemin. – Le brouillard … était étendu sur la mer. – … était l'heure de la sieste. – Les randonneurs … étaient allongés à l'ombre de la haie.

■ **43.** **Remplacez les points par** *ce*, *c'* **ou** *se*, *s'*.

… est à mon ami que je dois ces vacances, car … est lui qui m'a prêté sa maison. – Dès que le vent … fut levé, les voiles de la goélette … gonflèrent. – S'il … était expliqué, nous lui aurions pardonné. – Le piano … accorde difficilement, car son cadre est en bois. – Dites-moi … que vous désirez, il suffit de … expliquer clairement. – Lorsque le bateau … fut perdu dans la brume, la femme du pêcheur regagna sa demeure. – Il faut … méfier de l'eau qui dort. – Envoyez … colis par exprès, il faut qu'il arrive dès demain. – Le boucher … est blessé en désossant le gigot.

■ **44.** **Même exercice que 43.**

… fut une joie pour moi d'apprendre votre réussite. – Dès que le chanteur … fut présenté, … fut une énorme ovation dans la salle. – Quand les camarades … furent séparés, chacun retourna chez soi. – … eût été dommage de ne pas assister à … spectacle. – Quand les joueurs … seront concertés, ils mettront leur tactique en application. – … sera aimable à vous de venir nous voir. – Les premiers Jeux olympiques … sont déroulés à Athènes. – Je choisirai un costume pour cette fête ; … sera le plus élégant. – Le coureur … serait mieux classé, s'il n'avait été souffrant. – … sera bientôt son tour de chanter, il sera agréable de l'entendre.

■ **45.** **Même exercice que 43.**

Il … serait bien entraîné, s'il avait été conseillé. – … sera bien la première fois que … torrent sera à sec. – … était un homme distingué qui … était instruit tout seul. – … beau vase … est brisé, … est regrettable, car … était un souvenir. – Aussitôt que le soleil … sera couché, le campement … établira derrière la dune de sable. – … eût été un séjour idéal, sans ces pluies fréquentes. – … est parce qu'ils … sont entêtés que les travaux n'ont pas avancé. – … était pour moi une surprise de la rencontrer. – Le candidat … troublé et n'a pas réussi, … est dommage, car … était une question facile. – Dès qu'il en avait eu l'occasion, le directeur sportif … est glissé vers la tête de la course.

■ **46.** **Construisez deux phrases renfermant à la fois : 1°** *c'est* **et** *s'est*, **2°** *c'était* **et** *s'était*, **3°** *ce fut* **et** *se fut*, **4°** *ce sera* **et** *se sera*.

MOTS À ÉTUDIER :
1. **le public, la demeure, une question, le candidat, une occasion.**
2. **le forgeron, le brouillard, regrettable, à regret, l'application.**
3. **l'horizon, la goélette, modérément, s'asseoir, difficilement.**

c'est – ce sont   c'était – c'étaient

C'est une vieille maison.
C'était un chien errant.
C'est lui, **c'est** elle.
Trois sports me plaisent : **ce sont** le tennis, la boxe, le rugby.

Ce sont de vieilles maisons.
C'étaient des chiens errants.
Ce sont eux, **ce sont** elles.

RÈGLE

Le verbe **être**, précédé de **ce** ou de **c'**, se met généralement au pluriel s'il est suivi d'un **nom** au pluriel, d'une **énumération** ou d'un **pronom** de la 3e personne du **pluriel**.

EXERCICES

■ **47. Remplacez les points par** *c'est* **ou par** *ce sont*.
… votre futur lycée que l'on construit. – … les premiers arrivés qui seront servis. – … de vieux meubles, tout vermoulus. – … la voiture que j'ai achetée. – … vous qui porterez la nouvelle. – … les ouvriers qui réparent le hangar. – … des chiens qui gardent la maison. – … elle qui l'a dit à sa mère. – … des gens qui ont peu d'éducation.

■ **48. Remplacez les points par** *c'était* **ou** *c'étaient*.
… les vêtements qu'elle portait le jour de ses noces. – … la nuit tombante quand nous revînmes. – … eux qui avaient mis de l'ordre dans la maison. – … l'orage qui avait coupé les routes. – … nous qui étions venus vous voir. – … les récents événements qui avaient tout remis en cause.

■ **49. Remplacez les points par** *c'est, s'est – ce sont, se sont*.
… en sortant de la salle d'examen qu'il … rendu compte de son erreur. – Après la partie, les joueurs … embrassés. – Les alpinistes … équipés en vue d'atteindre le sommet de la montagne ; ils réussiront, car … de rudes grimpeurs. – Le soleil … couché dans un ciel tout rouge. – … son inconscience qui lui a valu cet accident.

■ **50. Remplacez les points par** *c'était, c'étaient – s'était, s'étaient*.
… une drôle d'histoire que vous m'aviez racontée. – Ils … toujours posé les mêmes questions. – Les cambrioleurs … enfuis par la porte arrière de la maison. – Alexandra … arrangée pour ne pas assister à la représentation. – … de braves gens qui … installés près de chez nous. – La voiture … renversée sur le bas-côté de la route, … difficile de savoir pourquoi !

MOTS À ÉTUDIER :
1. errant, le rugby, un lycée, vermoulu, le hangar.
2. l'éducation, un examen, un vêtement, récent, un événement.
3. atteindre, réussir, l'inconscience, un accident, le bas-côté.

-eaux, -aux   -oux, -ous

Les châteaux , les chevaux.
Les cailloux, les clous.

RÈGLES

Les noms et adjectifs en **eau** font le pluriel en **eaux** :
    le châte**au**   les châte**aux**
    un vin nouv**eau**   des vins nouv**eaux**

Les noms et les adjectifs dont le singulier est en **al** ou en **ail** et le pluriel en **aux** ne prennent pas d'**e** dans la terminaison de leur pluriel.
    Ex. : le chev**al** – les chev**aux**.

Pour éviter la confusion, il faut penser au singulier :
    des oiseaux (un ois**eau**)   ⟶   **eaux**
    des chevaux (un chev**al**)   ⟶   **aux**
    des travaux (un trav**ail**)   ⟶   **aux**

Les noms en **ou** font généralement leur pluriel en **s**, sauf 7 noms : **bijou, caillou, chou, genou, hibou, joujou, pou,** qui prennent un **x** au pluriel.

EXERCICES

■ **51. Mettez les noms suivants au pluriel :**

un traîneau	un bateau	un signal	un quintal
un ciseau	un épouvantail	un soupirail	un manteau
un émail	un lionceau	un escabeau	un corail
un tribunal	un radeau	un rival	un journal

■ **52. Mettez les noms suivants au singulier :**

des capitaux	des maréchaux	des vitraux	des cerceaux
des animaux	des vaisseaux	des canaux	des travaux
des cardinaux	des locaux	des hameaux	des métaux
des pinceaux	des monceaux	des végétaux	des bureaux

■ **53. Mettez les noms suivants au pluriel :**

un verrou	un caillou	un joujou	un hibou
un bambou	un cou	un clou	un biniou
un sou	un genou	un bijou	un écrou
un trou	un chou	un coucou	un fou

■ **54. Mettez les expressions suivantes au pluriel :**

un château féodal	un drapeau national	un poteau vertical
un bureau central	un pipeau provençal	un journal régional
un chapeau original	un tribunal spécial	un vaisseau spatial

■ 55. Mettez les expressions suivantes au singulier :

des niveaux égaux	des canaux latéraux	des totaux généraux
des travaux oraux	des tableaux muraux	des cerveaux normaux
de beaux chevaux	des manteaux royaux	des rameaux nouveaux

■ 56. Employez les adjectifs suivants avec un nom masculin pluriel :

instrumental	méridional	local	rural	décimal
amical	moral	municipal	monumental	oriental
brutal	numéral	ornemental	médical	cordial

■ 57. Mettez la terminaison convenable et justifiez-la en écrivant le mot singulier entre parenthèses.

Les maçons ont utilisé des niv... pour construire la paroi. – Le voyageur a acheté des journ... pour lire dans le train. – Les corb... déterrent les graines. – Les remorqueurs aident les bat... à entrer dans le port. – Les trav... seront bientôt terminés. – Le carré a ses côtés ég... . – Les danseuses portaient des costumes région... . – Les crist... scintillent sur la nappe blanche. – Richelieu fit raser de nombreux chât... féod... . – La cave reçoit le jour de deux petits soupir... . – Les Esquim... se servent de traîn... en hiver.

■ 58. Même exercice que 57.

À l'approche de l'automne, les troup... descendent de la montagne. – La poissonnière vend des maquer... . – Les facteurs rur... ont une longue tournée à faire. – Le climat des pays tropic... est souvent malsain pour les Européens. – Les cor... forment parfois des barrières infranchissables aux navires. – Les hôpit... sont pleins de malades. – Les lionc... sont de petits lions, les dindonn... de petits dindons. – Les sign... sont rouges, le train s'arrête.

■ 59. Mettez la terminaison convenable.

Les moin... sont des ois... de la famille des passer... . – Le mécanicien revissait les écr... du moteur. – Les bamb... sont des ros... qui poussent dans les pays tropic... . – Le boulanger a reçu plusieurs quint... de farine. – Les chev... sont tombés sur les gen... . – Elle ouvre une boîte de maquer... au vin blanc. – Les nas... des taur... fumaient. – Le peintre nettoie ses pinc... . – Les hib... ont des yeux perçants. – Ces boul... ne pousseront pas dans ce terrain plein de caill... . – Des cerc... sont disposés sur le sol. – Des fleurs de lis ornaient les mant... roy... .

MOTS À ÉTUDIER :
1. un quintal, le traîneau, un hameau, spatial, le cerveau.
2. latéral, instrumental, municipal, monumental, royal.
3. déterrer, régional, féodal, infranchissable, des cailloux.

-eu, -eux

Un j**eu** danger**eux** ⟶ des j**eux** danger**eux**
une glissade danger**euse**

RÈGLE

Les noms en **eu** prennent un **x** au pluriel ; les adjectifs en **eux** ont un **x** au masculin singulier ; ils font **euse** au féminin.

Exceptions

un pn**eu** ⟶ des pn**eus** ; un bl**eu** ⟶ des bl**eus** ;
bl**eu** ⟶ un col bl**eu**, une veste bl**eue**, des cols bl**eus** ;
vi**eux** ⟶ vieille. Vieux s'écrit toujours avec un **x**.

Remarque

Les adjectifs en **eux** pris comme noms conservent l'**x** au singulier.
Ex. : un ambiti**eux** ⟶ une ambiti**euse**.

EXERCICES

■ 60. Mettez les noms suivants au pluriel :

un flambeau	un épieu	un genou	un feu	un fardeau
un vœu	un essieu	un milieu	un écrou	un verrou
un moyeu	un jambonneau	un hibou	un aveu	un enjeu

■ 61. Employez les adjectifs suivants avec un nom masculin singulier et un nom féminin singulier :

épineux	savoureux	crémeux	soigneux	sérieux
vertigineux	rocheux	écumeux	brumeux	courageux

■ 62. Mettez les expressions suivantes au singulier :

des gestes gracieux	des airs mystérieux	des vents furieux
des chevaux peureux	des repas copieux	des chemins sinueux

■ 63. Même exercice que 62.

des cheveux soyeux	des vœux affectueux	des pieux noueux
des adieux douloureux	des pics neigeux	des neveux respectueux

■ 64. Complétez ; écrivez, s'il y a lieu, le féminin entre parenthèses.

L'envi… n'est jamais heur… . – Le torrent impétu… descend de la montagne. – Le f… pétille dans la cheminée. – L'Unicef aide les enfants malheur… . – Les pn… crissent dans le virage. – Le chêne majestu… résiste à la tempête. – Nous avons subi un hiver rigour… .

MOTS À ÉTUDIER :
1. **un ambitieux, des vœux, respectueux, sinueux, rigoureux.**
2. **douloureux, soyeux, mystérieux, malheureux, impétueux.**
3. **majestueux, noueux, affectueux, un essieu, un enjeu.**

Les noms composés

Un oiseau-mouche	⟶	des oiseaux-mouches
Un rouge-gorge	⟶	des rouges-gorges
Une pomme de terre	⟶	des pommes de terre
Une arrière-saison	⟶	des arrière-saisons
Un abat-jour	⟶	des abat-jour
Un passe-partout	⟶	des passe-partout

RÈGLE

Dans les noms composés, seuls le **nom** et l'**adjectif** peuvent se mettre au pluriel, si le **sens** le permet.

Lorsque le nom composé est formé de deux noms unis par une préposition, en général seul le premier nom s'accorde.

Ex. : **un pied-d'alouette, des pieds-d'alouette.**

Particularités

1. Dans certaines expressions, au **féminin** (grand-mère, grand-rue, grand-place, etc.) l'usage veut que l'adjectif **grand** reste invariable au **singulier** comme au pluriel. On écrit :

une grand-mère   **des grand-mères**
une grand-tante   **des grand-tantes, etc.**

2. **un timbre-poste**   **des timbres-poste** } C'est-à-dire pour la poste. La préposition est sous-entendue.
un wagon-poste   **des wagons-poste**

3. **un garde-malades**   **des gardes-malades** } Quand le mot *garde* désigne une personne, il a le sens de *gardien* et s'accorde.
un garde-manger   **des garde-manger**

EXERCICES

■ 65. Indiquez entre parenthèses la nature des mots qui forment le nom composé et écrivez le pluriel.

un chou-fleur	une reine-marguerite	un bateau-mouche
un chien-loup	un martin-pêcheur	un chêne-liège
un chat-tigre	un homme-grenouille	un wagon-bar

■ 66. Même exercice que 65.

une plate-bande	une morte-saison	une longue-vue
un coffre-fort	une belle-sœur	un cerf-volant
une basse-cour	un camion-benne	une chauve-souris

■ 67.   Mettez au pluriel les noms composés suivants :

une eau-de-vie	un arc-en-ciel	un croc-en-jambe
un trait-d'union	une gueule-de-loup	un bouton-d'or
un chef-d'œuvre	un pied-d'alouette	un rez-de-chaussée

■ 68.   Même exercice que 67.

un couvre-lit	un tire-bouchon	une arrière-boutique
un garde-fou	un contre-amiral	un arrière-neveu
un pare-brise	un va-et-vient	une arrière-saison

■ 69.   Même exercice que 67.

un grand-duc	une grand-maman	un garde-barrière
une grand-mère	une grand-tante	un garde-chasse
un grand-père	une grand-route	un garde-manger
un grand-oncle	une grand-messe	un garde-forestier

■ 70.   Écrivez au singulier les noms composés suivants :

des porte-clés	des porte-manteaux	des porte-parapluies
des porte-bouteilles	des presse-papiers	des porte-avions

■ 71.   Justifiez le pluriel des noms composés suivants en les définissant :

des abat-jour	des perce-neige	des serre-tête
des porte-bonheur	des cache-col	des porte-parole

■ 72.   Écrivez correctement les noms composés en italique.

Des *cerf-volant* évoluent au-dessus de la plage. – De splendides *arc-en-ciel* barraient l'horizon. – Les *chauve-souris* font la guerre aux insectes et les *chat-huant* aux rongeurs. – Les *perce-neige* fleurissent en hiver. – Les *sapeur-pompier* combattent l'incendie et l'éteignent. – Cette collection de *timbre-poste* est fort intéressante. – Les *grand-mère* sont indulgentes pour leurs *petit-enfant*. – Les *martin-pêcheur* rasent l'eau en quête de poissons. – Les *rouge-gorge* sont des passereaux.

■ 73.   Même exercice que 72.

Dans le jardin d'agrément, il y a des *reine-marguerite*, des *gueule-de-loup*, des *pied-d'alouette* ; dans le potager, on remarque des *plate-bande* de *chou-fleur*, de *chou-rave* et des carrés de *pomme de terre*. – Il neige, les *remonte-pente* sont arrêtés. – Les *oiseau-mouche* sont de très petits oiseaux au plumage richement coloré. – Les *sous-sol* et les *rez-de-chaussée* de ces immeubles ont été inondés. – Dans l'atelier, on entendait des *va-et-vient* de machines. – Les *moissonneuse-batteuse* ont rapidement coupé le blé.

MOTS À ÉTUDIER :
1. rapidement, un insecte, évoluer, un cerf-volant, un arc-en-ciel.
2. un incendie, une collection, une plate-bande, richement, un immeuble.
3. indulgent, un rez-de-chaussée, un porte-clé, un garde-forestier, un abat-jour.

Adjectifs qualificatifs en *-ique, -oire, -ile*

Un avion superson**ique**
Un travail préparat**oire**
Un ouvrier hab**ile**

RÈGLE

Au masculin, les adjectifs qualificatifs terminés par
-ique [ik] s'écrivent **i.q.u.e**, sauf **public** ;
-oire [waʀ] s'écrivent **o.i.r.e**, sauf **noir** ;
-ile [il] s'écrivent **i.l.e**, sauf **civil, puéril, subtil, vil, viril, volatil**
sans **e**. On écrit **tranquille** avec deux **l**.

EXERCICES

■ **74.** **Employez les adjectifs suivants avec un nom masculin pluriel et un nom féminin pluriel :**

électronique	préparatoire	utile	unique	électrique
respiratoire	facile	docile	dérisoire	agile

■ **75.** **Même exercice que 74.**

fragile	illusoire	noir	public	hostile
métallique	puéril	tragique	aquatique	civil

■ **76.** **Remplacez les points par la terminaison convenable.**

Faites des mouvements respiratoi… chaque matin. – Le choix d'un exercice n'est jamais aléatoi… . – Des personnages diaboli… apparaissent dans ses rêves. – Dans le supermarché on trouve des produits exoti… . – De gros nuages noi…, immobi…, couvrent le ciel. – L'enseignement est obligatoi… . – L'orchestre de musique de chambre exécute un air mélancoli… .

■ **77.** **Même exercice que 76.**

Nous avons acheté ces toiles à un prix dérisoi… . – Les alpinistes sont logés dans un abri provisoi… . – De magnifi… chefs-d'œuvre sont exposés au Louvre. – Ces athlètes ont remporté des succès aux Jeux olympi… . – D'un geste habi… le magicien fit disparaître la colombe. – Le déménageur prend grand soin des fragi… bibelots.– Pour un prétexte futi…, les deux amis se sont fâchés. – Je ne garde que les objets qui me sont uti… .

MOTS À ÉTUDIER :
1. **préparatoire, habile, respiratoire, dérisoire, docile.**
2. **hostile, civil, l'orchestre, un personnage, le succès.**
3. **illusoire, un athlète, apparaître, mélancolique, l'enseignement.**

Adjectifs qualificatifs en *-al, -el, - eil*

Un texte princip**al**	La route princip**ale**
Un défaut habitu**el**	Une qualité habitu**elle**
Un fruit verm**eil**	Une pêche verm**eille**

RÈGLE

Au féminin, les adjectifs qualificatifs terminés par **al** [al] s'écrivent
a.l.e ; ceux terminés par **el** [ɛl] ou **eil** [ɛj] s'écrivent **ll.e**.
Pâle, mâle, sale, ovale, fidèle, parallèle, frêle, grêle se terminent
par un **e** au masculin.

EXERCICES

■ **78.** **Employez les adjectifs suivants avec un nom masculin pluriel et un nom féminin pluriel :**

pareil	amical	maternel	pâle	frêle
annuel	brutal	provençal	mâle	fidèle
vermeil	oriental	horizontal	sale	grêle

■ **79.** **Employez les adjectifs suivants avec un nom féminin pluriel :**

cruel	familial	royal	universel	solennel
vieil	régional	tropical	artificiel	personnel
réel	matinal	principal	essentiel	industriel

■ **80.** **Accordez les adjectifs en italique.**

Il n'existe pas de solution *idéal*. – Vichy, Le Mont-Dore sont des stations *thermal*. – Paris, Lyon, Marseille sont les *principal* villes de France. – L'exposition *floral* reçoit beaucoup de visiteurs. – Cet artiste a toujours des idées *original*. – La ligne *horizontal* et la ligne *vertical* sont très utilisées en géométrie. – Le marchand fait à son client la remise *habituel*. – Sans l'intervention *providentiel* d'un promeneur, l'enfant se serait noyé.

■ **81.** **Même exercice que 80.**

Le café, le cacao, le thé sont des denrées *tropical*. – Je préfère les fleurs *naturel* aux fleurs *artificiel*. – Il est normal que ces deux maisons ne soient pas *pareil*. – Chacun garde le souvenir de sa maison *natal*. – J'aime les *vieil* demeures campagnardes. – Le policier relève les empreintes *digital*. – Les pluies *torrentiel* ravagent les récoltes. – Il souffle une bise *glacial*. – Le candidat a répondu aux questions *oral*.

MOTS À ÉTUDIER :
1. **habituel, parallèle, essentiel, le cacao, familial.**
2. **une intervention, vieil, réel, artificiel, une exposition.**
3. **cueillir, une denrée, campagnard, les empreintes, solennel.**

Le participe passé

| Le spot **allumé** éclaire. | La lampe **allumée** éclaire. |
| Le phare **blanc** éclaire. | La lumière **blanche** éclaire. |

RÈGLE

Le participe passé se comporte généralement comme un **adjectif qualificatif**. Il peut s'employer **seul** ou avec les auxiliaires **être** ou **avoir**.

Pour trouver la **dernière lettre** d'un participe passé ou d'un adjectif qualificatif, **il faut**, avant tout accord, **penser au féminin**.

Le participe passé est en :

é pour le 1ᵉʳ groupe — **le lilas coupé** — **la fleur coupée**

i pour le 2ᵉ groupe et quelques verbes du 3ᵉ groupe
- **le travail fini** — **la tâche finie**
- **le repas servi** — **la soupe servie**

u
s } pour le 3ᵉ groupe
t
- **le livre rendu** — **la monnaie rendue**
- **le rôle appris** — **la réplique apprise**
- **le feu éteint** — **la flamme éteinte**

Exceptions : un corps **dissous** – une matière **dissoute**, etc.

EXERCICES

82. Justifiez la dernière lettre des adjectifs suivants en les employant avec un nom masculin et avec un nom féminin singulier :

petit	long	ras	altier	confus
chaud	épais	léger	haut	gentil
prompt	las	aisé	entier	diffus

83. Employez le participe passé de chacun des verbes suivants avec un nom masculin singulier et avec un nom féminin singulier :

rentrer	ramasser	cueillir	battre	ternir
casser	blanchir	réussir	remettre	entendre
baisser	endormir	rompre	rôtir	prendre

84. Même exercice que 83.

lire	coudre	éteindre	offrir	prévoir
dire	mourir	peindre	recevoir	détruire
faire	mettre	joindre	asseoir	construire

■ 85. **Transformez les expressions suivantes d'après le modèle :**
ranger le livre ——→ le livre rangé.

tuer le temps	aplatir un clou	mettre le couvert
briser le vase	servir le repas	asseoir le malade
flamber une tarte	fendre la foule	satisfaire les clients
assouplir les articulations	tordre le barreau	teindre le costume
guérir un malade	abattre le chêne	instruire le peuple

■ 86. **Même exercice que 85.**

jeter les ordures	envahir le pays	acquérir la maison
serrer la vis	remplir la carafe	reprendre sa tâche
attraper la grippe	défendre son camp	remettre la clé
gravir la pente	recevoir la lettre	peindre la porte
desservir la table	boire le thé	extraire la dent

■ 87. **Dans chaque phrase, remplacez le participe passé en italique par un adjectif qualificatif.**
Je ramasse des tuiles *tombées*. – La viande *grillée* est bonne. – Le gazon *coupé* embaume l'air. – Le coffret *garni* de bonbons coûte cher. – Le notaire déplia une feuille *jaunie*. – Une équipe *unie* obtient de bons résultats. – On range les assiettes *essuyées*. – L'oie *farcie* rissole dans son jus. – Les voiles *hissées* se repèrent au loin. – La chemise *blanchie* sera repassée.

■ 88. **Écrivez le participe passé à la place du verbe en italique.**
Les loups *tenailler* par la faim, envahissaient le village. – Le temps *gaspiller* ne se rattrape pas. – La moto *embourber* a du mal à sortir de l'ornière. – Le stade est vide, les tribunes *joncher* de papiers gras sont à nettoyer. – Le voilier *tourmenter* par la houle, se balance. – On nous a servi du bœuf *bouillir*. – La maladie *guérir*, le convalescent reprend des forces. – Le maçon répare le mur *démolir*.

■ 89. **Même exercice que 88.**
Aussitôt la lampe *éteindre*, je m'endors. – Des éclairs sillonnent le ciel *obscurcir*. – Le travail *entreprendre* sera de longue durée. – L'ordre *comprendre* est vite exécuté. – Le buffet *peindre* en blanc met une note claire dans la cuisine. – La machine *réparer* est remise en service. – Le spectateur *asseoir* regarde le film. – Hervé a laissé le robinet *ouvrir* : la baignoire déborde.

MOTS À ÉTUDIER :
1. éteindre, la monnaie, confus, le notaire, le buffet.
2. une ornière, le résultat, diffus, envahir, nettoyer.
3. prompt, le coffret, acquérir, attraper, extraire.

Adjectif qualificatif, participe passé épithètes ou attributs

> Je m'arrête à chaque adjectif qualificatif.
> La fenêtre est **fermée**.
> Les **anciens** murs ont été **démolis**.

RÈGLE

L'**adjectif qualificatif** et le **participe passé épithète**s ou **attributs** s'accordent en **genre** et en **nombre** avec le **nom** ou le **pronom** auquel ils se rapportent.

Pour trouver ce **nom** ou ce **pronom**, il faut transformer sur ce modèle :

C'est la fenêtre **qui** est fermée.
La fenêtre, fém. sing. donc **fermée (ée)**.

Ce sont les anciens murs **qui** ont été démolis.
Les murs, masc. plur. donc **démolis (is)**.

Ce sont les murs **qui** sont anciens.
Les murs, masc. plur. donc **anciens (s)**.

EXERCICES

■ **90. Conjuguez au présent de l'indicatif et au passé composé :**

1. être gentil	2. être affaibli	3. être assidu
être perdu	être satisfait	être harassé de fatigue

■ **91. Écrivez correctement les adjectifs qualificatifs et les participes passés en italique.**

Des décors *imposant* occupent toute la scène. – Les serveuses *affairé* s'occupent des clients. – Les joueurs *hardi* s'aventurent dans le camp adverse. – La voiture *chargé* avance péniblement. – Ils ont les yeux *bouffi* de sommeil. – Les camions sont *garé* sur le parking de l'autoroute. – Nous étions *content*.

■ **92. Même exercice que 91.**

Les *petit* chemins *gorgé* d'eau sont *impraticable*. – Ils sont *petit*, mais *trapu*. – Les deltaplanes sont *beau* et *léger*. – Les pêches étaient *velouté*, *charnu*, *savoureux*. – Les réservoirs sont *plein* de fioul. – Ils sont *préoccupé* et *soucieux* alors qu'ils devraient être *décontracté* et *serein*. – Elles avaient été *surpris* de te trouver au lit.

■ 93. Écrivez correctement les participes passés en italique.

Les grimpeurs *allongé* se reposent. – Les mains *rougi* par le vent, le facteur poursuit sa tournée. – Les chiens de traîneaux *engourdi* par le froid restent *immobile*. – La mer *déchaîné* gronde. – Les usines *abandonné* ferment définitivement. – Les sommets *atteint* après une longue course, les alpinistes admirent le paysage. – Les vagues, *grossi* par la tempête, s'écrasent contre la jetée. – Les roses *épanoui* exhalent un doux parfum.

■ 94. Même exercice que 93.

Les répliques *lu* et *relu*, les acteurs font une pause. – Il ne faut pas reprocher les services *rendu*. – Les cibles *atteint* par les tireurs volent en éclats. – Les incendies rapidement *éteint* ont fait peu de dégâts. – Les arbres *dépouillé* ont des formes bizarres. – J'aime les maisons *couvert* de tuiles. – Les nouvelles *reçu* sont bonnes.

■ 95. Même exercice que 93.

Les marchandises *vérifié, compté* sont *classé*. – Les serviettes *lavé, repassé,* vont être *rangé*. – Les poussières étaient *happé* par les aspirateurs. – Les aliments *mâché* lentement seront bien *digéré*. – Les cours de récréation étaient *jonché* de feuilles *volante*. – Les poteaux électriques avaient été *arraché* par le vent. – Nous avions été *grondé* pour être *arrivé* en retard. – Elles ont été *ravi* de nous voir.

■ 96. Même exercice que 93.

Les bûches *fendu* sont *empilé* en tas. – Les peintures avaient été *terminé* avant la nuit. – Nous sommes *parti* de bon matin. – Elles avaient été *poussé* vers la sortie. – Ils ont été *contraint* d'atterrir. – Les volets seront *peint* en vert pâle. – Quand la partie sera *fini,* ce sera la fête chez les supporters.

■ 97. Accordez le participe passé des verbes mis en italique.

Les maisons étaient *blottir* dans le vallon. – Les carreaux *casser* seront *remplacer* par le vitrier. – Les massifs avaient été *tailler,* les allées *désherber* et *ratisser*. – Les chevaux de course ont été *conduire* sur la piste. – Les voleurs avaient été *suivre* par les gendarmes. – Les fillettes avaient été *croire*. – Les arbres étaient *tordre* par le vent.

MOTS À ÉTUDIER :
1. **le parfum, ancien, occuper, hardi, satisfait.**
2. **affaibli, péniblement, le parking, les carreaux, électrique.**
3. **impraticable, préoccupé, contraint, les dégâts, happé.**

Révision

■98. **Remplacez les points par** *son* **ou** *sont*.

Alexis et … père … allés faire les courses au supermarché. – Les enfants se … battus, à coups de boules de neige. – C'est … club qui lui a fourni … premier équipement de judo. – Cette montagne est dangereuse, les avalanches … nombreuses sur … côté nord. – Ils ne … jamais là !

■99. **Remplacez les points par** *on* **ou** *ont*.

… regarde les films qui … du succès. – Les danseurs … enchanté toute la salle, … les applaudit. – … doit aider les peuples qui … des difficultés à vivre. – Les skieurs de fond … traversé les vallées, … pense qu'ils … fourni de gros efforts. – Tout est calme, … dirait une ville abandonnée.

■100. **Remplacez les points par** *a* **ou** *à*.

Le blessé … un pansement … la tête. – Jean … mal … la jambe. – Mon oncle … une maison … la campagne. – Il rentre … la nuit, il n'… pas peur. – Le plombier n'… pas le temps de venir … la maison parce qu'il … trop de travail. – Si j'étais … ta place, j'irais me reposer … la campagne. – On … revu le film … la télévision.

■101. **Mettez le participe passé en** *é* **ou l'infinitif** *e.r.*

Mon frère a encore *détériorer* son jeu électronique. – Le présentateur a *annoncer* une bonne nouvelle. – Les policiers n'ont pas *céder* au chantage. – Comment avez-vous *poser* le papier peint ? – L'animal semblait *respirer* encore. – Après avoir *consulter* ses conseillers, le maire prit sa décision.

■102. **Remplacez les points par** *ses* **ou** *ces*.

Il regardait … timbres de collection avec des regards amoureux. – Avec … possibilités, il pouvait résoudre … problèmes très facilement. – Alexandra ne voyageait jamais sans … livres et … revues préférées. – Sans … encombrements, il aurait rejoint … amis en moins d'un quart d'heure.

■103. **Mettez la terminaison convenable :** *eaux, aux, s* **ou** *x*.

Les vieux chât… ont des portails couverts de clou… . – Le corbeau honteu… a perdu son fromage. – L'automobiliste regarde les pann… . – Le soir, je lis plusieurs journ… . – Il a égratigné ses genou… sur des caillou… . – L'or est un métal précieu… . – Olivier a des cheveu… blonds. – Les grillons se cachent dans des trou… .

■104. **Accordez les adjectifs en italique.**

Des paroles *amical*. – Des constructions *féodal*. – Des fleurs *naturel*. – Des plantes *tropical*. – Des caresses *maternel*. – Des tigresses *cruel*. – Des réunions *familial*. – Des maisons *paternel*. – Des lignes *vertical*. – Des dépenses *annuel*.

Participe passé avec le verbe *être* ou *avoir*

La voiture **avait été lavée**.
Elle **avait lavé** la voiture.

REMARQUES

Lorsqu'une expression est formée de **avoir** et de **été**, c'est du verbe **être** qu'il s'agit. Dans ce cas, le participe passé **s'accorde avec le sujet**.   Ex. : La voiture **avait été lavée**.

Le participe passé employé avec **avoir ne s'accorde jamais avec le sujet**.   Ex. : Elle **avait lavé** la voiture.

EXERCICES

■ **105. Conjuguez au passé composé et au plus-que-parfait de l'indicatif :**
être rétabli   salir son blouson   être récompensé

■ **106. Écrivez les participes passés des verbes en italique.**
Des feux d'herbe sèche ont été *allumer* dans les champs. – Nous avons *écouter* et *suivre* les bons conseils. – Vous avez *répondre*. – Elles ont *chanter*. – Les chiens ont *aboyer*. – Les bûches ont *flamber* dans la cheminée. – Les tissus muraux ont été *arracher* par le peintre. – Nous avions *expédier* un paquet. – L'armoire a été *ranger*. – Les étoiles avaient *scintiller* dans le ciel. – Ils ont *courir*. – Les lettres ont été *distribuer*.

■ **107. Même exercice que 106.**
Ils avaient *payer* leur dette. – Les fenêtres ont été *ouvrir* par les enfants. – La route a été *élargir*. – Les hommes ont *bondir* dans la tranchée. – Les automobilistes ont *éteindre* leurs phares. – La machine a *essorer* le linge. – Nous avons été *gronder*. – Les barques ont *rompre* leurs amarres. – La noix a été *casser*.

■ **108. Même exercice que 106.**
Les employés ont *trier* le courrier. – Ces chemisiers ont été *broder*. – L'eau a été *couper*. – Les coureurs avaient *sautiller* sur la piste. – Les couteaux avaient été *aiguiser*. – Les bûcherons avaient *abattre* un grand chêne. – Les paniers ont été *remplir*.

■ **109. Faites l'exercice sur le modèle :** Les maçons ont bâti les maisons.
⟶ Les maisons ont été bâties par les maçons.
ramasser – remplir – pétrir – plier – détruire – entendre.

MOTS À ÉTUDIER :
1. **la récompense, le conseil, aboyer, la bûche, arracher.**
2. **expédier, la dette, la tranchée, le phare, les amarres.**
3. **le courrier, aiguiser, le chêne, le bûcheron, abattre.**

Participe passé épithète en *-é*
ou infinitif en *-er* ?

> Un infinitif peut remplacer un autre infinitif.
> Le linge **lavé** sèche.   Il va **laver** le linge.
> Le linge **étendu** sèche.   Il va **étendre** le linge.

RÈGLE

Il ne faut pas confondre le **participe passé épithète** en **é** avec l'**infinitif** en **e.r**.

On reconnaît l'**infinitif** en **e.r** à ce qu'il peut être remplacé par l'infinitif d'un verbe du 3ᵉ groupe comme **vendre, mordre, voir, courir…**

Dans le cas contraire, c'est le participe passé épithète en **é**.

EXERCICES

■ **110. Complétez. Justifiez la terminaison** *e.r* **en écrivant entre parenthèses un infinitif du 3ᵉ groupe de sens approché.**

Je voulais visit… des pays ensoleill… . – Pour prépar… son sandwich, Claire utilise du pain congel… . – Granit, le chien, est en train d'enterr… un vieil os tout rong… . – Fatigu… de pêch…, mon frère est mont… chang… sa tenue tremp… . – Alors qu'il venait de pass… en tête, le coureur épuis… s'arrêta. – Qu'il est bon d'écout… des histoires du temps pass… . – Prière d'observ… le règlement.

■ **111. Complétez les mots inachevés. Justifiez la terminaison** *é* **en écrivant entre parenthèses un adjectif qualificatif ou le participe passé d'un verbe du 3ᵉ groupe de sens approché.**

La brise fait ondul… les blés d'or. – L'orage a laissé un ciel charg… de nuages effiloch… . – Laure, attrist…., regarde mont… le ballon qu'elle vient de lâch… . – Le chat, le poil hériss…, est prêt à griff… . – Prière de ne pas touche… aux objets expos… . – Le maçon va consolid… les murs lézard… . – Dérang…, les voleurs préfèrent fil… sans se faire pri… . – Nous avons entendu grinc… la porte rouill… du garage.

■ **112. Faites l'exercice sur le modèle :** lacer les souliers, les souliers lacés.

laver	peler	bêcher	remplacer	allumer
couper	coller	vider	saler	écraser
scier	payer	greffer	brûler	mériter

■ **113. Mettez la terminaison qui convient.**

Nous aimerions bien trouv… un trésor cach… depuis longtemps. – Les parieurs attroup… regardent le cheval tomb… qui essaie de se relev… . – La rivière se met à charri… des glaçons. – Ces voitures répar… vont être livr… prochainement. – Le lad s'apprête à lav… , à bross… ses chevaux. – L'oiseau bless… a de la peine à s'envol… . – L'entraîneur va regonfl… les ballons dégonfl… afin que l'on puisse jou… . – Son sang glac… par la peur, il ne pouvait plus avanc…, il était comme paralys… .

■ **114. Complétez chacune des phrases en utilisant un verbe du 1er groupe** *(e.r)*.

Sophie ne veut pas … (Quoi faire ?). – Je ne sais pas … (Quoi faire ?). – Jean peut … (Quoi faire ?) – Nul ne pouvait … (Quoi faire ?). – Tu te mis à … (Quoi faire ?). – Nous n'allons pas … (Quoi faire ?). – Arnaud est venu … (Quoi faire ?). – Tu as envie de … (Quoi faire ?). – Il ne faut pas … (Quoi faire ?) – Personne ne semblait … (Quoi faire ?). – Je ne pouvais pas … (Quoi faire ?).

■ **115. Même exercice que 113.**

Je n'eus pas le temps de travers… le jardin qu'à mi-chemin du perron je fus entour… par un tourbillonnement de jupes écossaises. – Je dus m'arrêt…, gên. par cet accueil. – Nous demeurions un instant sous la bise à voir flott… les feuilles. – Elle restait regard… le coucher du soleil. – Ce que je peux affirm…, c'est que la voiture a été transport… dans de bonnes conditions. – Bien qu'il ait du mal à marcher nous finirons bien par arriv… . – Il ne peut plus avanc… de son pas press… comme à l'accoutumée.

■ **116. Même exercice que 113.**

Cri… n'est pas chant… . – Se lev… tôt lui paraissait impossible. – Je dus, plâtr… du genou à la hanche, gard… la chambre. – Pêch… est sa distraction favorite. – Cultiv… son jardin, voilà ce que conseillait Voltaire. – Collectionn… des timbres m'intéresse beaucoup. – Paul a flân… le long des quais, regard… les bateaux remont… ou descendre le fleuve ; cela lui plaît. – Mang… un fruit est rafraîchissant.

■ **117. Construisez trois phrases contenant un participe passé épithète en *é* et trois phrases contenant un infinitif en *e.r*.**

MOTS À ÉTUDIER :
1. plâtrer, charrier, un glaçon, le règlement, prochainement.
2. hérissé, le perron, greffer, collectionner, flâner.
3. la distraction, l'accueil, impossible, rafraîchissant, paraître.

Participe passé épithète en -*i* ou verbe en -*it* ?

> Je pense à l'imparfait pour reconnaître le verbe.
> L'aube **blanchit** l'horizon. L'aube **blanchissait** l'horizon.
> Le mur **blanchi** est propre. La muraille **blanchie** est propre.

RÈGLE

Il ne faut pas confondre le **participe passé épithète** en **i** avec le **verbe** en **i.t**.

Lorsqu'on peut mettre l'**imparfait** à la place du mot, il faut écrire la terminaison **i.t** du verbe.

Dans le cas contraire, c'est le participe passé épithète en **i**.

EXERCICES

■ **118. Mettez le participe passé ou le verbe en** *i.t.* **Justifiez la terminaison** *i.t.* **en écrivant l'imparfait entre parenthèses.**

Le médecin donne des soins au malade évanou… . – L'enfant s'évanou… de frayeur. – L'ouvrier réfléch… avant d'entreprendre son travail. – Le rayon de soleil, réfléch… par la glace, éblouit l'automobiliste. – Je ne monte jamais dans un autobus condu… par un chauffard. – Vous avez condu… comme un fou ! – Le maçon démol… le vieux mur. – La maison démol… livre des secrets. – Le bulldozer élarg… la route. – Le chemin élarg… laisse passer les camions. – Ce fruit, mûr… au soleil, est très juteux. – Ce fruit mûr… dans une serre – Cette affaire, suiv… par le tribunal, est tout près d'aboutir. – Le juge, suiv… ce dossier délicat.

■ **119. Même exercice que 118.**

Le castor bât… sa hutte avec des branchages. – La hutte bât… par les castors est solide. – Le coureur franch… la ligne d'arrivée. – La haie franch… par les chevaux est assez haute. – Une plaie mal soignée guér… difficilement. – Le malade guér… pourra reprendre ses activités. – Le froid bleu… le visage. – Le cycliste grav… péniblement la côte. – La pente grav…, l'alpiniste se repose. – Après l'ondée, le soleil apparaît dans un ciel éclairc… . – Le cuisinier éclairc… la sauce. – Richard appr… l'heureuse nouvelle par son cousin. – Son rôle appr…, il le joua.

■ 120. Terminez les phrases suivantes :

Un panier garni … .	Le soleil brunit … .	Le pont élargi … .
Le rayon réfléchi … .	Le visage blêmi … .	Le tailleur élargit … .
Jacques blêmit … .	Le couple uni … .	Le soleil luit … .
Le maire unit … .	Elle mentit … .	Le visage noirci … .
Cette somme suffit … .	Il réfléchit … .	Le dos arrondi … .
Le pâtissier garnit … .	Le papier bruni … .	Le jardinier arrondit … .

■ 121. Même exercice que 118.

La volaille embrochée, rouss…, brun…, devient splendide, la graisse qui l'humecte adouc… ses teintes. (Taine) – Le fer à repasser est trop chaud, le mouchoir rouss… – La peau brun… au soleil. – Il fin… son repas en prenant son temps. – Son travail fin…, il pouvait aller au gymnase pour faire du sport. – Ce médicament assoup… le malade. – On ne rencontre personne dans les rues du village assoup… – L'ouvrier pol… le granit. – Le marbre pol… brille.

■ 122. Même exercice que 118.

Pierre sais… un morceau de sucre. – Sa proie sais… , l'aigle s'envola. – Le repas serv… est copieux. – Le restaurateur serv… une tarte délicieuse. – L'ébéniste vern… un meuble ancien. – Le bahut vern… trône dans la salle à manger. – L'eau coulait, ralent… par la sinuosité de la plage. – Le tapis de laine assourd… les pas. – On entendait le bruit assourd… de l'orage.

■ 123. Même exercice que 118.

La salle de séjour agrand… par la véranda est beaucoup plus vaste. – La grange agrand… la maison. – Le réservoir rempl… nous pouvons enfin reprendre la route. – Le pompiste rempl… le réservoir de la voiture. – On garn… les tartes à la crème Chantilly. – Le chemisier de Laurie garn… de dentelles est splendide. – Cette tenue noire te vieill… . – Ce vin, vieill… artificiellement, semble excellent. – Le corsaire enfou… le trésor. – Le trésor enfou…, ils partirent.

■ 124. Employez dans une phrase sous la forme du participe passé épithète en *i*, puis sous la forme du verbe en *it* :

guérir	grossir	nourrir

MOTS À ÉTUDIER :
1. **le réservoir, la dentelle, le comte, artificiellement, le corsaire.**
2. **le trône, l'ébéniste, l'horizon, la muraille, entreprendre.**
3. **le tribunal, le bulldozer, difficilement, humecter, une ondée.**

Participe passé épithète en -*is* ou verbe en -*it* ?

Je pense à l'imparfait pour reconnaître le verbe.

Le joueur **reprit** le ballon.	Le ballon **repris** entre dans le but.
Le joueur **reprenait** le ballon.	La balle **reprise** entre dans le but.

RÈGLE

Il ne faut pas confondre le **participe passé épithète** en **i.s** avec le verbe en **i.t**.

Lorsqu'on peut mettre l'**imparfait** à la place du mot, il faut écrire la terminaison **i.t.** du verbe.

Dans le cas contraire, c'est le participe passé épithète en **i.s**.

EXERCICES

■ **125. Mettez le participe passé ou le verbe en** *i.t.* **Justifiez la terminaison** *i.t.* **en écrivant l'imparfait entre parenthèses.**

Bien mal acqui… ne profite jamais. – Rémy acqui… cette commode récemment. – Le rat pri… au piège se débat. – Le cheval pri… peur et fit un écart en arrière. – Le joueur compri… qu'il devait attaquer. – C'est le prix net, service compri… . – Mon père entrepri… un voyage. – Le travail entrepri… est plein de difficultés. – Les scouts assi… en rond regardent le feu de camp. – Le promeneur s'assi… à l'ombre d'un chêne.

■ **126. Même exercice que 125.**

Le travail repri… dès les beaux jours. – L'emballage repri… par le marchand avait été consigné. – Le gendarme surpri… le voleur. – Le passant, surpri… par l'averse, s'abrite sous un porche. – Il promi… de ne jamais plus se laisser prendre. – Le père donne à son fils le cadeau promi… . – Le malade, remi… de son indisposition, fait sa première sortie. – Jean remi… le livre dans la bibliothèque.

■ **127. Terminez les phrases suivantes :**

Le couvert mis … .	Le système admis … .	Tu conquis … .
Le facteur remit … .	Le chauffeur mit … .	Le garagiste acquit … .
Le vol commis … .	Le pilote commit … .	Le sport permis … .
Le juge permit … .	Le problème soumis … .	L'avocat soumit … .
Tu remis … .	Le travail remis … .	Le pays conquis … .

■ **128. Employez dans une phrase sous la forme du participe passé épithète en** *i.s*, **puis sous la forme du verbe en** *i.t* :

soumettre	prendre	surprendre
permettre	remettre	promettre

MOTS À ÉTUDIER :

1. jamais, la commode, un écart, surprendre, la difficulté.
2. récemment, le chêne, un emballage, une averse, la bibliothèque.
3. l'indisposition, soumettre, le système, le couvert, l'arrière.

Participe passé épithète en *-t* ou verbe en *-t* ?

Je pense à l'imparfait pour reconnaître le verbe.

La tempête **détruit** la digue.   Les murs **détruits** tombent.
La tempête **détruisait** la digue.   Les tours **détruites** tombent.

RÈGLE

Il ne faut pas confondre le **participe passé épithète** en **t** avec le verbe en **t**.

Lorsqu'on peut mettre l'**imparfait** à la place du mot, il faut écrire la terminaison **t** du verbe.

Dans le cas contraire, c'est le participe passé épithète en **t**, qui s'accorde en genre et en nombre.

EXERCICES

■ 129. **Mettez le participe passé ou le verbe en** *t*. **Justifiez le** *t* **du verbe en écrivant l'imparfait entre parenthèses.**

Le magistrat instrui… les dossiers. – Les enfants instrui… réussiront. – La soupe cui… à feu doux. – Le boulanger vend des pains bien cui… – Les murs endui… de chaux sont plus sains que les murs recouverts de papiers pein… . – L'ouvrier pein… les volets. – Le pompier étein… l'incendie. – La voiture s'engage dans le chemin tous feux étein… .

■ 130. **Même exercice que 129.**

Le moniteur condui… son groupe de skieurs sur la piste rouge. – Cette affaire, condui… de main de maître, a rapporté beaucoup d'argent. – Le vent disjoin… la porte du hangar. – Les volets, disjoin… par le vent, battent le mur. – Les travaux fai… à la hâte sont rarement durables. – Le sport fai… du bien. – La Brie produi… beaucoup de blé. – Les fruits produi… par ce poirier sont superbes.

■ 131. **Terminez les phrases suivantes :**

Le mur enduit … .	L'ouvreuse introduit … .	Le car conduit … .
L'employé écrit … .	Le maître décrit … .	Le tableau séduit … .
Le menu inscrit … .	Le médecin prescrit … .	L'usine produit … .
L'aigle sortit … .	Le texte écrit … .	Le marin maudit … .
Jacques traduit … .	Le directeur inscrit … .	Le bâtiment détruit … .

■ 132. **Employez dans une phrase sous la forme du participe passé épithète en** *t*, **puis sous la forme du verbe en** *t* **:**

écrire   construire   atteindre

MOTS À ÉTUDIER :
1. la tempête, la digue , la tour, écrire, le dossier.
2. le magistrat, doux, la chaux, les feux, le moniteur.
3. atteindre, le hangar, rarement, construire, le tabac.

Participe passé épithète en *-u* ou verbe en *-ut* ?

Je pense à l'imparfait pour reconnaître le verbe.

Fabien **reçut** une lettre.   Le colis **reçu** est gros.
Fabien **recevait** une lettre.   La boîte **reçue** est vide.

RÈGLE

Il ne faut pas confondre le **participe passé épithète** en **u** avec le verbe en **u.t**.
Lorsqu'on peut mettre l'**imparfait** à la place du mot, il faut écrire la terminaison **u.t** du verbe.
Dans le cas contraire, c'est le participe passé épithète en **u**.

EXERCICES

■ 133. **Complétez et justifiez, s'il y a lieu, la terminaison *u.t.* du verbe en écrivant l'imparfait entre parenthèses.**

Assoiffé, Fabien bu… son verre d'un trait. – La potion bu… par Astérix lui donne de la force. – Les marins fredonnaient une chanson connu… . – L'explorateur connu… les souffrances de la soif. – Le café moulu… perd son arôme. – Le meunier moulu… le blé de la dernière récolte. – Le chien secouru… son maître. – Le noyé secouru… reprend sa respiration.

■ 134. **Même exercice que 133.**

La voiture disparu… au sommet de la côte. – Le bateau dispar… transportait de nombreux passagers. – Jean su… répondre intelligemment. – La nouvelle à peine su…, tout le monde voulu… connaître les détails. – Le promoteur conclu… une bonne affaire. – Le marché conclu…, le client signe un chèque. – Le joueur, exclu… du terrain sera suspendu pour le prochain match. – Madame Dubois exclu… le sucre de son alimentation.

■ 135. **Même exercice que 133.**

Carine lu… cet ouvrage intéressant. – Ce livre lu… et relu… conserve toujours de l'attrait. – L'éolienne mu… par le vent. – La girouette, mu… par la rafale, grince. – Joël, ému…, balbutie. – Ce spectacle ému… l'assistance. – Nadège parcouru… rapidement le programme. – Le chemin, parcouru… en groupe, paraît moins long.

■ 136. **Employez dans une phrase sous la forme du participe passé épithète en u, puis sous la forme du verbe en *u.t.* :**

secourir   paraître   disparaître   courir

MOTS À ÉTUDIER :
1. **le colis, la potion, fredonner, l'explorateur, courir.**
2. **la souffrance, paraître, secourir, l'arôme, la respiration.**
3. **intelligemment, le promoteur, l'alimentation, l'attrait, le programme.**

Particularités de l'accord de l'adjectif qualificatif

Le tricot et le pantalon sont **déchirés**.
Une cabane et une maison **isolées**.
La peinture et le papier sont **choisis**.

RÈGLE

1. Deux **singuliers** valent un **pluriel**.
2. Lorsqu'un adjectif qualificatif ou un participe passé épithète est employé avec des noms des deux genres, on les accorde au **masculin** pluriel.

EXERCICES

■ **137.** **Écrivez correctement l'adjectif qualificatif ou le participe passé épithète.**
Le cri et l'appel *entendu*. – Le commerçant et le client *honnête*. – Le tissu et la soie *bleu*. – Le pont et le quai *détruit*. – Le peintre et le sculpteur *réputé*. – Le médecin et l'infirmier *patient*. – Le sac et le panier *rempli*. – La veste et le gilet *réparé*. – La carte et la lettre *reçu*. – La branche et la tige *cassé*.

■ **138.** **Même exercice que 137.**
Une passe et une balle *latéral*. – L'agrafe et la boucle *cousu*. – Le fil et la corde *tendu*. – Le lion et la lionne *cruel*. – La robe et la jupe *noir*. – Le buffet et le fauteuil *vermoulu*. – L'herbe et le gazon *jauni*. – Le beurre et la graisse *fondu*. – Le verre et la coupe *fêlé*. – La pêche et la chasse *abondant*. – La rivière et le fleuve *profond*.

■ **139.** **Même exercice que 137.**
Le camion, la voiture et la caravane ont été *rentré*. – Les tables, les chaises et les armoires furent *vendu*. – Le manteau, la jupe et le corsage étaient *trempé*. – La table, les chaises et le buffet avaient été *ciré*. – L'aiguille, le clou et l'épingle sont *pointu*. – La maison, la piscine et la dépendance seront *acquis* par un promoteur.

■ **140.** **Même exercice que 137.**
Le vent s'infiltre sous la porte et la fenêtre *clos*. – Les skieurs et les skieuses *fatigué* rentrent au village. – Les contrôleurs de la tour de contrôle et les pompiers *inquiet*, attendent l'avion. – Sous les parasols et les tentes *bariolé* les baigneurs recherchent l'ombre. – Les banquettes et les fauteuils *rembourré* sont confortables.

MOTS À ÉTUDIER :
1. **un tricot, un appel, le quai, le sculpteur, un gilet.**
2. **rembourré, le fauteuil, la banquette, une armoire, la dépendance.**
3. **latéral, une agrafe, le beurre, l'aiguille, le parasol.**

L'adjectif qualificatif est loin du nom

Je m'arrête à chaque adjectif qualificatif.

Poussée par le vent, l'embarcation s'éloigne.
J'ai reçu des blessures qu'on disait **mortelles**.

RÈGLE

Quelle que soit leur place dans la phrase, l'**adjectif qualificatif** et le **participe passé épithète** s'accordent en **genre** et en **nombre** avec le nom auquel ils se rapportent.

EXERCICES

■ **141. Accordez les adjectifs qualificatifs ou les participes passés en italique.**
Enseveli sous la neige, les skieurs attendent les secours. – *Poli* avec grand soin, les casseroles brillent. – *Alourdi* par la charge, les avions ont du mal à décoller. – *Accablé* par la chaleur, les randonneurs dorment à l'ombre de la haie. – *Frappé* de stupeur, le capitaine et ses trente matelots restaient immobiles. – *Atteint* par la maladie, les plantes perdent leurs feuilles. – *Nettoyé*, les murs de cet immeuble sont plus clairs.

■ **142. Même exercice que 141.**
Embusqué derrière des branchages touffus, les chasseurs attendaient le passage des palombes. – *Conduit* avec douceur et souplesse, ces voitures peuvent rouler longtemps. – *Téléguidé*, la maquette de l'avion évoluait librement au-dessus de nos têtes. – *Attisé* par le vent, les flammes prenaient de la vigueur. – *Déporté* par la vitesse, la voiture finit sa course dans le fossé. – *Courbé* sous le poids d'un lourd buffet, le livreur monte l'escalier.

■ **143. Même exercice que 141.**
Construit avec de bons matériaux, ces bâtiments défient les années. – *Caché* sous la table, les enfants jouent aux Indiens. – *Exténué* par sa prestation, la danseuse salue le public. – *Arrimé* au quai, les barques se balancent dans les eaux calmes du port de plaisance. – *Arrivé* à l'étape, les coureurs s'arrêtent pour se rafraîchir. – *Pailleté* d'or, les yeux du chat brillent dans l'ombre. – *Grossi* par les pluies, les rivières débordent.

■ **144. Construisez cinq phrases sur les modèles précédents.**

MOTS À ÉTUDIER :
1. l'embarcation, mortelle, les secours, la casserole, décoller.
2. accablé, le randonneur, la stupeur, la haie, un propriétaire.
3. la maquette, les matériaux, exténué, pailleté, la plaisance.

Nom propre ou adjectif qualificatif ?

Un **Français**.
Le peuple **français**.

RÈGLE

Il ne faut pas confondre l'adjectif **qualificatif de nationalité** avec le **nom propre**.
L'**adjectif qualificatif** accompagne un nom et **ne prend pas de majuscule**.

EXERCICES

■ **145. Faites l'exercice suivant sur le modèle :**
le Brésil, les Brésiliens, les cafés brésiliens, la forêt brésilienne.

1. la Grèce	Paris	l'Allemagne	la Finlande
la France	l'Angleterre	la Norvège	la Russie
l'Espagne	l'Italie	l'Amérique	la Turquie
2. la Flandre	la Normandie	la Bourgogne	le Limousin
la Picardie	le Berry	la Provence	le Poitou
la Bretagne	l'Auvergne	la Vendée	la Lorraine

■ **146. Écrivez le nom propre ou l'adjectif qualificatif qui convient.**
Les *(Hollande)* sont de bons marins. – Les tulipes *(Hollande)* sont très belles. – Les torrents *(Cévennes)* ont des crues terribles. – Les vallées *(Pyrénées)* sont plus étroites que les vallées *(Alpes)*. – Les enfants jouent à la pelote *(Basque)*. – Les *(Basque)* parlent une langue très ancienne. – Le vignoble *(Bordeaux)* produit des vins renommés. – Les *(Toulouse)* aiment la musique. – Les chevaux *(Arabie)* sont nerveux et rapides. – Pasteur était *(Franche-Comté)*. – Le minerai de fer *(Suède)* est très riche.

■ **147. Même exercice que 146.**
La marine *(Angleterre)* était très puissante. – Les haras *(Normandie)* sont réputés. – Les *(Normandie)* ont conquis l'Angleterre. – Les villes *(Bretagne)* ont de vieilles maisons en granit. – La *(Suisse)* est divisée en cantons. – Ces chalets *(Suisse)* sont confortables. – Les *(Bretagne)* portaient des jolies coiffes de dentelle. – Les *(Gaule)* furent vaincus par les Romains. – Les villages *(Gaule)* étaient formés de huttes. – Les *(Finlande)* sont des athlètes remarquables. – La forêt *(Canada)* couvre des étendues immenses. – Les *(Canada)* sont habitués aux grands froids.

MOTS À ÉTUDIER :
1. **le torrent, la tulipe, le Berry, la crue, terrible.**
2. **la vallée, ancienne, la renommée, nerveux, le minerai.**
3. **le granit, des athlètes, la hutte, remarquable, immense.**

Adjectif qualificatif de couleur

Des soies :
rouges, vertes —→ 1 adjectif pour 1 couleur : **accord** ;
rouge sombre —→ 2 adjectifs pour 1 couleur : **pas d'accord** ;
cerise, ocre —→ nom exprimant par image la couleur : **pas d'accord**.

RÈGLES

Les adjectifs qualificatifs de couleur s'accordent quand il n'y a qu'**un seul adjectif** pour **une couleur**.
Les noms exprimant par image la couleur restent invariables, mais **mauve**, **fauve**, **rose**, assimilés à des adjectifs, s'accordent.

EXERCICES

■ **148. Écrivez correctement les adjectifs de couleur.**

noir — des crayons, des étoffes.   *violet* — des iris, des fleurs.
ocre — des murs, des étoffes.   *orangé* — des bas, des soies.
doré — des fruits, des poires.   *mauve* — des lilas, des tulipes.
blanc — des draps, des chemises.   *bleu* — des yeux, des encres.

■ **149. Même exercice que 148.**

bleu pâle — des nappes, des rideaux, des pulls, des chemisettes.
bleu clair — des tricots, des vestes, des rideaux, des robes.
jaune citron — des boissons, des papillons, des voiles, des laines.
vert olive — des velours, des blouses, des satins, des tentures.
rouge foncé — des crêtes, des peintures, des dahlias, des teintes.

■ **150. Même exercice que 148.**

crème — des gants, des dentelles, des papiers, des roses.
marron — des feutres, des jupes, des chapeaux, des écharpes.
paille — des taffetas, des soieries, des corsages, des franges.
cerise — des rubans, des ceintures, des foulards, des cravates.

■ **151. Écrivez correctement les mots en italique.**

Des fumées *noir* sortent des cheminées. – Ses yeux *pervenche* avaient séduit le roi d'Espagne. – La maison avait des volets *vert*. – Les volets sont peints en *vert*. – Les fraises font des taches *rouge* sur les feuilles *vert foncé*. – Le chien a des yeux *marron*. – Dans les paniers s'amoncellent des fruits *jaune*, *rouge*, *vert*, *doré*. – La fillette a les cheveux *châtain*. – La perle jette des reflets *nacré*. – Le vigneron a les vêtements teints en *bleu* par le sulfatage.

MOTS À ÉTUDIER :
1. les iris, la soie, les yeux, un drap, une étoffe.
2. ocre, des gants, des rideaux, le velours, les tentures.
3. le sulfatage, la soierie, une écharpe, un corsage, un foulard.

Les adjectifs numéraux

Cet outil vaut :
quatre-vingts francs ;
quatre-vingt-un francs ;
deux cents francs ;
deux cent dix francs.

Les **quatre** ailes.
Dix mille francs.
Dix milliers de francs.
Les **premiers** hommes.
L'an **mil** (ou **mille**) **neuf cent**.

RÈGLE

Les adjectifs numéraux **cardinaux** sont **invariables**, sauf **vingt** et **cent** quand ils indiquent les **vingtaines** et des **centaines rondes**. **Mille**, adjectif, est toujours invariable, mais **millier** prend un **s** au pluriel parce que c'est un **nom**.
Les adjectifs numéraux **ordinaux** prennent un **s** au **pluriel**.
Dans les **dates**, **jamais d'accord**, et l'on écrit **mille** ou **mil**.

Remarque

On tolère l'accord de vingt et de cent quand ils sont suivis d'un numéral. Ex. : **deux cent dix** ou **deux cents dix**.

EXERCICES

■ 152. **Écrivez en lettres les nombres de 2 à 20, précédés de l'article** *les* **et suivis d'un nom.** Ex. : les deux hommes.

■ 153. **Faites l'exercice sur le modèle suivant :**
1 000 – mille mètres – un millier de mètres.
2 000 – 3 000 – 4 000 – 5 000 – 25 000 – 50 000

■ 154. **Écrivez ces nombres en lettres, et faites-les suivre d'un nom.**
20 – 28 – 80 – 89 – 100 – 175 – 200 – 201 – 320 – 380 – 400

■ 155. **Écrivez les dates en lettres.**
Christophe Colomb découvrit l'Amérique en 1492. – Louis XIV régna de 1643 à 1715. – Victoire de Valmy (1792). – Victoire d'Austerlitz (1805). – Découverte du vaccin contre la rage (1885). – Victoire de Verdun (1916).

■ 156. **Écrivez en lettres les nombres en italique.**
Le feuilleton commence généralement vers les *9* heures. – Avec les *7* notes de la gamme, on a composé de beaux chants. – L'araignée court de toute la vitesse de ses *8* pattes. – Connaissez-vous les *7* plaies d'Égypte et les *12* travaux d'Hercule ? – Avec mes *20* francs, j'achèterai un livre. – C'est par l'entente de ses *11* joueurs que cette équipe a gagné. – J'aime mes *4* frères.

MOTS À ÉTUDIER :
1. **un franc, composer, la vitesse, une découverte.**
2. **la gamme, commencer, la victoire, l'Égypte, généralement.**
3. **un outil, le vaccin, un feuilleton, l'araignée, connaître.**

Tout

Tout le banc. **Tous** les bancs.
Toute la table. **Toutes** les tables.
Nous irons **tous** à Paris.
Des pulls **tout** usés, **tout** rapiécés
(tout = tout à fait).
Des vestes **tout** usées, **toutes** rapiécées.

RÈGLES

Tout remplaçant ou se rapportant à un **nom** est **variable**.
Tout précédant un **adjectif qualificatif** est le plus souvent **adverbe**, donc **invariable**.
Par euphonie, on accorde **tout** devant les **adjectifs qualificatifs féminins** commençant par une **consonne** ou un **h aspiré**.

Même

Ils ont les **mêmes** livres.
Portons le sac nous-**mêmes**.
Les douaniers fouillent **même** les sacs à main.

RÈGLE

Même s'accorde quand il veut dire **pareil**, **semblable** et aussi dans les groupes : **nous-mêmes**, **vous-mêmes** (quand il s'agit de plusieurs personnes), **eux-mêmes, elles-mêmes**.

Quelque
Chaque

Achète **quelques** journaux !
Depuis **quelque** temps, il pleut.
Chaque chien, **chaque** animal.

RÈGLE

Quelque s'accorde seulement quand il a le sens de **plusieurs**.
L'expression **quelque chose** est invariable.
Chaque marque **toujours** le **singulier**.
Rappelons-nous l'expression **chaque animal**.

EXERCICES

■ 157. **Écrivez correctement** *tout* **dans les expressions suivantes :**

tout le jour	*tout* tes outils	*tout* la troupe
tout les enfants	*tout* ta fierté	*tout* les filles
tout ces fruits	*tout* ses légumes	*tout* ces voyages
tout mes amis	*tout* sa peine	*tout* cette maison
tout nos travaux	*tout* vos idées	*tout* leurs œufs

■ **158.** **Écrivez correctement** *tout* **(au sens de** *tout à fait*) **:**

des routes *tout* droites	des chemins *tout* tracés
des arbres *tout* tordus	des mains *tout* gercées
des plumes *tout* hérissées	des visages *tout* ridés
une mer *tout* agitée	des maisons *tout* blanches
des herbes *tout* humides	des lustres *tout* allumés

■ **159.** **Accordez, s'il y a lieu, les mots en italique.**

Ils se sont butés aux *même* difficultés et ont fait les *même* erreurs. – « J'ai *même* rencontré des Tziganes heureux » est le titre d'un film. – Cette machine lave les lainages *même* les plus fragiles. – Les voitures *même* d'occasion se vendent facilement. – Et, que pouvaient-ils faire eux-*même* ? Rien ! – Nous couperons nous-*même* notre viande. – Toutes nos équipes joueront sous les *même* couleurs. – Les brocanteurs achètent *même* les vieilles ferrailles.

■ **160.** **Même exercice que 159.**

Les *même* questions appellent les *même* réponses. – Les *même* fleurs reviennent aux *même* saisons. – Je voudrais refaire les *même* voyages et revoir les *même* paysages. – Les assiettes anciennes, *même* fendues, ont de la valeur. – Les régions *même* les plus reculées ont été explorées. – Mes filles vous porteront elle-*même* de nos nouvelles. – Maintenant, on recycle *même* les ordures ménagères.

■ **161.** **Écrivez correctement les expressions en italique.**

J'ai dépensé *quelque argent*. – *Quelque ardoise* du toit ont été arrachées par le vent. – Le jardinier rapporte *quelque fruit* du verger. – Il me regardait avec *quelque étonnement*. – Ma bibliothèque renferme *quelque livre* intéressants. – *Quelque siècle* nous séparent du Moyen Âge. – Nous avons pêché *quelque truite*. – Cette année, mes parents ont pris *quelque semaine* de vacances. – Les ouvriers prendront *quelque repos* avant de poursuivre leur travail.

■ **162.** **Même exercice que 161.**

J'ai rangé cet objet dans *quelque recoin* du grenier. – Le navire s'est brisé sur *quelque écueil* à *quelque distance* de la côte. – *Quelque arbre* ombragent la petite place. – J'irai vous voir dans *quelque temps*. – *Quelque vieille personne* jouent au scrabble. – Il a toujours *quelque chose* à dire. – En août, nous passerons *quelque jour* à la campagne. – Il y a *quelque vingt an*, je suis venu dans ce pays.

■ **163.** **Employez** *chaque* **avec les noms suivants :**

article, journal, entrée, clou, pilier, roue, métal, végétal, rideau, trou, neveu, doigt, hôpital, bocal, projet, bijou, jeu, main.

MOTS À ÉTUDIER :
1. le doigt, un végétal, une entrée, un hôpital.
2. hérissé, l'humidité, une erreur, la difficulté, une occasion.
3. le brocanteur, la ferraille, l'étonnement, poursuivre, août.

Révision

■ **164. Remplacez les points par *ce, c'* ou *se, s'*.**

... que je lis ... retient facilement. – ... dont vous parlez m'intéresse. – Des nuages ... étaient amoncelés, ... était l'orage. – Il ... abrite sous ... vieux parapluie, ... qui le protège un peu. – ... est jour de marché, les marchands ... sont installés sur la place. – ... est à l'entrée de l'autoroute que les routiers ... sont arrêtés.

■ **165. Écrivez les participes passés des verbes en italique.**

Les gelées ont *détruire* les cultures. – Des immeubles ont été *détruire* par le séisme. – Elles ont *pétrir* la pâte. – La pâte a été *pétrir* par Serge. – Les malades ont *boire* la tisane. – La tisane a été *boire* par David. – Les enfants avaient *coller* des timbres. – Les timbres avaient été *coller* par Caroline.

■ **166. Mettez le participe passé en *é* ou l'infinitif en *er*.**

Il faudra répar... ces murs lézard... . – On voit dans le ciel dégag... brill... une étoile. – Les poissons écaill..., enfarin..., vont être jet... dans l'huile bouillante. – Le cavalier fait galop... son cheval sur la route détremp... . – Le plat bien prépar... est agréable à mang... . – J'écoute chant... les choristes.

■ **167. Mettez le participe passé en *i* ou le verbe en *it*.**

Le garagiste fin... la réparation. – Son travail fin..., l'ouvrier rentre chez lui. – Sur le soir, le vent fraîch... . – Le Canada fourn... beaucoup de pâte à papier. – Le travail fourn... par cet homme est considérable. – Ce parterre fleur... embell... la maison. – Dès le printemps, le lilas fleur... ; il embell... le jardin.

■ **168. Accordez les adjectifs en italique.**

Le panneau et le meuble sont *sculpté*. – L'aiguille et la pointe sont *aigu*. – Ce fennec et ce renard sont *apprivoisé*. – La mouche et le moustique sont *attiré* par la lumière. – Les tables et les chaises avaient été *ciré*. – La conférence et le spectacle furent *interrompu*. – Les rues et les boulevards ont été *décoré* pour Noël.

■ **169. Même exercice que 168.**

Chassé par le vent, les nuages filent. – *Travaillé* et *façonné*, la terre devient, poterie, plat, ou masque. – *Grossi* par les pluies, la rivière déborde. – *Conduit* par leur guide, les touristes atteignent le sommet. – *Perdu* dans la montagne, les alpinistes retrouvent enfin leur chemin.

■ **170. Mettez les noms suivants au pluriel :**

Un chou-rave, un lit-cage, un wagon-lit, un chef-lieu, un beau-frère, une plate-forme, une grand-mère, une arrière-grand-mère, un grand-père, un rouge-gorge, un va-et-vient, une arrière-saison, un timbre-poste, un arc-en-ciel.

L'infinitif

Les pneus sont lisses, il faut les **changer**.
Chacun devait **choisir** son déguisement.
Elles **choisirent** un livre et elles l'empruntèrent.

RÈGLE

L'infinitif est invariable.

Il ne faut pas confondre l'**infinitif** en **i.r** avec la **3ᵉ personne du pluriel du passé simple** en **i.r.e.n.t**. Quand on peut mettre l'**imparfait à la place du mot**, il faut écrire la terminaison **i.r.e.n.t** du passé simple.

EXERCICES

■ **171. Écrivez correctement les verbes en italique.**

Le lavabo est bouché ; le plombier vient le *répar...* . – On vient de *découvr...* une nouvelle étoile grâce au télescope électronique. – Monsieur, je vais vous *expliqu...*, j'ai été retenu chez moi par une affaire de famille. – Cet homme est un imposteur, je le ferai *mettr...* à la porte. – Les enfants prennent des ballons et vont se les *lanc...* . – Il faut *mang...* pour *vivr...* et non pas *vivr...* pour *mang...* . – Les chevaux s'emballent, le cow-boy ne peut les *maîtris...* .

■ **172. Même exercice que 171.**

Mon père pose des pièges dans le jardin, les mulots vont s'y *prendr...* . – Les étoiles s'allument, on les voit *apparaîtr...* toutes quand la nuit est noire. – Ces énigmes sont difficiles, mais je parviendrai à les *résoudr...* . – Un tableau venait d'*arriv...* de chez l'encadreur, on devait le *suspendr...* au-dessus du buffet. – Allons, va me *cherch...* mon marteau que je puisse l'*accroch...* . – Pour *arriv...* plus vite à Lille, le routier va *prendr...* l'autoroute. – Les volets de fer sont rouillés, il faut les *gratt...* avant de les *repeindr...* . – Je suis tellement heureux de faire cette expédition que je ne peux rien *entreprendr...* – Vous allez me *dir...* que ce livre est intéressant.

■ **173. Même exercice que 171.**

Les femmes des marins regardaient les chalutiers se *perdr...* dans le lointain. – Mes camarades m'ont demandé de les *attendr...*, mais je ne les vois pas *ven...* – C'était trop long, il fallait en *fin...* . – Un à un, on les vit *sort...*, puis *part...* vers le centre ville. – Debout devant sa glace, il commençait à s'*endui...* le visage de crème à *ras...* . – C'était ma voisine qui venait *demand...* si nous avions une radio à lui *prêt...* . – Certains mots ont la même prononciation, mais une orthographe différente ; il faut réfléchir pour ne pas les *confondr...* .

■ **174. Même exercice que 171.**

Quand on désire des récompenses, il faut les *mérit...* . – Il y a une exposition de chiens de race ; la foule se presse pour les *voi...* . – Le capitaine Jean n'aimait pas *demeur...* à terre, il passait son temps à *cour...* les mers du globe. Il découvrit l'Ile d'or. – Je vais te *remorqu...,* n'aie pas peur je suis venu pour te *rendr...* service. – Jean se laissa *fai...* et se fit *remorqu...* . – Si le diable me fait *abord...* à cette île, je me donnerai à lui. – Tu n'as plus qu'à *sign...* . – Des cyclistes se sont blessés, des passants s'empressent de les *secour...* .

■ **175. Donnez aux verbes en italique la terminaison** *i.r* **ou** *i.r.e.n.t.* **Justifiez la terminaison** *i.r.e.n.t* **en écrivant l'imparfait entre parenthèses.**

Les phares *éblou...* le cycliste. – Il ne faut pas se laisser *éblou...* par les apparences. – La justice allait se *sais...* de l'affaire quand l'amnistie fut décrétée. – Les joueurs *sais...* toutes les occasions pour montrer la valeur de leur jeu. – Les Romains *bât...* le pont du Gard et le théâtre d'Orange. – On avait revendu fort cher ce terrain à *bât...* . – Les promeneurs *cueill...* tous les champignons. – Il est interdit de *cueill...* la moindre fleur dans les parcs nationaux.

■ **176. Même exercice que 175.**

Les enfants se *serv...* eux-mêmes, mais ils renversèrent le plat. – Avant de se *serv...* de leurs outils, les menuisiers les affûtent. – Ces bouteilles *vieill...* dans une cave fraîche. – Il faut laisser vieill... ce bois avant de l'utiliser. – Les athlètes *fléch...* les genoux pour s'échauffer. – Malgré la plaidoirie de l'avocat le juge ne se laissa pas *fléch...* . – Les torrents *s'assag...* dans la plaine. – L'élève finit par *s'assag...* . – Deux chiens *surg...* dans le sentier. – Le chauffeur s'attendait à voir *surg...* une voiture en haut de la côte.

■ **177. Même exercice que 175.**

Les peintres blanch... les murs de la cave pour la rendre plus claire. – Il vaut mieux *blanch...* cette pièce, elle sera plus lumineuse. – Ses idées *mûr...* longtemps. – Laisse *mûr...* ton projet, il n'en sera que meilleur. – Les journalistes *couvr...* l'événement avec beaucoup de courage et de sang-froid. – Il est nécessaire de bien *couvr...* la maison pour ne pas avoir de fuites. – De nombreux participants vinrent *gross...* la foule des manifestants. – Après la fonte des neiges, les rivières gross... .

MOT À ÉTUDIER :
1. **les pneus, le plombier, le télescope, la côte, une énigme.**
2. **un imposteur, un mulot, un encadreur, repeindre, un projet.**
3. **entreprendre, les récompenses, une exposition, remorquer, les phares.**

Accord du verbe

Je m'arrête à chaque verbe et je fais la transformation :
« *C'est... qui* » ou « *Ce sont... qui* ».

Le pilote approche de l'arrivée.
Les pilotes approchent de l'arrivée.
Le pilote et son navigateur approchent de l'arrivée.

RÈGLE

Le verbe s'accorde en **nombre** et en **personne** avec **son sujet**.
Deux sujets singuliers valent **un sujet pluriel**.

On trouve le **sujet** en faisant la transformation :

C'est le pilote **qui** approche.
Le pilote, 3ᵉ pers. du sing. donc **approche (e)**.

Ce sont les pilotes **qui** approchent.
Les pilotes, 3ᵉ pers. du plur. donc **approchent (ent)**.

Ce sont le pilote et son navigateur **qui** approchent.
Le pilote et son navigateur, 3ᵉ pers. du plur.
donc **approchent (ent)**.

EXERCICES

■ **178. Écrivez les verbes en italique au présent de l'indicatif.**

François n'*avoir* pas menti, quand il *avoir* dit qu'il n'*avoir* jamais peur de la nuit. Maintenant il *être* seul, il *se sentir* un peu anxieux et *penser* sans cesse à l'étrange attitude des Jaouen. Que *se passer*-t-il au château, à minuit ? C'*être* la première fois que François *aller* dormir loin de tout secours. Il *essayer* de chasser de son esprit ce mot désagréable, mais *comprendre* très vite qu'il ne fermera pas l'œil de la nuit. Il *réfléchir* tout en rangeant son linge. Les Jaouen n'*être* pas de ces gens que l'imagination *tourmenter*.

D'après Boileau-Narcejac, *Sans atout et le cheval fantôme*,
Éd. de l'amitié – G. T. Rageot.

■ **179. Même exercice que 178.**

Les infirmières *veiller* les blessés. – Les côtelettes *griller* sur le barbecue. – Le malade *vaciller* sur ses jambes. – Les ouvriers municipaux *entreprendre* un travail long et monotone. – Les feux rouges déréglés ne *fonctionner* plus. – Les frères *se tenir* par la main. – Les hautes cheminées d'usine *enlaidir* le paysage. – Le diamant *scintiller*. – Les tireurs d'élite *viser* la cible. – Les bûcherons *équarrir* les peupliers qu'ils *venir* d'abattre. – L'artiste *chanter* bien, les spectateurs *applaudir*.

■ **180. Même exercice que 178.**

Un pont et une passerelle *enjamber* la rivière. – La grêle et la pluie *ravager* les récoltes. – Le joueur et son entraîneur *mettre* au point une stratégie pour la prochaine rencontre. – Le jockey et sa monture *se présenter* sur la ligne de départ. – Le guide et son client *gravir* les pentes de la montagne. – Le barreur et les rameurs *voler* vers la victoire. – Cette route et ce sentier *conduire* au village. – Jouer, sauter, courir lui *donner* des forces. – Le réalisateur et le metteur en scène *remporter* un trophée. – La neige et le vent *empêcher* la progression de la cordée.

■ **181. Écrivez les verbes en italique à l'imparfait de l'indicatif.**

Robinson et Vendredi *habiter* dans une île déserte. – L'esclave et le maître *travailler* ensemble. – Les vagues *rejeter* les débris du navire sur la plage. – Deux phares *signaler* l'entrée du port. – Un remorqueur et un voilier *pénétrer* dans le bassin. – Son allure et sa coiffure lui *donner* un air de vagabond. – Une vague, puis une autre *s'écraser* sur la jetée. – Le capitaine et son lieutenant *intervenir* souvent pour guider les pilotes qui *apponter* sur le porte-avions.

■ **182. Même exercice que 181.**

Le chirurgien et son assistant *opérer* le blessé. – Le douanier et son chien *suivre* une piste. – La pluie et le vent *gêner* le bon déroulement de la course. – Le pêcheur *vendre* son poisson à la criée. – Des nuages épais *obscurcir* le ciel. – Yannick *jouer* de mieux en mieux. – Le boulanger et son mitron *pétrir* la pâte. – Les maçons *crépir* la façade de la maison. – Le contrôleur *vérifier* les billets. – Le capitaine de l'équipe et l'entraîneur *recevoir* la récompense.

■ **183. Écrivez les verbes en italique au futur simple.**

Le jour où la pluie *tomber*, la nature *repartir* et la pelouse *reverdir*. – Les cavaliers *attacher* leurs montures. – Nous *multiplier* nos actions pour venir en aide au tiers monde ; la solidarité *jouer* enfin. – Nous *encourager* les skieurs. – Les voiles *se gonfler* à la brise du large. – Nous *apprendre* l'espagnol. – Les étoiles *pâlir*, puis elles *disparaître* dès que l'aube *blanchir* l'horizon. – Quand nous *avoir* fini, nous *ranger* nos outils. – Nos compagnons *veiller* pendant que nous nous *reposer*. – Vous *recevoir* votre carnet de voyage dans une semaine.

MOTS À ÉTUDIER :
1. l'arrivée, le navigateur, maintenant, l'attitude, les secours.
2. anxieux, désagréable, un œil, vaciller, municipal.
3. scintiller, une passerelle, la stratégie, le jockey, le barreur.

L'inversion du sujet

> Je m'arrête à chaque verbe. J'évite les pièges.
>
> **Sur le lieu de l'accident, arrivent les gendarmes et les sauveteurs.**

RÈGLE

Quelle que soit la construction de la phrase, **le verbe s'accorde** toujours avec son sujet.

EXERCICES

■ **184. Mettez les verbes en italique au présent de l'indicatif.**

Sur la route *s'avancer* les premiers concurrents du rallye. – Sous les doigts du guitariste *vibrer* les cordes. – Bravo, Bravo, *crier* la foule ! – Sur le roc escarpé *se tenir* des chamois. – Le chat a des yeux bridés où *s'allumer* une flamme verte. – Les yeux du chat *s'allumer* de lueurs furtives. – Le train *traverser* une région où *se succéder* les bois et les prairies. – Sur la plage ensoleillé *s'installer* les familles. – Dans ce pays *se trouver* des vestiges historiques. – Dans ces lointaines contrées *s'étendre* d'immenses plaines désertes.

■ **185. Même exercice que 184.**

Le combat est inégal *affirmer* les commentateurs. – L'actrice fait la révérence tandis que l'*acclamer* les spectateurs. – Sur la plaque de cuisson *mijoter* la blanquette de veau qu'*aromatiser* le laurier et le thym. – Au sommet du col *arriver* deux cyclistes. – Alors *apparaître* les premières gelées et *commencer* à tomber les premières feuilles et les premiers flocons sur les sommets. – Noir *être* le ciel où *courir* les nuages et pâles *être* les couchers de soleil, le soir, quand le vent *se calmer*.

■ **186. Mettez les verbes en italique à l'imparfait de l'indicatif.**

Au bord d'un clair ruisseau *boire* une colombe. – À la périphérie de la ville *fumer* les cheminées des hauts fourneaux. – Avec le début de l'hiver *arriver* des jours très pluvieux. – Les hommes d'affaires américains n'ont pas de temps pour ces déjeuners qu'*affectionner* les Français. – De nuit et par milliers *débarquer* les réfugiés. – Nous habitons la maison où *loger* autrefois le célèbre Petit Chaperon rouge ! – Interminable *être* la traversée, cinq jours et cinq nuits de tempête !

■ **187. Faites cinq phrases renfermant chacune une inversion du sujet.**

MOTS À ÉTUDIER :
1. un accident, les gendarmes, les sauveteurs, le combat, apparaître.
2. le déjeuner, interminable, furtif, historique, les sinistrés.
3. la blanquette, le chamois, la périphérie, les hauts fourneaux, le thym.

Le sujet *tu*

Présent	Imparfait	Passé simple	Futur simple
Tu chantes	Tu chantais	Tu chantas	Tu chanteras
Tu finis	Tu finissais	Tu finis	Tu finiras
Tu entends	Tu entendais	Tu entendis	Tu entendras

RÈGLE

À tous les temps, avec le sujet **tu,** le verbe se termine par **s.**

Exceptions : tu veux, tu peux, tu vaux.

EXERCICES

■ **188. Mettez à la 2ᵉ pers. du singulier du présent de l'indicatif :**

étudier	salir	vendre	obtenir	balayer
vérifier	accomplir	apercevoir	coudre	remplir
scier	fournir	éteindre	perdre	faire
oublier	nourrir	conduire	tondre	parvenir

■ **189. Mettez la terminaison convenable des temps simples de l'indicatif :**

tu l'*embrasser*	tu lui *arranger*	tu la *réparer*
tu les *partager*	tu m'*envoyer*	tu m'*apprendre*
tu l'*encourager*	tu l'*installer*	tu lui *répondre*
tu lui *reprocher*	tu le *ficeler*	tu le *conduire*
tu la *payer*	tu la *casser*	tu l'*entendre*

■ **190. Mettez les verbes en italique : 1° au présent, 2° à l'imparfait de l'indicatif, 3° au présent du conditionnel.**

Le chien *gratter* à la porte : la lui *ouvrir*-tu ? – Tu t'*être* coupé et tu *saigner* abondamment. – Tu m'*apporter* des livres et je les *trouver* intéressants. – La parade *défiler* le soir ; la *voir*-tu quelquefois ? – Tu *avoir* raison d'être vigilant. – Tu *aimer* le jazz et tu en *écouter* tout le temps. – Tu *vouloir* courir.

■ **191. Mettez les verbes en italique aux temps simples de l'indicatif et au présent du conditionnel.**

Tu *lire* ton journal. – Tu *réfléchir* avant de répondre. – Tu *réussir* ton essai. – Tu *détruire* les mauvaises herbes. – Tu *fendre* la foule. – Tu *éteindre* la lampe. – Tu ne *sacrifier* pas ton avenir. – Tu *employer* bien ton temps. – Tu *lacer* ta chaussure. – Tu *partager* ton pain. – Tu *jeter* une bouteille à la mer.

MOTS À ÉTUDIER :
1. une bouteille, éteindre, employer, apprendre, l'avenir.
2. abondamment, intéressant, accomplir, scier, balayer.
3. installer, vigilant, la chaussure, payer, l'installation.

Le sujet *elle*

| **Il** bondit. | **Le tigre** bondit sur sa proie. |
| **Elle** bondit. | **La lionne** bondit sur sa proie. |

RÈGLE

Aux temps simples de la voix active, **le verbe** ne s'accorde jamais **en genre**.

EXERCICES

■ **192. Mettez la terminaison convenable du présent de l'indicatif.**

grandir	– le garçon …, la fillette …	*tiédir*	– le potage …, l'eau …
rugir	– le lion …, la lionne …	*jaillir*	– le gaz …, la source …
pâlir	– le ciel …, l'étoile …	*bondir*	– le policier …, la gymnaste …
faiblir	– le son …, la lumière …	*surgir*	– le soleil …, la lune …

■ **193. Mettez au présent de l'indicatif les verbes en italique.**

Le soleil *resplendir*. – Son visage *resplendir* de joie. – La horde de barbares *envahir* le pays. – Le liseron *envahir* les plates-bandes. – Le marbrier *polir* le granit. – La mer roule et *polir* les galets. – Le brouillard *ensevelir* la campagne. – La neige *ensevelir* la plaine. – Le soleil *jaunir* les feuilles. – La forêt *jaunir* en automne. – L'enfant *choisir* un album. – La cliente *choisir* une robe.

■ **194. Même exercice que 193.**

La tempête *anéantir* la flottille des bateaux de pêche. – L'ouragan *anéantir* les récoltes. – L'imperméable *garantir* de la pluie. – L'anorak fourré *garantir* du froid. – La fumée *obscurcir* le paysage. – Le nuage *obscurcir* le ciel. – La voiture *gravir* la côte. – Le chamois *gravir* des rochers escarpés. – La vive lumière *éblouir* la vue. – Le soleil *éblouir* les yeux. – La dentelle *embellir* le napperon. – Le rosier grimpant *embellir* la maison.

■ **195. Mettez la terminaison *i, i.e* du participe passé ou *i.t* du verbe.**

La poule *farcir* est une spécialité du Gers. – Le canard *farcir* dore au four. – La cuisinière *farcir* un poulet. – La viande *nourrir* si on en n'abuse pas. – Les oies *nourrir* au maïs donnent d'excellents foies gras. – Le veau *nourrir* au lait sera savoureux. – L'eau *pourrir* le bois. – La planche *pourrir* a cassé sous le poids. – L'arbre *pourrir* tombe sous les coups du vent. – La sécheresse *flétrir* les fleurs. – La peau *flétrir* est ridée. – Le dahlia *flétrir* est tout recroquevillé.

MOTS À ÉTUDIER :
1. la proie, la spécialité, l'automne, un gymnaste, le napperon.
2. recroquevillé, jaillir, le dahlia, escarpé, un imperméable.
3. envahir, le brouillard, un album, la flottille, un ouragan.

Le sujet *qui*

> Toi **qui** ramasses souvent les champignons, tu dois bien connaître ces espèces !
> Les camions **qui** arrivaient étaient chargés de tuiles.

RÈGLE

Le pronom relatif **qui** est de la même personne que son **antécédent**. Lorsque le sujet du verbe est **qui**, il faut donc chercher son **antécédent**.

> C'est toi qui **ramasses**.
> L'antécédent est **toi**, 2e pers. du sing., donc **ramasses (e.s)**.
> Ce sont les camions qui **arrivaient**.
> L'antécédent est **les camions**, 3e pers. du plur.,
> donc **arrivaient (a.i.e.n.t)**.

EXERCICES

■ **196. Conjuguez les verbes en italique à toutes les personnes du présent de l'indicatif et du passé composé :**
Ex. : C'est moi qui chante, c'est toi qui chantes…

1. C'est lui qui *chanter*.
2. C'est lui qui *réciter*.
3. C'est lui qui *travailler*.
4. C'est lui qui *se plaindre*.
5. C'est lui qui *s'éloigner*.
6. C'est lui qui *se découvrir*.

■ **197. Conjuguez les verbes en italique à toutes les personnes de l'imparfait et du plus-que-parfait de l'indicatif :** Ex. : C'était moi qui…

1. C'était lui qui *balayer*.
2. C'était lui qui *payer*.
3. C'était lui qui *interroger*.
4. C'était lui qui *se cacher*.
5. C'était lui qui *se pincer*.
6. C'était lui qui *se promener*.

■ **198. Écrivez au présent de l'indicatif les verbes en italique.**
Voyez ces acrobates qui *voltiger* sur le trapèze défiant les lois de l'équilibre. – Regardez ce funambule qui *marcher* sur son fil, *avancer* lentement, mais sûrement. – C'est moi qui *être* délégué au conseil de classe. – C'est vous qui *être* le plus souvent amené à prendre les décisions. – Je vais vous raconter l'histoire d'un homme qui *se transformer* en vieil arbre : cette légende bretonne qui *être* très connue m'a toujours stupéfié.

■ **199. Même exercice que 198.**
Le vent qui *souffler* à travers la montagne a rendu fou le roi de Cerdagne. – Moi, qui *être* un ancien joueur de ce club, j'éprouve du plaisir à y retourner. – J'aime ces chansons qui me *rappeler* mon enfance. – Toi, qui *s'intéresser* à la botanique, dis-moi le nom de cette plante. – Pour toi, qui *aimer* les livres, j'en choisirai un qui te fasse plaisir. – Tout ce qui *briller* n'est pas or. – Les peintres qui *travailler* sur des échafaudages, prennent de gros risques.

■ **200. Écrivez au présent de l'indicatif les verbes en italique.**

C'est l'ingénieur qui *prendre* la décision d'interrompre les travaux. – Le vent qui *souffler* est glacial, c'est le vent qui *venir* du nord. – C'est un travail qui me *prendre* beaucoup de temps. – Le plat qui *mijoter* sur le réchaud répand une appétissante odeur. – Les policiers qui *veiller* à la sécurité des gens font des rondes. – Les nuages qui *s'amonceler* amènent la pluie. – C'est toi qui *avoir* trouvé la clé. – Le tonnerre qui *gronder* effraie les enfants. – Vous qui nous *écouter,* chantez avec nous. – Les chevaux qui *trotter* dans le manège *avoir* tous un cavalier débutant.

■ **201. Écrivez à l'imparfait de l'indicatif les verbes en italique.**

Moi qui *penser* venir vous voir, j'ai été retenu par des amis de passage. – C'est nous qui *mettre* le couvert pour le petit déjeuner. – Sa mère lui *acheter* des vêtements qui lui *aller* à ravir. – Moi qui *espérer* faire un grand voyage, je suis déçu. – Les chiens qui *se précipiter* sur lui le terrorisaient ; il tremblait comme une feuille chaque fois qu'il passait devant cette propriété. – Moi qui *avoir* une sainte horreur du poisson, j'étais à la torture tous les vendredis. – Les gendarmes qui *gesticuler vouloir* arrêter les voitures afin d'éviter les embouteillages. – On lui *indiquer* toujours le chemin qu'il *devoir* emprunter pour ne pas se perdre.

■ **202. Même exercice que 201.**

L'écho amplifiait le grondement des torrents qui *dévaler* de la montagne. – Toi, qui *se sentir* fatigué, tu aurais dû te reposer. – Ceux qui *décharger* les camions étaient les moins bien payés. – L'équipe de relais avait été constituée avec ceux qui *courir* le plus vite. – Ce n'était pas forcément les voitures qui *rouler* le plus rapidement qui *arriver* les premières au contrôle. – Celles qui *vouloir* participer à la compétition de danse s'inscrivaient au secrétariat. – Les gens qui *voyager* beaucoup avaient une ouverture d'esprit bien supérieure à la moyenne. – Les marchandises qui *être* exportées étaient soumises à de lourdes taxes.

■ **203. 1° Analysez les pronoms relatifs et les antécédents de l'exercice n° 198.**

2° Construisez cinq phrases dans lesquelles le pronom relatif *qui* **aura pour antécédent un** *nom* **et cinq phrases dans lesquelles le pronom relatif** *qui* **aura pour antécédent** *moi* **ou** *toi.*

MOTS À ÉTUDIER :
1. **un champignon, les espèces, le manège, le trapèze, la décision.**
2. **interroger, l'équilibre, le délégué, le conseil.**
3. **le funambule, la botanique, les échafaudages, interrompre, un embouteillage.**

Accords particuliers

> Fauteuils, tables, chaises, tout était vendu.
> La grêle ou la gelée nuisent aux plantes.
> Mon père ou mon frère avait conduit la voiture.

RÈGLE

Quand un verbe a plusieurs sujets **résumés** dans un seul mot comme **tout**, **rien**, **ce**, etc., c'est avec ce mot qu'il **s'accorde**.

Quand un verbe a deux sujets singuliers unis par **ou** ou par **ni**, il se met au pluriel à moins que l'action ne puisse être attribuée qu'à un seul sujet.

EXERCICES

■ **204. Écrivez les verbes en italique au présent de l'indicatif.**
Un mot mal compris, un geste un peu vif, tout le *tourmenter*. – Le bruissement des feuilles que le vent *soulever*, le froissement des branches qui *s'entrechoquer*, tout et rien *inquiéter* le fugitif. – Le vent et la pluie, un écho de pas *effaroucher* le chevreuil. – Les difficultés et les échecs, rien ne *diminuer* le courage du savant. – Joueurs et spectateurs, personne ne *comprendre* la décision de l'arbitre.

■ **205. Écrivez les verbes en italique à l'imparfait de l'indicatif.**
Faire de longues promenades, vivre le plus possible au grand air, voilà qui *fortifier*. – Femmes, vieillards, enfants, tout *être descendu*. – Femmes, vieillards, enfants, tous *être descendu*. – Femmes, vieillards, enfants *être descendu*. – La pluie et le vent l'*empêcher* d'avancer. – Ma mère ou mon père *préparer* le repas du soir. – Beaucoup de gens *promettre*, peu *savoir* tenir.

■ **206. Même exercice que 205. (mots entre parenthèses pour exercice n° 207)**
Ni Fanny ni Damien ne *jouer* dans cette pièce. – Ni Fanny ni Damien ne *tenir* le rôle principal dans cette comédie. – Sébastien était fiévreux ; ni les (magazines), ni les (histoires) ne *pouvoir* le distraire. – Jacques était souffrant ; (magazines) et (histoires), (rien) ne *pouvoir* l'amuser. – Les (côtes) apparaissaient peu à peu à l'horizon, (ce) qui *réconforter* les marins. – Ni mon (sac) ni mon (panier) ne *se remplir* pendant que je bavardais. – Le (tigre) ou le (lion) *avoir* mangé la gazelle.

■ **207. Analysez les mots entre parenthèses dans l'exercice n° 206.**

■ **208. Construisez cinq phrases sur les modèles précédents.**

MOTS À ÉTUDIER :
1. le fauteuil, compris, le bruissement, le froissement, le savant.
2. s'entrechoquer, effaroucher, inquiéter, les spectateurs, l'arbitre.
3. le vieillard, un rôle, la comédie, fiévreux, la gazelle.

le, la, les , l'... devant le verbe

Je m'arrête à chaque verbe. J'évite les pièges.

Le boulanger prend des chocolats et les place dans un sachet.
Les libraires déballent leurs livres et les exposent.
Je lui écris un mot – Il m'accompagnait à la gare.

RÈGLE

Quels que soient les mots qui le précèdent, le verbe s'accorde **toujours** avec son **sujet**.

Remarques

Le, la, les, l' placés devant le **nom** sont des **articles**.

Le, la, les, l' placés devant le **verbe** sont des **pronoms personnels, compléments d'objet directs** du verbe.

EXERCICES

■ **209. Mettez les verbes au présent de l'indicatif.**

Tu la *cueillir*.	On les *conduire*.	Il le *saisir*.
Elles les *préparer*.	On les *oublier*.	On me *dire*.
Ils la *casser*.	Il me *choisir*.	Je lui *parler*.
Il les *établir*.	Ils lui *expliquer*.	On nous *gâter*.
Ils l'*écraser*.	Tu lui *obéir*.	On vous *féliciter*.
Tu lui *défendre*.	On te *remplacer*.	Il me *guérir*.

■ **210. Mettez les verbes à l'imparfait de l'indicatif.**

Je la *gagner*.	Il me *peigner*.	Ils nous *soigner*.
Tu lui *prodiguer*.	Nous le *garder*.	Tu nous *tourmenter*.
Elles lui *témoigner*.	Ils le *trouver*.	Je les *prévenir*.
Ils nous *saluer*.	Je lui *répéter*.	Il vous *employer*.
Ils m'*attendre*.	Il les *déplacer*.	On te *conduire*.
On les *habiller*.	Tu lui *vendre*.	Il le *prendre*.

■ **211. Écrivez les verbes en italique au présent de l'indicatif.**

Les marins *préparer* le bateau et le *charger* pour la traversée. – Le ciel *se couvrir* de nuages ; le vent les *pourchasser* et les *disloquer*. – Les agents *se lancer* à la poursuite du malfaiteur et l'*arrêter*. – Le maçon *mélanger* le béton et le *couler* pour faire la dalle. – Le cuisinier *peler* les légumes et les *accommoder* subtilement. – Les pompiers *combattre* l'incendie et l'*éteindre*.

■ 212. **Même exercice que 211.**
La secrétaire *taper* des lettres et les *expédier.* – Les skieurs *apercevoir* une bosse et l'*éviter.* – Les plongeurs *laver* la vaisselle et l'*essuyer.* – L'infirmière *soigner* les malades et les *réconforter.* – Le joueur de tennis *se concentrer* sur son service et le *jouer* d'une façon intelligente. – Laurent *éplucher* les pommes de terre et les *laver* soigneusement.

■ 213. **Même exercice que 211.**
Les peupliers *border* la route et l'*ombrager.* – Le garagiste *dévisser* les bougies et les *changer.* – Muriel *enlever* ses chaussures et les *ranger.* – La standardiste *composer* le numéro de téléphone et *passer* la communication au directeur. – Le technicien *démonter* la photocopieuse et la *réparer* en moins d'une heure. – Le violoniste *accorder* son violon et le *ranger* dans son étui. – De colère, Luc *jeter* son bonnet à terre et le *piétiner.*

■ 214. **Écrivez les verbes en italique à l'imparfait de l'indicatif.**
Les vagues *retourner* la barque et l'*engloutir.* – Nous *ouvrir* les sacs à dos et nous en *sortir* les affaires de sport. – Le clown *amuser* les enfants et les *faire* rire aux larmes. – Les torrents *descendre* avec violence de la montagne, on les *entendre* de loin. – Sylvain avait donné rendez-vous à ses amis, il les *attendre* depuis un moment. – Les chirurgiens *se laver* les mains et les *désinfecter* avant d'opérer.

■ 215. **Même exercice que 214.**
Le joueur d'échecs *regarder* **les** pièces et **les** *déplacer.* – Le restaurateur *accueillir* **les** clients et **les** *placer* dans la salle. – Ses vêtements *être* trop étroits et **le** *gêner.* – Les grues *soulever* les conteneurs et **les** *poser* sur le quai. – Les rayons du soleil *percer* **la** brume matinale et **la** *disperser.* – Le grand air **les** *étourdir* un peu. – Le tailleur *prendre* **les** mesures et **les** *reporter* sur le tissu.

■ 216. **Écrivez les verbes en italique au futur simple.**
Mon ami me *tendre* la main. – Il me *dire* la vérité. – Je lui *apprendre* la fâcheuse nouvelle. – Tu lui *rendre* son crayon. – Une gitane *dire* la bonne aventure. – Je te *donner* un livre. – On les *recevoir* avec plaisir. – Mon frère m'*écrire* une lettre. – Il me *renvoyer* la malle que je lui ai prêtée. – Il m'*entendre* et m'*ouvrir* la porte. – Ils nous *quitter* à regret. – Nous avons des provisions, nous les *partager.*

■ 217. **Analysez les mots en gras dans l'exercice n° 215.**

■ 218. **Construisez trois phrases avec *les* devant un verbe *singulier* et trois phrases avec *le* ou *la* devant un verbe *pluriel.***

MOTS À ÉTUDIER :
1. le chocolat, un sachet, le libraire, gâter, la traversée.
2. exposer, la secrétaire, soigneusement, le clown, le chirurgien.
3. prodiguer, la standardiste, accueillir, le technicien, le photocopieur.

Leur placé près du verbe

Je **leur** donne la main.   Fais-**leur** plaisir.
Je lui donne la main.   **Fais-lui plaisir.**
Ils rangent **leurs** livres.   Ils cherchent **leur** route.
Il range ses livres.   **Il cherche sa route.**

RÈGLE

Leur placé près du **verbe**, quand il est le pluriel de **lui**, est un **pronom personnel** et s'écrit toujours **l.e.u.r**.

Il ne faut pas confondre **leur**, pronom personnel, avec **leur**, adjectif possessif, qui prend un **s** quand il se rapporte à un **nom pluriel**.

EXERCICES

■ **219. Conjuguez au présent de l'indicatif et au passé composé :**
leur dire bonjour   leur rendre service   leur vendre une voiture
leur faire plaisir   leur tenir la main   leur donner du pain

■ **220. Mettez les mots en italique au pluriel et accordez les autres termes de la phrase.**
Mon ami a des difficultés à lire son contrat, je le lui explique. – Le gendarme arrête *le mauvais conducteur* et lui demande ses papiers. – *Le cycliste* se trompe de route, montre-lui le chemin. – *Le labrador* est réputé pour son sens du sauvetage ; on l'utilise beaucoup sur les plages. – *Le routier* allume ses veilleuses. – *Le randonneur* avance sous un soleil de feu qui brûle la peau et lui dessèche la gorge.

■ **221. Même exercice que 220.**
La lumière *lui* blesse les yeux. – Annonce-*lui* la bonne nouvelle. – Demande-*lui* s'il n'a besoin de rien, on peut éventuellement *lui* prêter quelques affaires. – *Le pilote* s'occupe de sa machine avant de se mettre sur la ligne de départ. – Autrefois, *le berger landais* monté sur ses échasses surveillait son troupeau. – *La couturière* est assise à sa machine, le contremaître lui donne du travail. – La douleur *lui* arrache un cri.

■ **222. Remplacez les points par *leur* ou *leurs*.**
L'hôtesse place les voyageurs et … offre des magazines. – Je … énumère les avantages de … métier. – Les enfants ont rendu visite à … cousins Anthony et Franck. – Monsieur et Madame Simpson et … cinq enfants habitent dans … propriété de Santa Barbara en Californie. – Les coureurs cyclistes attendent … tour pour prendre le départ ; … entraîneurs les encouragent. – Après … avoir dit d'entreprendre les travaux nécessaires à la rénovation des fermes, on … demande maintenant d'abandonner les travaux des champs peu rentables.

■ **223. Même exercice que 222.**

Les clients se pressent autour des voitures, le représentant … donne des conseils. – Après l'accident de Tchernobyl, toutes les pharmacies de Copenhague ont vendu tous … stocks de tablettes d'iode. – À la fin de l'entracte, les spectateurs regagnent … place. – Malgré tous … efforts ils n'arrivaient à rien. – Tous les êtres ont besoin de soleil, il … prodigue la force. – Le câble … avait échappé des mains. – Elle … prépare une tarte aux cerises. – Nos amis doivent venir ce soir, nous … ménageons une surprise. – Il m'est souvent arrivé de … raconter des histoires de sorcières.

■ **224. À la place des points, mettez *leur* ou *leurs*, faites l'accord s'il y a lieu.**

Racontez- … ce que vous avez vu au cours de votre voyage. – Les hommes aiment … région. – Nous … avons défendu de jeter … affaire n'importe où. – Ils cherchent dans … mémoire des souvenirs de … jeunesse. – Ces plages sont réputées pour … sécurité et … calme. – Il existait un temple à Rome, le Panthéon, où les Romains adoraient tous … dieu. – Ils n'avaient pas changé … habitude malgré la venue des conquérants. – Tout … rappelait … enfance, les rue avec … magasin, … trottoir pavés de céramiques et bordés de granit.

■ **225. Même exercice que 224.**

Les caissiers … versent … indemnités. – Prête-… les livres qu'ils t'ont demandés. – Ces coiffures … vieillissent le visage. – Le temps menace, les enfants prendront … bottes. – Les habitants ferment … volets dès que la nuit tombe. – Les automobilistes ralentissent l'allure à la vue du drapeau rouge qui … signale un danger. – Dis-… tes projets. – Réclame- … les livres qu'ils t'ont empruntés. – Il se souvenait de … avoir dit de ne pas s'aventurer sur ces océans connus pour … tempêtes. – … bateaux coulèrent, tout fut perdu, … cargaisons, … hommes ; il ne restait pas la moindre trace de … passage. – Après … avoir expliqué la règle du jeu, on … confia la direction des opérations.

■ **226. 1. Analysez *leur* et *leurs* contenus dans les phrases de l'exercice n° 225.**
2. Construisez trois phrases contenant *leur*, pronom personnel, et trois phrases contenant *leur* (ou *leurs*), adjectif possessif.

MOTS À ÉTUDIER :
1. le temple, un contrat, le conducteur, le sauvetage, les veilleuses.
2. éventuellement, surveiller, une hôtesse, des magazines.
3. le contremaître, la rénovation, la cargaison, une indemnité, emprunter.

on – on n'

> **On** perd si l'**on n'**essaie pas de résister.
> **Il perd s'il n'essaie pas de résister.**

RÈGLE

Quand le sujet d'un verbe commençant par une **voyelle** est le pronom indéfini **on**, il faut remplacer **on** par **il** pour savoir si l'on doit écrire la négation **n'**.

EXERCICES

■ **227. Remplacez les points par** *il* **et par la négation** *n'*, **s'il y a lieu, puis récrivez la même phrase en remplaçant** *il* **par** *on*.

1. … attend pas quand … a pris son billet à l'avance. – … apprend difficilement ce qu'… a pas compris. – Quand … est peu entraîné, … ose pas faire certains sports, même quand … en a envie. – Nous habitons une maison qu'… a pas réparée depuis longtemps.

2. … lit les journaux et … choisit les articles qu'… veut. – … entreprend rien au hasard quand … est réfléchi. – … essuie la vaisselle qu'… a lavée. – … affirmera rien sans preuve. – … annonce l'arrivée d'un ami qu'… attendait pas, mais qu'… aura du plaisir à recevoir.

■ **228. Remplacez les points par** *on* **ou** *on n'*.

… ignore pas qu'… est en faute quand … ne respecte pas le stop. – … hésite pas à porter secours à ceux qu'… a vu dans la détresse. – … apprend à tirer à la carabine. – … a guère d'appétit quand … est malade. – … a appelé plusieurs fois, mais … a pas répondu. – … avançait prudemment, car … y voyait rien. – … était fatigué, car … avait rien mangé depuis la veille. – … prépare les valises qu'… portera à la consigne.

■ **229. Même exercice que 228.**

… envoie une lettre pour réclamer le colis qu'… a pas reçu. – … aperçoit quelques nuages qui annoncent un gros orage. – À l'extérieur … entend pas le moindre bruit, mais parfois … voit passer un lourd camion qui brise le silence. – Cette nuit de pleine lune … y voyait comme en plein jour. – … est jamais si bien servi que par soi-même. – C'est une résidence où l'… habite que l'été, l'… y est au calme, … y voit jamais un touriste, … y entend toujours les oiseaux. – Quand … est exigeant, … en a jamais assez.

■ **230. Construisez trois phrases avec** *on* **suivi d'un verbe commençant par une voyelle et trois phrases avec** *on n'*.

MOTS À ÉTUDIER :
1. résister, un billet, un entraînement, longtemps, les journaux.
2. le hasard, une preuve, respecter, les secours, la détresse.
3. l'appétit, prudemment, la consigne, moindre, une résidence.

Révision

■ **231.** **Mettez le participe passé en** *i*, *i.s*, *i.e.s* **ou le verbe en** *i.t.*

Le muguet cueill… est vendu sur les marchés quand arrive le Premier Mai. – Les fleurs cueill… s'épanouissent dans le vase. – Le raisin mûr… est vendangé. – Le kiwi mûr… en automne. – Ce chapeau fleur… lui va à ravir. – Cet arbre fleur… dès les premiers jours de printemps. – Je lisais des parchemins jaun… par le temps. – Le tissus jaun… au soleil.

■ **232.** **Écrivez correctement** *tout* **dans les expressions suivantes :**

tout le sac, *tout* tes livres	des enfants *tout* penauds
tout les ans, *tout* vos idées	des filles *tout* peinées
tout les soirs, *tout* leur force	des légumes *tout* frais
tout les nuits, *tout* ceux	des livres *tout* neufs
tout nos frères, *tout* celles	une table *tout* écornée
tout mes dents, *tout* cet or	une figure *tout* ridée

■ **233.** **Remplacez les points par** *c'est*, *ce sont* – *s'est*, *se sont*.

… deux camions qui … heurtés ; … un miracle que les conducteurs ne soient pas blessés. – … en forgeant qu'on devient forgeron, dit le proverbe. – Lors de la compétition de judo, Laurent … démis le coude, il … fait manipuler par le médecin ; … des choses qui arrivent quand on pratique ce type de sport. – … la dernière fois que nous leur prêtons quelque chose, ils perdent tout !

■ **234.** **Accordez les adjectifs qualificatifs en italique.**

Ces immeubles et ces pavillons sont *vétuste*. – Les ruisseaux et les rivières étaient *sec*. – Cette maison et ce jardin sont *vendu*. – La table et la commode étaient *ancien*. – Le cent mètres et le relais ont été *annulé*. – Les tapis et les carpettes avaient été *battu*. – La crainte et la peur seront *vaincu*. – La réunion et la conférence furent *interrompu*. – Le restaurant et le bar seront *fermé*.

■ **235.** **Écrivez en lettres les nombres en italique.**

Je cours le *110* mètres haies. – Les *4* chevaux tiraient le lourd chariot des pionniers. – Il s'arrêtait tous les *20* mètres. – Ces *5* frères se ressemblent. – Nous arriverons à destination vers les *8* heures. – J'écoutais sonner les *12* coups de midi et je rentrais à la maison. – Les *15* joueurs de cette équipe s'entendent bien et gagnent la partie. – Je connais les *7* notes de la gamme.

■ **236.** **Écrivez correctement les verbes en italique.**

Les cars de ramassage sont en retard, les élèves vont les *attend…* . – Les boulangers façonnent les pains et s'apprêtent à les *mettr…* au four. – Les bocaux sont si hauts dans le placard, que je ne peux les *atteind…* . – Les draps sont déchirés, il faudra les *recoud…* . – Les menteurs ont beau protester, on ne peut plus les *croir…* .

Le participe passé employé avec *être*

Les assiettes **sont rangées** dans le buffet.
Les verres **ont été rangés** dans le buffet.
Nous **sommes tombés**.

RÈGLE

Le participe passé employé avec l'auxiliaire **être** s'accorde en **genre** et en **nombre** avec le **sujet** du verbe.

Ce sont les assiettes **qui** sont rangées.
Les assiettes, fém. plur., donc **rangées (é.e.s)**.

Ce sont les verres **qui** ont été rangés.
Les verres, masc. plur., donc **rangés (é.s)**.

C'est nous **qui** sommes tombés.
Nous, masc. plur., donc **tombés (é.s)**.

EXERCICES

■ 237. **1. Conjuguez au passé composé et au plus-que-parfait de l'indicatif :**
partir à temps   aller à la gare   arriver à l'heure
2. Conjuguez au temps indiqué :

imparfait	passé simple	futur simple	impératif
être fatigué	être nourri	être entendu	être prudent
être soigné	être guéri	être rejoint	être averti

■ 238. **Accordez les participes passés des verbes en italique.**
Les boîtes de conserve sont *empiler* sur les rayons. – Ces œuvres d'art ont été *copier*. – Les factures sont *vérifier*, puis *payer*. – Les vieux murs lézardés seront *consolider*. – Les stores du magasin sont *baisser*. – Les volailles ont été *plumer, flamber, embrocher*. – Les vêtements seront *brosser*, puis *ranger*. – Les poissons sont *écailler*, puis *vider, fariner, saler, poivrer* et *placer* dans le four. – Les quais du port sont *encombrer* de marchandises. – Les vitraux de l'église étaient *incendier* par les feux du couchant. – Les voiles du trois-mâts sont *gonfler* par le vent.

■ 239. **Même exercice que 238.**
Les serviettes sont *laver, repasser, plier* et *ranger* dans l'armoire. – Les lettres seront *trier*, puis *distribuer*. – Les façades sont *égayer* par des rosiers grimpants. – Dans cette épreuve, elle aurait été *admettre* sans problème. – L'heure du dîner est *venir*, nous passons à table. – Les eaux de la rivière avaient été *troubler* par les pluies. – Les malades étaient *soigner* avec dévouement. – Les volontaires ont été *engager* comme infirmières. – Les prisonniers furent *reconduire* à la frontière.

■ **240. Même exercice que 238.**

Vous avez été *rejoindre* par vos camarades. – Nous sommes *arriver* avant le départ du train. – De grands bâtiments avaient été *détruire* par un vaste incendie. – Les chênes ont été *abattre* par la tempête. – Les médicaments seront *trier* et *expédier* aux populations sinistrées. – Nous préparons des livres qui seront *partager* entre les enfants. – Les randonneurs sont *partir* pour une excursion, ils pensent être *revenir* avant la nuit. – Quand les dernières lueurs du couchant furent *éteindre*, la lune se leva à l'horizon. – Les digues avaient été *rompre* sous l'assaut des vagues.

■ **241. Même exercice que 238.**

Les voleurs pénètrent dans les maisons sans être *apercevoir*. – Dès que les routes eurent été *dégager* par les chasse-neige, les vacanciers purent continuer leur voyage. – Il ne faut pas que nous soyons *fatiguer*, si nous voulons aller à la fête. – Quand les routes furent *tracer*, les camions purent acheminer les marchandises. – Messieurs, ne soyez pas *fâcher* de mon silence. – Faute de moyens de transport, on est *contraindre* de faire la route à pied. – Nous aurions été *enchanter* de faire cette promenade, mais le temps nous a manqué.

■ **242. Même exercice que 238.**

Vos affaires de ski devront être *entretenir* et vos vêtements de neige *ranger* soigneusement. – Lorsque les planches auront été *raboter*, *scier* à la mesure, le menuisier les ajustera. – Les records auraient été *battre* s'il n'avait pas plu. – Les fruits seront *cueillir* avec soin, *emballer*, puis *expédier* à la ville. – À l'approche de l'orage, les animaux sont *saisir* de frayeur et tirent sur leur chaîne. – Je voudrais que vous soyez *appliquer* et *animer* du désir de bien faire. – Les arbres risquent d'être *déraciner* si la tempête continue à souffler.

■ **243. Même exercice que 238.**

Les joueurs excédés avaient été *ramener* à de meilleurs sentiments par le capitaine de l'équipe. – À la suite d'une grève des trains, les voyageurs étaient *revenir* chez eux. – Mes amis avaient été *appeler* au téléphone par leurs enfants. – Les malles furent *expédier* une semaine avant notre départ qui avait été déjà *reporter*. – Les gens furent *solliciter* pour participer activement à la fête de leur quartier. – Quand les papiers auront été *classer*, ils seront *archiver* et *conserver* dans une chambre forte.

MOTS À ÉTUDIER :
1. le rayon, une œuvre, les stores, les vitraux, la façade.
2. écailler, le dévouement, les prisonniers, un incendie, des médicaments.
3. les chasse-neige, Messieurs, contraindre, un record, la frayeur.

Le participe passé employé avec *avoir*

Les promeneurs **ont déjeuné** sur l'herbe.
Nous **avons déjeuné** de bon appétit.

RÈGLE

Le verbe **avoir** n'est pas attributif. **Le participe passé employé avec l'auxiliaire *avoir* ne s'accorde jamais** avec le sujet du verbe.

EXERCICES

■ **244.** **1. Conjuguez au passé composé et au plus-que-parfait de l'indicatif :**

chanter à tue-tête	peindre la grille	bien dormir
attendre patiemment	guérir rapidement	parler bas
partir en vacances	ralentir le pas	crier à tue-tête

2. Conjuguez aux temps indiqués :

blesser *passé composé*	lever *plus-que-parfait*
être blessé *présent de l'indicatif*	être levé *imparfait*
se blesser *passé composé*	se lever *passé composé*

■ **245.** **Écrivez correctement les participes passés des verbes en italique.**

nous avons *aimer*	vous avez *servir*	ils ont *cueillir*
nous avons été *aimer*	vous avez été *servir*	ils ont été *cueillir*
nous sommes *aimer*	vous êtes *servir*	ils sont *cueillir*
nous aurons *choisir*	ils avaient *voir*	vous eûtes *gâter*
nous aurons été *choisir*	ils avaient été *voir*	vous eûtes été *gâter*
nous serons *choisir*	ils étaient *voir*	vous fûtes *gâter*
nous avons *lever*	vous êtes *guérir*	ils ont *allumer*
nous avons été *lever*	vous avez été *guérir*	ils se sont *allumer*
nous sommes *lever*	vous vous êtes *guérir*	ils ont été *allumer*

■ **246.** **Écrivez correctement les participes passés des verbes en italique.**

Denis et Sylvie ont *piloter* leur U.L.M. avec assurance. – Les campeurs ont *dresser* leurs tentes. – Ces livres m'ont beaucoup *plaire*. – Les commissaires-priseurs ont *vendre* des meubles, ils en ont *tirer* un bon prix. – La neige a fondre dès que le soleil a *paraître*. – Vous avez *perdre* un temps précieux. – Ils ont *courir,* ils ont *sauter,* ils ont *grimper,* ils ont bien *employer* leur journée. – Elles avaient *constater* les dégâts commis par les inondations. – Monique dépense beaucoup d'argent pour s'habiller : elle a *courir* les magasins tout l'après-midi. – Mes voisins m'ont *prêter* quelques outils de jardinage.

■ **247. Même exercice que 246.**

La flèche a *atteindre* la cible. – Les pièces métalliques avaient *rouiller* dans la cour. – Quand les mécaniciens eurent *réparer* les moteurs, ils les remontèrent. – Les pilotes auraient *prendre* le départ si le temps avait été plus propice. – Nous avons *préparer* notre voyage aux Indes. – Thierry a *éplucher* les légumes. – Les premiers avions du pont aérien ont *atterrir* en territoire éthiopien. – Les employés ont *signaler* l'arrivée du train. – Par ce froid terrible, les dernières plantes ont *geler*. – Les spéléologues ont *avancer* dans le boyau souterrain.

■ **248. Même exercice que 246.**

Les musiciens ont *jouer* toute la soirée, ils ont *obtenir* un véritable triomphe. – La vendeuse a *mesurer* un coupon d'étoffe. – L'ouvrier a *terminer* sa journée de travail, il a *gagner* juste de quoi manger. – Le bateau a *traverser* l'océan Atlantique en douze jours, il a *battre* le record qui était détenu depuis dix ans par un concurrent. – Les joueurs ont *rivaliser* d'ardeur pour gagner. – Nous avons bien *regretter* d'avoir été absents lors de votre visite. – Nous avons *vaincre* la peur en nous raisonnant.

■ **249. Même exercice que 246.**

La goélette a *rompre* ses amarres, elle est *partir* à la dérive. – Nous avons *recevoir* des lettres qui avaient été *décacheter* par erreur. – Les fusibles ont *sauter*, ils ont été *changer*. – La tempête avait *causer* des dégâts qui ont été très rapidement *réparer*. – La neige a *ensevelir* les champs et les routes, les chasse-neige ont *dégager* les axes principaux.

■ **250. Même exercice que 246.**

Nous avons *lire* cet ouvrage. – Ces livres seront *relire* avec plaisir. – Ces récits ont été *lire* rapidement. – Les vagues ont *battre* le rivage avec fureur. – Pour cette finale, tous les records ont été *battre*. – Les carpettes sont *battre* dans le jardin. – Les brouillards avaient *voiler* l'horizon. – Les fenêtres avaient été *voiler* par des rideaux légers. – Les montagnes étaient *voiler* de brume. – Quand les enfants auront *manger* leur goûter, ils reprendront leurs jeux. – Sans l'épouvantail, les cerises seraient *manger* par les merles. – Sans les oiseaux, les fleurs auraient été *manger* par les chenilles.

MOTS À ÉTUDIER :
1. l'assurance, la tente, le commissaire, précieux, les dégâts.
2. métallique, une inondation, propice, aérien, le spéléologue.
3. un boyau, le triomphe, un souterrain, un concurrent, la goélette.

Le participe passé employé avec *avoir*

Nous **avons couru**. Nous **avons mangé** des pommes.
La cassette que nous **avons écoutée** était longue.
Cette promenade nous **a ravis**.

RÈGLE

Le participe passé employé avec l'auxiliaire **avoir** ne s'accorde jamais avec le sujet du verbe, mais il s'accorde **en genre et en nombre** avec le complément **d'objet direct** quand celui-ci est placé **avant le participe**.

En posant la question **qui ?** ou **quoi ?** après le verbe, on trouve souvent le complément d'objet direct.

> **Nous avons couru : qui ? quoi ?**
> Pas de complément d'objet direct donc pas d'accord.
> **Nous avons mangé : quoi ? des pommes.**
> Complément d'objet direct, placé **après** le participe donc **pas d'accord**.
> **Nous avons écouté(e) : quoi ? la cassette.**
> Complément d'objet direct, placé **avant** le participe donc **accord** ; cassette, féminin singulier, donc **écoutée (é.e)**.
> **La promenade a ravi(s) : qui ? nous.**
> Complément d'objet direct, placé **avant** le participe donc **accord** ; nous, masculin pluriel, donc **ravis (i.s)**.

EXERCICES

■ **251.** **Accordez les participes passés des verbes en italique.**

Les étudiants ont brillamment *terminer* leurs études. – Le clocher a *égrener* ses heures dans la nuit. – Les chants que les chœurs ont *interpréter* étaient merveilleux. – Les ministres visitent les villes que le séisme a *dévaster*. – Les livres que nous avons *lire* sont intéressants. – La musique que nous avons *jouer* était de Mozart. – Les promeneurs ont *rapporter* des brassées de lilas. – Nous avons *regarder* notre feuilleton. – Le froid nous a *rougir* le visage.

■ **252.** **Même exercice que 251.**

Des noisettes jonchaient le sol, nous les avons *ramasser*. – Le soleil nous a *accabler* de ses rayons brûlants. – La foudre a *abattre* ce vieux chêne. – Les enfants s'arrêtent devant la vitrine que le marchand a *garnir* de jouets. – Les maisons que l'incendie a *détruire* seront reconstruites. – La côte que le cycliste a *gravir* est longue et difficile. – Vous avez *travailler*, vous avez *réussir*. – Il nous avait *plaindre* de nous savoir malades.

■ 253. Accordez les participes passés des verbes en italique.

Nous avons *apprendre* une nouvelle qui nous a *navrer*. – Dominique a *laver* les assiettes, puis les a *ranger*. – Les lettres que le facteur a *distribuer* ont *apporter* la joie ou la peine dans les foyers. – Les journalistes ont *annoncer* les résultats et les ont *commenter*. – Le pompiste a *accepter* des chèques qu'il a *adresser* à sa banque. – Ils nous ont *prodiguer* des conseils, dont nous avons *faire* notre profit. – L'histoire que je vous ai *conter*, je l'ai *lire* dans un livre ancien.

■ 254. Même exercice que 253.

Nous avons *suivre* un sentier qui nous a *égarer*. – Alex et Céline ont *écouter* les disques qu'ils ont *acheter*. – Nous avons *avoir* de la peine à sortir du brouillard qui nous avait *envelopper*. – Les amis, qui nous ont *recevoir*, étaient d'une grande générosité. – Le coiffeur nous a *couper* les cheveux et *frictionner* la tête. – On ne peut pas creuser la terre que le gel a *durcir*. – Le conférencier nous avait profondément *intéresser*.

■ 255. Même exercice que 253.

J'ai *apprendre* une chanson et je l'ai *enregistrer*. – Les lampes que nous avions *allumer* avaient une lumière aveuglante. – Les personnes soupçonnées ont *prouver* leur innocence. – Vous avez *utiliser* un outil inadapté à ce travail. – Le menuisier a *fabriquer* les meubles qu'on lui avait *commander*. – Nos voisins nous ont *aider* à déménager. – Nous nous montrerons dignes de la confiance que vous nous avez *accorder*.

■ 256. Même exercice que 253.

Des vapeurs légères ont *voiler* l'horizon, le soleil les a *absorber*. – La foudre a *frapper* une maison et l'a *éventrer*. – Le vent a *déraciner* de grands arbres et les a *coucher* sur le sol. – Le candidat avait *négliger* ses épreuves, il les a *recommencer*. – Cette longue marche nous avait *fatiguer*, nous avons *faire* halte au refuge. – Les ingénieurs ont *imaginer* toutes les éventualités de pannes. – Cette commerçante a *vendre* tous les articles qu'elle avait *exposer*.

■ 257. Même exercice que 253.

Les enquêteurs ont *examiner* longuement les indices qu'ils ont *trouver*. – Les vignes que la neige avait *ravager* avaient un triste aspect. – Soyez *satisfaire*, le sort vous a *combler*. – Les aventuriers sont *revenir*, nous les avons *voir*. – Nous avons été *peiner* du malheur qui les a *frapper*. – Ces ouvriers ont été *embaucher* et ont tout de suite *commencer* leur nouveau travail. – Mes patins étaient *casser*, ma sœur me les a *réparer*.

■ **258.** **Analysez les verbes à un temps composé, après avoir accordé les participes passés.** Ex. : a expédié : verbe *expédier*, forme active, 1ᵉʳ groupe, mode indicatif, temps passé composé, 3ᵉ personne du singulier.

Notre tante nous a *expédier* des colis qui nous sont bien *parvenir*. – Ils seraient *venir* nous voir, s'ils avaient *connaître* notre adresse. – Les jeux, que j'ai *avoir* pour mes étrennes, m'ont agréablement *divertir*. – Les résultats que j'ai *avoir* m'ont *faire* plaisir. – Ils ont longuement *attendre* le train. – Tu n'avais pas *chanter*.

■ **259.** Révision. **Accordez les participes passés des verbes en italique.**

Les pays tropicaux étaient *ravager* par l'ouragan. – Les lapins avaient *ravager* une partie de l'Australie. – Les vergers avaient été *ravager* par la bourrasque. – La région, que le cyclone a *ravager*, n'a plus un seul arbre debout. – Au cours de la révolte, les esclaves ont *briser* leurs chaînes. – Nous sommes *briser* de fatigue. – Nous tenions beaucoup aux bibelots que le chien a *briser*. – Les barques ont été *briser* sur les rochers par des vagues énormes.

■ **260.** **Même exercice que 259.**

Ses plans *finir*, l'architecte les a *remettre*. – Les plans sont *finir*, le maçon peut commencer les travaux. – Quand ses plans seront *finir*, l'architecte les soumettra aux clients. – L'architecte a *finir* ses plans. – Les plans que l'architecte a *finir* ont été *adopter*. – La branche *casser* menace de tomber. – Le vent a *casser* la branche. – La branche a été *casser* par la rafale. – La branche est *casser* et ses feuilles se flétrissent. – La branche, que le vent a *casser*, était pourtant grosse.

■ **261.** **Même exercice que 259.**

Les touristes *conduire* par le guide vont sur le site. – Nous avons été *conduire* au cirque. – Les touristes sont *conduire* par le guide. – Les chevaux que j'ai *conduire* sont dociles. – Nous avons *conduire* nos amis à la gare. – De vieux objets sont *entasser* au grenier. – Les valises *entasser* seront bientôt *charger*. – Les vieilles ferrailles avaient été *entasser* dans la cour. – Les vendeurs ont *entasser* les fruits. – Le brocanteur trie les chiffons qu'il a *entasser*.

MOTS À ÉTUDIER :
1. **merveilleux, une brassée, un feuilleton, envelopper, la générosité.**
2. **les chœurs, le brocanteur, frictionner, aveuglant, l'innocence.**
3. **brillamment, le séisme, le conférencier, profondément, les éventualités.**

Le participe passé des verbes pronominaux

Les enfants **se sont lancé** le ballon.
Les enfants **se sont lancés** dans l'aventure.
Les hirondelles **se sont enfuies.**

RÈGLES

1. Le participe passé des verbes employés sous la forme **pronominale**, comme *se lancer, se couper, se battre*, **s'accorde** en **genre** et en **nombre** avec le **complément d'objet direct quand celui-ci est placé avant le participe**.

Il faut donc remplacer l'auxiliaire **être** par l'auxiliaire **avoir** et poser la question : **qui ?** ou **quoi ?** On a ainsi :

Les enfants **ont** lancé **quoi ? le ballon,**
C.O.D. placé **après** le participe ⟶ **pas d'accord**.
Les enfants **ont** lancé(s) **qui ? (se)** eux-mêmes,
C.O.D. placé **avant** le participe ⟶ **accord** ;
se, 3e personne du masculin pluriel, donc **lancé (é.s)**.

2. Le participe passé des verbes **essentiellement pronominaux**, comme *s'enfuir, se cabrer, s'emparer*, **s'accorde** en **genre** et en **nombre** avec le **sujet** du verbe.

Les hirondelles se sont enfuies.
Qui est-ce qui se sont enfuies **? les hirondelles,**
féminin pluriel, donc **enfuies (i.e.s)**.

EXERCICES

■ **262. Accordez les participes passés des verbes en italique.**

Les navires désemparés se sont *perdre* dans les flots. – Elles s'étaient *hâter* de rentrer à la maison. – Sous la poussée du vent les vieilles bâtisses se sont *effondrer*. – Ils se sont *nuire* par leur imprudence. – Nous nous sommes *lier* d'amitié avec nos voisins. – Ils se sont *payer* des vacances de rêve. – Les sportifs se sont *lancer* des défis. – Nous nous sommes *précipiter* au-devant de nos amis. – Les voitures se sont *heurter*.

■ **263. Même exercice que 262.**

Ils se sont *parler* cordialement. – Les fauves se sont *tapir* dans les hautes herbes. – Les rumeurs se sont vite *répandre* dans la petite ville. – Les oiseaux se sont *envoler* devant les chasseurs. – Ils se sont rapidement *résigner* à leur triste sort. – Nous nous sommes très vite *tutoyer*. – Ces candidats se sont *bercer* d'illusions. – Deux péniches se sont *briser* sur les berges du fleuve.

■ **264. Même exercice que 262.**

Ils se sont *écorcher* les genoux. – Les voiles se sont *gonfler* et les barques se sont *éloigner*. – Les joueurs d'échecs se sont *affronter* pendant plusieurs heures. – Les joueurs de tennis se sont *lancer* des défis. – La neige s'est *amasser* le long des haies. – Les chevaux se sont *cabrer* et se sont *emballer*. – Elles se sont *reconnaître*, elles se sont *sourire*, elles se sont *parler*. – Ces paroles se sont *graver* dans son esprit.

■ **265. Même exercice que 262.**

Les moteurs ont ronflé et les avions se sont *envoler* un à un. – Ils se sont *rendre* mutuellement service. – Ils se sont *rendre* à la gare. – Les routiers se sont *rencontrer* au poste frontière. – Les ouvriers se sont *partager* la tâche. – Les joueurs se sont *partager* en deux équipes. – Les enfants se sont *amuser*. – Ma sœur s'est *casser* le bras. – S'étant *arrêter* au bord de l'eau, les promeneurs sortirent des sandwichs de leur sac.

■ **266. Même exercice que 262.**

La petite ville s'est *assoupir*. – Les amis se sont *fixer* rendez-vous. – Le pétrolier s'est *briser* sur les rochers. – Madame Mathieu s'était *alarmer* inutilement. – Les heures se sont *égrener* dans la nuit. – Les alpinistes se sont *équiper* pour faire une ascension. – Les promeneurs se sont *égarer* dans la forêt. – Les chasseurs se sont *embusquer* derrière le taillis. – Les voyageurs se sont *entasser* dans les wagons. – Ils se sont *donner* du mal.

■ **267. Remplacez les temps simples de l'indicatif par les temps composés correspondants :**

présent   ⟶   passé composé
imparfait   ⟶   plus-que-parfait
futur simple ⟶   futur antérieur

Ces jockeys s'imposent un régime très dur à suivre. – Plusieurs personnes se réjouissent en apprenant la nouvelle. – Les bruits du moteur s'entendaient très distinctement. – Les boxeurs se défient en silence ; seuls leurs yeux parlent. – La bataille décisive se livrera sur ce plateau. – Cette jupe se portait avec des bottines blanches. – Ils se disputaient bruyamment et gênaient tout le voisinage. – Elles se laveront les mains et se coifferont avant de passer à table, comme tous les jours.

MOTS À ÉTUDIER :
1. le flot, se hâter, se heurter, une ascension, l'imprudence.
2. cordialement, s'affronter, distinctement, les bâtisses, s'effondrer.
3. mutuellement, s'égrener, s'embusquer, bruyamment, désemparé.

Le participe présent – l'adjectif verbal

On a brûlé les draps en les **repassant**.
Ces joueurs **rivalisant** d'ardeur font des progrès.
Ces joueuses **rivalisant** d'ardeur font des progrès.
Il fredonne des airs **entraînants**.
Il fredonne des chansons **entraînantes**.

RÈGLE

Le **participe présent** est une forme du verbe, sa terminaison est **a.n.t,** il est **invariable**.

Le participe présent est le plus souvent précédé de **en**.

Lorsque le participe présent n'est pas précédé de **en,** il ne faut pas le confondre avec l'**adjectif verbal** en **a.n.t**, variable.

Pour éviter la confusion, il faut **remplacer le nom masculin par un nom féminin** et lire la phrase **en entier**.

EXERCICES

■ **268. Donnez le participe présent des verbes suivants sur le modèle :**
donner – donnant, en donnant – en les donnant.

sauter	sauver	finir	entendre	chercher
couper	lancer	polir	voir	franchir

■ **269. Employez l'adjectif verbal dérivé des verbes suivants avec un nom masculin, puis avec un nom féminin :**

siffler	bouillir	nourrir	plaire	supplier
aveugler	consoler	resplendir	satisfaire	vivre

■ **270. Écrivez le participe présent ou l'adjectif verbal des verbes en italique et justifiez l'accord des adjectifs verbaux en écrivant une expression au féminin entre parenthèses :** Ex. : des lapins vivants (des poules vivantes).

La fillette s'est brûlée en *jouer* avec des allumettes. – Ces caisses sont *peser*, prenez des précautions en les *porter*. – De *rutiler* lueurs annoncent un grand incendie. – Le verglas avait rendu les routes *glisser*. – Quelques mots *rassurer* calmèrent l'enfant apeuré. – En les *désigner* pour assister à cette fête, vous leur avez fait plaisir. – Ne laissez jamais les enfants jouer avec des instruments *trancher*. – Il s'est blessé en *couper* du bois.

■ **271. Même exercice que 270.**

En *comparer* les totaux, on s'aperçoit qu'il y a une erreur de calcul. – C'est en *voyager* que la jeunesse se forme, disait Montaigne. – Les joueurs *respecter* les règles du jeu ne sont pas pénalisés. – Les madriers *étayer* les murs lézardés sont solides. – Les étudiants revenaient en *chanter* après la proclamation des résultats. – Mes parents, gens *prévoir*, avaient mis de l'argent de côté pour leur retraite. – Les fenêtres *grincer* tout à coup avaient déclenché le système d'alarme.

■ **272. Même exercice que 270.**

Dans le métro, j'ai emprunté les escaliers *rouler*. – Les footballeurs *obéir* scrupuleusement aux consignes de leur entraîneur gagnent la partie. – Les enfants *obéir* se font de plus en plus rares. – Que font ces deux animaux se *disputer* un vieil os *traîner* par terre ? – Des gains *encourager* ont été enregistrés ce matin à la Bourse. – Les voyageurs *désirer* prendre un repas se rendaient au wagon-restaurant. – Les renseignements *intéresser* sur le circuit ont été publiés par l'office du tourisme, ils sont remis aux personnes les *réclamer.*

■ **273. Même exercice que 270.**

Le malade a pris un médicament *calmer.* – C'est en leur *porter* secours que je me suis blessé. – Nous grimpions toujours, nous *arrêter* quelquefois pour contempler le paysage. – En les *écouter* raconter leurs vacances, je rêvais. – Des fusées *éclairer* sillonnent le ciel. – *Refuser* de nous croire, ils se sont égarés. – Ils ont appris en se *jouer* des difficultés. – *Relever* la tête, ils passent majestueusement devant la tribune officielle. – Les *apercevoir*, mes petits neveux, qui jouaient dans la cour, se réfugièrent dans la grange. (É. Guillaumin.) – C'est en *forger* qu'on devient forgeron.

■ **274. Même exercice que 270.**

La présentatrice du loto annonce les numéros *gagner.* – Après d'*absorber* recherches, le savant a obtenu des conclusions *encourager.* – Les marins, *mépriser* le danger, sont partis au secours des naufragés. – La mer lance ses vagues *écumer* à l'assaut des rochers. – Seuls les corbeaux, par bandes, décrivaient de longs festons dans le ciel, *chercher* leur vie inutilement, *s'abattre* tous ensemble sur les champs livides et *piquer* la neige de leurs grands becs. (G. de Maupassant.) – Dehors, le vent soufflait en *éparpiller* la musique des cloches […] ils grimpaient la côte en *chanter.* (A. Daudet.)

■ **275. Construisez trois phrases renfermant un participe présent et trois phrases renfermant un adjectif verbal.**

MOTS À ÉTUDIER :
1. **une allumette, un incendie, des précautions, le résultat, un instrument.**
2. **un système, la proclamation, intéresser, quelquefois, contempler.**
3. **lézardé, emprunter, scrupuleusement, sillonner, majestueusement.**

si – s'y — ni – n'y

| L'affaire est **si** compliquée qu'il **s'y** perd (se perdre).
| **Ni** les menaces **ni** les encouragements **n'y** feront rien (ne feront).

RÈGLE

Ne confondez pas **si (s.i), ni (n.i)** avec **s'y (s'.y)**, **n'y (n'.y)** qui, formés de deux mots, peuvent se décomposer en **se-y, ne-y**. De plus, **s'y (s'.y)** fait partie d'un verbe pronominal et peut se remplacer par **m'y, t'y**.

EXERCICES

■ **276. Conjuguez au présent et à l'imparfait de l'indicatif :**

s'y rendre à pied	s'y installer	n'y rien comprendre
s'y appuyer avec force	n'y rien voir	n'y rien changer

■ **277. Remplacez les points par *si* ou *s'y*. Justifiez l'emploi de *s'y* en écrivant le verbe pronominal entre parenthèses.**

Le cycliste va ... vite, qu'il ne voit pas la pierre et ... heurte. – Les mouvements de joie et d'humeur ... succèdent par sautes brusques. (Y. BALDE.) – Elle courait « rendre » son travail à l'usine parce que ... elle arrivait trop tard, elle n'aurait pas de nouvelle tâche. (J. GUÉHENNO.) – Mais, malheureux, dit le paysan, quand on a les yeux crevés,... en plus on met des lunettes noires, on n'y voit plus rien. (M. PAGNOL.) – Le silence semble d'abord profond : peu à peu l'oreille ... habitue. (TH. GAUTIER.) – Qui ... frotte ... pique.

■ **278. Même exercice que 277.**

Les chemins sont ... détrempés, qu'il serait imprudent de ... hasarder ; la voiture ... embourberait. – Il y a un travail à faire, chacun ... met avec entrain. – Il chante ... fort et ...mal qu'il nous fatigue. – La Bretagne est ... agréable qu'on ... rend avec plaisir. – Le nageur s'assure ... l'eau est bonne et ... plonge avec joie. – ... tu crois que c'est bien, alors fais-le ! – Mes parents étaient ... fatigués, qu'ils ont passé un mois à la campagne ; ils ... trouvent ... bien, qu'ils pensent ... retirer.

■ **279. Même exercice que 277.**

Le pont de bois paraît ... vermoulu que le conducteur hésite à ... risquer. – Il fait froid depuis ... longtemps que l'on ... habitue. – Le navire s'approche des récifs et ... brise. – Les naufragés atteignent des épaves et ... accrochent. – Le singe s'agrippe à une branche et ... balance. – C'est à peine ... nous remarquâmes que Louis espaçait ses venues. (J.-B. MEDINA.) – ... ces régions les attirent, ils ... rendront. – ... on croit au paradis, les bêtes y auraient droit. (J. POMMERY.)

■ 280. Même exercice que 277.

Il connaît le règlement, il a promis de … conformer comme tout le monde. – Il était … fatigué qu'il est allé à l'infirmerie et … est reposé. – Attention, il ne faut pas rouler … vite ! – L'aviateur voit la piste et … pose calmement. – Quelle animation ! Chacun … met avec ardeur pour participer. – Oh ! alors, … vous l'aviez vu, le pauvre vieux, … vous l'aviez vu venir vers moi. (A. DAUDET.) – Il entre dans l'appartement calme pour … détendre, il … attarde, car la journée fut rude et fertile en événements. – Il … arrête souvent pour y passer quelques jours de vacances.

■ 281. Remplacez les points par *ni* ou *n'y*. Justifiez l'emploi de *n'y* en écrivant entre parenthèses le verbe et la négation.

L'ordinateur est en panne ; … le clavier … l'écran ne fonctionnent : personne … comprend rien. – Votre travail est bien ainsi, … ajoutez rien, … une phrase … un mot ; … changez rien. – Je regardais la cour et je ne vis … mendiants … estropiés, ce n'était plus la cour des Miracles … celle du Roi-Soleil. C'était à … rien comprendre. – Laissez de côté cette machine, vous … gagnerez que des ennuis. – Il ne voulait boire … lait … chocolat. – Il … avait rien à faire. – Durant cette rencontre … les boxeurs … l'arbitre ne furent à la hauteur.

■ 282. Transformez les phrases affirmatives en phrases négatives.

Ex. : Il y songe. ⟶ Il n'y songe pas.

Il s'y rend.	Nous y arriverons.	J'y goûte.
Elle y pensait.	On y chassait.	Vous y rajouterez du sucre.
David y nagera.	Elles y penseront.	Ils y parviendront.
Nous y assisterons.	Elle y voit clair.	On y touchera.
Elles y reviendront.	Tu y regarderas de près.	J'y reviendrai.

■ 283. 1. Analysez *y* dans les phrases de l'exercice n° 277.

Ex. : – Les peupliers bordent l'étang et **s'y** reflètent ⟶ **y**, pronom personnel mis pour *étang*, 3ᵉ personne du singulier, complément indirect de lieu de *se reflètent*.

   – Il y a un travail à faire, il **s'y** met avec entrain : **y**, pronom personnel mis pour *travail*, 3ᵉ personne du singulier, complément d'objet indirect de *met*.

2. Construisez trois phrases renfermant à la fois *si* et *s'y* et trois phrases renfermant à la fois *ni* et *n'y*.

MOTS À ÉTUDIER :
1. **appuyer, le clavier, une animation, le cycliste, un appartement.**
2. **détremper, l'humeur, vermoulu, l'infirmerie, se hasarder.**
3. **succéder, un récif, s'agripper, le règlement, estropié.**

sans – s'en — dans – d'en

> Il a un jeu **sans** mauvaises cartes, il **s'en** félicite (se féliciter).
> Il est tombé **dans** le trou, il essaie **d'en** sortir (de sortir).

RÈGLE

Il ne faut pas confondre **sans (s.a.n.s)**, **dans (d.a.n.s)** avec **s'en (s'.e.n)**, **d'en (d'.e.n)** qui, formés de deux mots, peuvent se décomposer en **se-en, de-en**.

De plus, **s'en (s'.e.n)** fait partie d'un verbe pronominal et peut se remplacer par **m'en, t'en**.

Remarques

On écrira :
— une ville **sans** habitant**s** (habitants au pluriel) parce que s'il y en avait, il y aurait plusieurs habitants ;
— un jour **sans** soleil (soleil au singulier) parce que s'il y en avait, il y aurait du soleil.

EXERCICES

■ **284. Conjuguez au présent et à l'imparfait de l'indicatif :**

s'en approcher   s'en offrir   s'en occuper

■ **285. Écrivez *sans* à la place des points et accordez, s'il y a lieu.**

un ciel … nuage…	un jour … soleil…	un discours … fin…
un lit … drap…	une maison … fenêtre…	des lumières … éclat…
un arbre … feuille…	un escalier … éclairage…	une plaine … arbre…
une nuit … lune…	un travail … soin…	un nid … oiseau…
une allée … ombre…	un livre … image…	une orange … pépin…

■ **286. Remplacez les points par *sans* ou *s'en*. Justifiez l'emploi de *s'en* en écrivant le verbe pronominal entre parenthèses.**

Paul reprit une part de tarte … se faire prier. – Mes parents ont acheté une belle lithographie, ils … félicitent. – Il … donne à cœur joie. – Ce magazine, autrefois passionnant, est maintenant … intérêt ; Damien … étonne. – … soin, … ordre, … méthode, pas de progrès, pas de réussite.

■ **287. Même exercice que 286.**

Le parcours était plus difficile que d'habitude ; Géraldine … doutait bien un peu. – Il voudrait bien … aller chez lui, mais il a encore des travaux à faire. – Il a acheté une bicyclette et … déclare satisfait. – Les arbres jaunissent, se rouillent, des feuilles … détachent. – Il fait beau, le soleil brille dans un ciel … nuages, tout le monde … réjouit. – Si difficile que soit quelquefois le travail, il faut … acquitter … faiblir.

■ **288. Même exercice que 286.**

Cette boisson est … alcool ; les enfants peuvent … verser plusieurs verres. – Sois … crainte pour ton affaire, il … occupera. – Anne-Marie sort de la maison et … éloigne rapidement. – Il a oublié un sac et … rend compte … tarder. – … qu'on … aperçoive, les cambrioleurs s'introduisent dans la maison. – Ce jeu fonctionne … piles ; on peut … servir quand on le désire.

■ **289. Même exercice que 286.**

Bayard fut surnommé le chevalier … peur et … reproche. – La vie est bien dure, … rend-il compte ? – Quel superbe voyage, on … souviendra ! – Elle … va … regret, … se retourner. – Pour pouvoir … sortir, il devra travailler beaucoup. – J'étais à la campagne dans une chambre … volet ni rideau. (MICHELET.) – Ce chien est méchant, il est prudent de ne pas … approcher. – Le malade a un peu de fièvre, il n'y pas lieu de … effrayer.

■ **290. Remplacez les points par** *dans* **ou** *d'en.*

La maison … face est toute baignée de soleil. – Le voleur voudrait entrer … le jardin, il essaie … escalader le mur. – Je souffle … une vieille trompette, il m'est impossible … faire sortir le moindre son. – Le marchand nous incite à goûter un fruit afin … apprécier la saveur. – Je presse un citron afin … extraire le jus. – Mes parents m'offrent un voyage … les Pyrénées, ils me laissent le soin … tracer l'itinéraire. – Mon père me regardait … bas avec un radieux sourire. (M. PAGNOL.)

■ **291. Même exercice que 290.**

Si vous allez … ce pays, n'oubliez pas … rapporter des souvenirs. – L'avion pris … la tourmente s'efforce … sortir. – Vous serez en vacances … quelques semaines. – Pour pénétrer … le parc, il est nécessaire … franchir le portail. – Ces lueurs venaient … haut. – … votre intérêt, il est inutile … parler. – Nous sommes entrés … une période de pluie, il n'est pas possible … prévoir la fin.

■ **292. 1. Analysez en : a) dans 289 ; b) dans 290.**

Ex. : – La côte est en vue, le navire **s'en** approche ⟶ **en**, pronom personnel mis pour *côte*, 3ᵉ personne du singulier, complément d'objet indirect de *s'approche*.

　　　– La forêt est vaste, j'**en** connais tous les sentiers : **en**, pronom personnel mis pour *forêt*, 3ᵉ personne du singulier complément du nom *sentiers*.

　　　– Je monte **en** voiture : **en**, préposition, relie le complément d'objet indirect *voiture* au verbe *monte*.

2. Construisez trois phrases renfermant à la fois *sans* **et** *s'en* **et trois phrases renfermant à la fois** *dans* **et** *d'en.*

MOTS À ÉTUDIER :
1. **escalader, l'itinéraire, le portrait, la tourmente, effrayer.**
2. **un magazine, une habitude, radieux, nécessaire, fonctionner.**
3. **passionnant, une méthode, s'acquitter, apprécier, extraire.**

Les pronoms relatifs en *-el*

> Le journal **auquel** je m'abonne est intéressant.
> Les journaux **auxquels** je m'abonne sont intéressants.
> Les revues **auxquelles** je m'abonne sont intéressantes.

RÈGLE

Pour écrire correctement un pronom relatif en **el** il faut chercher avec soin son antécédent.

EXERCICES

■ 293. **Remplacez les points par** *auquel, auxquels* **ou** *auxquelles*.

Les films … je pense sont programmés sur la première chaîne. – Les vacances … tu aspires arriveront bientôt. – Campé sur ses pattes noires à même la braise, le chaudron nous pondait des tubercules blancs … un beurre fondu et salé, concassé en petits dés, donnait tout leur prix. (COLETTE.) – Les personnes … je me suis adressé m'ont renseigné. – L'événement … vous faites allusion s'est passé il y a longtemps. – L'ami … j'accorde ma confiance me la rend bien. – J'ai gardé les cahiers … je tiens le plus.

■ 294. **Remplacez les points par** *lesquels* **ou** *lesquelles*.

Les colis sur … je comptais ne sont pas arrivés. – Les pistes sur … les avions atterrissent sont en béton armé. – Les côtes vers … je me dirige sont celles de la Corse. – Les paysages sur … mes regards se posent sont ravissants. – Les chemins entre … nous nous frayons un passage ne mènent nulle part. – Les arbres sous … nous nous abritons sont centenaires.

■ 295. **1. Remplacez les points par un pronom relatif en** *el*.

Monsieur Hardy double des voitures … sont attelées des caravanes. – Les pêcheurs repèrent les rochers derrière … l'eau bouillonne. – L'usine pour … travaillent les jeunes du village exporte des moteurs en Italie. – Le chalutier sur … nous avons embarqué dansait sur la mer. – Les nuages au travers … filtre le soleil annoncent l'orage.

2. Construisez cinq phrases contenant un pronom relatif en *el*.

■ 296. **Même exercice que 295.**

Les paroles … vous attachez de l'importance n'en ont pas vraiment. – Les chaises sur … vous vous asseyez viennent d'être réparées. – Les fauteuils dans … vous vous reposez sont profonds. – Voici l'échelle sur … il te faudra grimper pour réparer le toit. – Les armoires dans … nous rangeons nos vêtements sont très anciennes. – Ce métier … tu tiens tant est pourtant pénible. – Les discussions … tu participais étaient animées.

MOTS À ÉTUDIER :
1. **une revue, programmer, la confiance, nulle part, la discussion.**
2. **s'abonner, allusion, ravissant, accorder, exporter.**
3. **un événement, atterrir, centenaire, atteler, bouillonner.**

quel(s) – quelle(s) – qu'elle(s)

> **Quelle** audace ! **Quel** courage !
> **Qu'elles** sont chères, ces places ! **Qu'ils** sont chers, ces billets !
> **Quelles** sont ces bêtes ? **Quels** sont ces livres ?
> La maison **qu'elle** loue est agréable !
> Le pavillon **qu'il** loue est agréable !

RÈGLE

Il ne faut pas confondre **quel**, adjectif, variable en genre et en nombre, avec **qu'elle** ayant une apostrophe.
Lorsqu'on peut remplacer **qu'elle** par **qu'il** il faut mettre **l'apostrophe**.

EXERCICES

■ **297. Recopiez et reliez par une flèche les mots et expressions comme il convient.**

	• acrobate agile !
	• artistes étonnants !
Quel •	• film comique avons-nous vu ?
	• gentils enfants vous avez eus !
Quels •	• pièce de théâtre avez-vous vue ?
	• heureux hommes nous avons rencontrés !
Quelle •	• belles boutiques !
	• honte, c'est un scandale !
Quelles •	• jolies tenues vous avez !
	• bonne surprise de vous voir !

■ **298. 1. Remplacez les points par** *quel(s)*, *quelle(s)* **ou** *qu'elle(s)*.

… brouhaha dans la gare au moment de l'arrivée du T.G.V. – À … vitesse roulait cet automobiliste quand les gendarmes l'arrêtèrent ? – Avec … voiture irons-nous en ville ? – … était jolie cette petite fille ! – Chez … coiffeuse avez-vous l'habitude d'aller ? – … chanteur aimez-vous ? – … belles poires ! Je pense … sont bien mûres. – Érika range les billets … a trouvés. – Il faut … pensent à repeindre les chambres. – … heure avez-vous, s'il vous plaît ? – Il semble … soit bien fatiguée, car depuis … dit devoir s'arrêter, c'est la première fois … met ses paroles à exécution.

2. Construisez trois phrases avec *qu'elles* **et trois phrases avec** *quelles*.

MOTS À ÉTUDIER :
1. l'audace, cher, un acrobate, l'arrivée, le gendarme.
2. agréable, un pavillon, comique, s'arrêter, étonnant.
3. le théâtre, une honte, un scandale, mûre, exécution.

L'adverbe

I Les enfants jouent **bruyamment**.
Les camions avancent **lentement**.

RÈGLE

L'**adverbe** est toujours **invariable**.

Remarques

1. Beaucoup d'**adverbes** ont la terminaison **e.n.t.**
Il ne faut pas les confondre avec les noms en **e.n.t**, variables.
Les docum**ents** sont lus attentivem**ent**.

2. L'**adjectif qualificatif** peut être pris adverbialement ; dans ce cas, il est **invariable**.
Les voitures s'arrêtent **net**.
Ce linge est d'une blancheur **nette**.

3. Ensemble et **debout** sont **invariables.**
Nous étions **debout** dans le couloir.
Nous étions **ensemble** à la fête.

4. L'adverbe formé avec l'adjectif en :

e.n.t s'écrit **e.mment**	⟶	pati**ent**, pati**emment**.
a.n.t s'écrit **a.mment**	⟶	brill**ant**, brill**amment**.

EXERCICES

■ **299. Donnez les adverbes formés avec les adjectifs suivants :**

vaillant	précédent	prudent	méchant
fréquent	abondant	ardent	évident
constant	élégant	étonnant	suffisant
violent	obligeant	courant	éloquent

■ **300. Même exercice que 299.**

patient	négligent	récent	puissant
excellent	insolent	imprudent	savant
nonchalant	pesant	innocent	décent
languissant	apparent	intelligent	plaisant

■ **301. Indiquez la nature de chaque mot en italique et accordez, s'il y a lieu.**
Les secrétaires disposent *intelligemment* leur travail. – On entend dans le feuillage des *gazouillement* de fauvettes, des *pépiement* de moineaux, des *roucoulement* de ramiers. – Les agents renseignent *complaisamment* les touristes étrangers. – Au *commandement*, les soldats se sont *rapidement*

alignés. – Les arrières défendent *vaillamment* leur camp. – Les promeneurs avançaient *nonchalamment* dans les allées. – Les *garnement* ont été *sévèrement* punis.

■ **302. Même exercice que 301.**

Les historiens ont *longuement* examiné les *document* découverts dans cette église ancienne. – Les vieilles maisons sont *violemment* secouées par le vent. – Autrefois les grand-mères racontaient *patiemment* des histoires à leurs petits-enfants. – Les *aboiement* du chien nous ont réveillés. – Les fenêtres des *logement*, des *appartement*, des bureaux doivent être ouvertes pour renouveler l'air. – Nous enfonçons *pesamment* nos pieds dans le sable. – Nos amis viennent *fréquemment* nous rendre visite. – Certains candidats ont répondu *excellemment*.

■ **303. Même exercice que 301.**

Mon cousin parle l'anglais *couramment*. – Ils ont passé *brillamment* leur examen. – Ces ouvriers arrivent *constamment* en retard, le service de ramassage est *certainement* mal organisé. – Éric change les *roulement* à billes de sa roue de bicyclette. – Des *glissement* de terrain ont enseveli le village. – Les voyageurs attendent *patiemment* l'arrivée du train. – Nous avons apporté quelques *embellissement* à notre maison. – Les pompiers sont partis *précipitamment*. – Les voitures s'étaient *doucement* arrêtées. – Le *règlement* n'a pas été respecté par le locataire.

■ **304. Accordez les mots en italique, s'il y a lieu.**

Des voix d'enfants sonnent *clair* dans le jardin. – Les fillettes portent des robes *clair*. – Vous êtes *fort* enrhumés. – Vous êtes vigoureux et *fort*, mais il faut ménager vos forces. – Ces vêtements coûtent *cher*. – Ces souvenirs me sont *cher*. – Ces œillets sentent *bon*. – Nous achetons de *bon* fruits. – Les pluies avaient fait pousser une herbe verte et *dru*. – Les grêlons tombent *dru*.

■ **305. Même exercice que 304.**

Soyez toujours *juste* envers autrui. – Les enfants chantent *juste*. – Les gymnastes s'arrêtent *net*. – Ils parlaient d'une voix *net* et bien timbrée. – Nous sommes allés *ensemble* au marché. – De nombreux voyageurs étaient *debout* dans le couloir du wagon. – Ils revenaient *ensemble* du spectacle. – Nous étions restés *debout* toute la matinée. – Nous avons fait *ensemble* un bout de chemin. – Les sportifs se tenaient *debout*, les jambes écartées.

MOTS À ÉTUDIER :
1. un document, longuement, un logement, un appartement, les secrétaires.
2. le commandement, un historien, le ramassage, un glissement, vigoureux.
3. examiner, violemment, renouveler, un examen, enrhumé.

Le verbe ou le nom

Le joueur tente un **pari** insensé.
Cet aventurier **parie** une forte somme d'argent.
Le cantonnier **balaie** le trottoir.
Il nettoie la cour avec un **balai**.

Remarques

Il ne faut pas confondre le **nom** avec une personne du verbe, son **homonyme.** L'orthographe est presque toujours différente.

Quelques exceptions   • un murmure, il murmure.
                            • un voile, il voile.
                            • un incendie, il incendie.

À noter que **quelques verbes à l'infinitif** et le **nom** ont la même orthographe :

   dîner, le dîner ; rire, le rire…

EXERCICES

■ **306.** **Écrivez les verbes suivants aux trois personnes du présent de l'indicatif, puis le nom homonyme.**

1. balayer	sommeiller	**2.** geler	oublier
employer	appareiller	filer	ferrer
octroyer	éveiller	exiler	crier
convoyer	signaler	reculer	zigzaguer

■ **307.** **Même exercice que 306.**

1. flairer	rappeler	**2.** parcourir	réveiller
éclairer	discourir	soutenir	saluer
tirer	parier	entretenir	accueillir
plier	trier	rôtir	recueillir

■ **308.** **Complétez s'il y a lieu.**

Le travail… que j'ai fait cet été m'a beaucoup intéressé. – Quand je travail…, je ne m'ennui… pas. – La grand-mère envoi… des jouets à son petit-fils. – Nous avons fait un envoi… de livres à notre ami. – L'enfant s'applique, car il désir… réussir. – Ne soyez pas trop ambitieux, vos désir… ne seront pas toujours satisfaits. – Le vent murmur… dans les arbres. – J'écoute le frais murmur… de l'eau sur les cailloux. – Le chat sommeil… au soleil. – Mélanie a un sommeil… léger.

■ **309.** **Même exercice que 308.**

On pose sur la table un superbe rôti… . – Le poulet rôti… à feu doux. – Le chien flair… la trace du lièvre. – Médor a du flair… . – La nuit étend son voil… sur la cité. – Le marin pli… la voil… . – Ma chemise a un pli… dans le dos. – La brume voil… la campagne. – Le soleil couchant incendi… les vitraux de l'église. – Un incendi… a ravagé tout un quartier de la ville. – Ma mère parcour… le journal. – Pendant tout le parcour…, j'ai lu. – J'ai reçu un cho… . – Je cho… un verre.

■ **310.** **Même exercice que 308.**

L'ouvrier s'occupe de l'entretien… des machines. – L'avocat s'entretien… avec son client de la conduite à tenir. – La pluie ennui… les coureurs. – Quel ennui… ! Il pleut, je ne sortirai pas. – Le caporal salu… le colonel qui lui rend son salu… . – L'avion essai… de décoller. – Après un essai… infructueux, l'auto démarre enfin. – Le chemin zigzag… dans la campagne. – La foudre fait des zigzag… . – Le moustique pi… le dormeur. – Le terrassier se sert d'un pi… . – Autrefois, certains soldats étaient armés d'une pi… .

■ **311.** **Même exercice que 308.**

Je soupir… d'aise en m'asseyant dans mon fauteuil. – Le malade laisse échapper de légers soupir… . – Le corbeau pousse son cri…lugubre. – L'enfant trépigne, pleure, cri… en vain. – Voici l'automne, c'est la saison des labour… . – Le fermier labour… son champ. – La police veille au maintien… de l'ordre. – La grosse poutre maintien… toute la charpente. – Le vieillard s'appui… sur sa canne. – Vos parents sont vos appui… les plus solides. – Le facteur tri…, puis distribue le courrier. – Après avoir fait le tri… du courrier, le facteur le distribue.

■ **312.** **Complétez les mots inachevés.**

Nous avons gardé nos amis à dîn… . – Le dîn… s'est terminé par des chansons. – L'enfant a eu une tartine beurrée pour son goût… . – Je suis impatient de goût… à ce mets délicieux. – Je regardais la lune se lev… au-dessus des arbres. – Je prends une tasse de chocolat à mon lev… . – Ces mauvaises nouvelles nous ont fait perdre le rir…, le boir… et le mang… . – Des rir… montaient de la salle de spectacle. – Nous admirons le couch… du soleil. – Il est tard, je vais me couch… .

■ **313.** **1. Faites une phrase simple avec chacun des mots :** oubli, oublie – appel, appelle – cri, crie – maintien, maintient – vol, vole.

2. Trouvez cinq noms et cinq infinitifs homonymes et faites une phrase avec chacun d'eux.

MOTS À ÉTUDIER :
1. **un envoi, la cité, un parcours, l'avocat, délicieux.**
2. **lugubre, un aventurier, la charpente, impatient, l'entretien.**
3. **satisfait, ambitieux, infructueux, le terrassier, accueillir.**

ou – où — la – là – l'a

Allez à la fête **ou** allez **où** vous voudrez.
Cet arbre-**là** était le roi de **la** forêt. Le vent **l'a** brisé.

RÈGLE

Il faut mettre un accent grave sur **là** et **où** quand ils marquent le **lieu** ou le **temps**.

Ou sans accent peut se remplacer par **ou bien**.

EXERCICES

■ **314. Remplacez les points par** *ou, où*. **Justifiez l'emploi de** *ou* **en écrivant** *ou bien* **entre parenthèses.**

… désirez-vous passer la soirée ? au théâtre … au cinéma ? … il vous plaira. – J'ai acheté la maison … je suis né, … j'ai passé mes années d'enfance ; je l'habiterai … je la louerai. – Dans le village suisse … je vais passer mes vacances, les habitants parlent le français … l'allemand. – Il est paresseux … distrait, car il oublie tous ses rendez-vous. – Lucie se rend à la clinique … elle doit accoucher ; Régis aura bientôt un petit frère … une petite sœur. – Dans la cafétéria … Catherine déjeune, on choisit le menu touristique … le plat du jour. – Pour la maison de campagne … vous séjournerez, achetez des meubles en bois blanc … des meubles peints.

■ **315. Même exercice que 314.**

À la gare … vous descendrez, vous prendrez l'autocar … un taxi. – Quelquefois à la pointe des joncs … sur la feuille des nénuphars, un insecte à pattes fines marchait … se reposait. (G. Flaubert.) – … passerez-vous les prochaines vacances de février ? en Floride … aux sports d'hiver ? – Je donnerai à Camille … à Emmanuelle les documents … l'on trouve tous les renseignements. – Demain dès l'aube, à l'heure … blanchit la campagne, je partirai. (V. Hugo.) – Le brigand lui déclara : « La bourse … la vie. »

■ **316. Dans les phrase suivantes, écrivez entre parenthèses si « *ou* » indique un choix ou un lieu.**

- Que prendrez-vous ? un fromage ou un dessert ?
- Il y avait tellement de monde que la vendeuse ne savait plus où donner de la tête.
- Elle ne me dit jamais ni où elle va ni d'où elle vient.
- Vous me direz où vous avez rangé les documents.
- Nous reviendrons ce soir ou demain, nous ne sommes pas décidés.
- Quelle route prendrez-vous ? celle-ci ou celle-là ?

■ 317. Remplacez les points par *la* ou *là* ou *l'a*.

Cette émission-... plaît à tous les jeunes enfants ; ils ... regardent chaque mercredi. – ... maison que vous voyez ...-bas dans ... verdure m'appartient. – C'est ... où je suis né. – ... tempête ... réveillé. – ... visite de Lucas à ... mosquée ... vivement intéressé. – Mettez cette chaise ... ! – ...-bas, près de ... station de métro, ... foule écoute un guitariste. – Cette poterie carolingienne a été trouvée ... , dans ... grotte qui surplombe ... rivière.

■ 318. Même exercice que 317.

En ce temps- ... , ... route était étroite et peu fréquentée. – Ne venez pas ... , car ... falaise est à pic. – Jusque-... le temps avait été beau, puis le ciel se couvrit et ... pluie se mit à tomber. – ... veste que tu portais était neuve, tu ... salie. – ... -tu vue ... nouvelle collection de haute couture ? – ... fourmi n'est pas prêteuse : c'est ... son moindre défaut. (LA FONTAINE.) – ...-dessus, au fond des forêts, le loup l'emporte et puis ... mange. (A. DAUDET.) – Ce dimanche- ..., c'était ... fête au village, ... fête annuelle qu'on appelle assemblée.

■ 319. Même exercice que 317.

Près de ... fontaine se trouvait un vieux platane que les villageois avaient planté ... plusieurs siècles auparavant. – ... se réunissaient les gens du village ; ils sont nés ..., ils ont vécu ... et ils mourront ... . – À gauche, c'était le cellier ; à droite, ... classe : j'entrai. M. Lamothe était ..., se balançant sur sa chaise adossée au mur. (E. LE ROY.) – Prodigieuse lampe tempête : mon père ... sortit un soir d'une grande boîte en carton, ... garnit de pétrole et alluma ... mèche. (M. PAGNOL.) – Ce jour-..., il passa des heures à plat ventre sur l'avant de ... péniche. (A. DHOTEL.)

■ 320. Remplacez les points par le mot qui convient.

Cette chanson-... me plaît. – Toute ... famille se réunit dans ... salle à manger. C'était ... qu'elle aimait recevoir ses amis. Brusquement ... peur ... saisit ! – Vous porterez ces lettres-... et ce paquet au bureau de poste ; ..., ils seront pesés et enregistrés. – J'ai porté ... bicyclette chez le mécanicien qui ... réparée. – ...-t-il fait exprès ? – L'hiver, cette année- ..., fut terrible. Dès ... fin de novembre, les neiges arrivèrent après une semaine de gelée (G. DE MAUPASSANT).

■ 321. 1. Analysez *où* et *ou* dans les cinq premières phrases de l'exercice n° 314.
   2. Analysez *là* et *la* dans les cinq premières phrases de l'exercice n° 317.
   3. Construisez cinq phrases renfermant à la fois *où* et *ou*.
   4. Construisez cinq phrases renfermant à la fois *la* ou *là*.

MOTS À ÉTUDIER :
1. **les habitants, un insecte, tellement, une collection, le mécanicien.**
2. **le renseignement, auparavant, une assemblée, enregistrer, prodigieuse.**
3. **paresseux, appartenir, surplomber, fréquenté, exprès.**

près – prêt — plus tôt – plutôt

> Les nageurs alignés **près** du bord sont **prêts** à plonger.
> Les nageuses alignées **près** du bord sont **prêtes** à plonger.
> **Plutôt** que de flâner, essayez de rentrer **plus tôt**.

RÈGLES

Il faut écrire **prêt (p.r.ê.t)** quand on peut le mettre au **féminin**, c'est un adjectif qualificatif. — Sinon il faut écrire **près (p.r.è.s)**.
Il faut écrire **plus tôt** en **deux mots** lorsqu'il est le contraire de **plus tard**. — Dans le cas contraire, il faut l'écrire en un mot.

EXERCICES

■ **322. Conjuguez au présent et à l'imparfait de l'indicatif.**

être prêt à sortir	être prêt à sauter	être prêt à partir
être près du bord	être près du mur	être près du puits

■ **323. Complétez avec** près **ou** prêt, **en accordant, s'il y a lieu. Justifiez l'emploi de** prêt **en écrivant le féminin entre parenthèses.**

Nous ne sommes pas …, attendez-nous … de l'église. – Ils sont si … du but qu'ils sont … à faire un effort. – Nous nous tenions tout … de là, … à riposter. – Soyez toujours … à intervenir. – Nous étions … à tirer sur le sanglier quand il passerait … de l'étang. – Les voiliers rangés … de la jetée sont … au départ. – Je suis … à vous accorder ma confiance, si vous êtes … à tenir vos engagements. – Les coureurs rassemblés … de l'entraîneur se tiennent … à partir. – Les voitures sont … à démarrer. – Là se réunissaient les hirondelles, … à quitter nos climats. (CHATEAUBRIAND.)

■ **324. Remplacez les points par** plus tôt **ou** plutôt. **Justifiez l'emploi de** plus tôt **en écrivant (plus tard) entre parenthèses.**

Si je pouvais, je rentrerais … . – … réfléchir que de se précipiter pour écrire la réponse. – Si tu étais parti un peu … tu n'aurais pas manqué le train. – … que de jeter ces vêtements, vous auriez dû les donner. – Je choisis … la fraise que la cerise. – On se passerait … d'or que de fer. – Je lis … les romans que les bandes dessinées. – Les soldats de la Révolution décidèrent de se défendre … que de se rendre. – Les fruits sont plus gros que les années passées, mais ils sont … moins sucrés. – Si vous voulez arriver … à Nice, empruntez … l'autoroute, il y aura moins de circulation.

■ **325. 1. Construisez cinq phrases renfermant à la fois** près **et** prêt.
2. Construisez cinq phrases renfermant à la fois plus tôt **et** plutôt.

MOTS À ÉTUDIER :
1. la circulation, la jetée, l'étang, la confiance, rassembler.
2. flâner, intervenir, précipiter, l'entraîneur, riposter.
3. le puits, un engagement, démarrer, emprunter.

peu – peut

La voiture **peu** rapide ne **peut** pas doubler.
La voiture **peu** rapide ne **pouvait** pas doubler.

RÈGLE

Il ne faut pas confondre **peut (p.e.u.t)**, du verbe **pouvoir**, avec **peu (p.e.u)** adverbe de quantité.
Si l'on peut mettre l'imparfait **pouvait,** il faut écrire **peut (p.e.u.t)**.

EXERCICES

■ **326. Conjuguez au présent et à l'imparfait de l'indicatif aux 3 personnes du singulier :**
pouvoir feuilleter ce livre   être peu fatigué
pouvoir flâner à sa guise   être un peu gourmand

■ **327. Remplacez les points par** *peu* **ou** *peut*. **Justifiez l'emploi de** *peut* **en écrivant** *pouvait* **entre parenthèses.**
... à ... les nuages se dissipent et l'on ... sortir. – Ce candidat ne ... pas trouver la réponse, car il a trop ... de temps pour réfléchir. – Le client ne ... pas tout acheter parce qu'il a ... d'argent. – Il a ... de temps et ne ... pas venir nous voir. – Si ... que vous fassiez pour cet homme, faites-le, cela ne ... que lui rendre service. – Il ... porter ce paquet ... volumineux. – Il est ... raisonnable de sortir, car le temps ... se gâter subitement.

■ **328. Même exercice que 327.**
... à ... le blessé reprend connaissance et ... expliquer sa chute. – Cette maladie est ... fréquente, on ... la combattre efficacement. – Faites ..., mais faites bien. – La fusée ... décoller, car le brouillard est ... épais. – Il se ... que les concurrents demandent un ... de repos. – ... à ... on connaîtra la vérité et on découvrira le coupable. – Ce commerçant ne ... livrer que ... de marchandises. – L'eau est ... profonde, on ... se baigner sans crainte.

■ **329. Même exercice que 327.**
Ce qu'on ... voir au soleil est toujours moins intéressant que ce qui se passe derrière une vitre. (Baudelaire.) – Les normaliens étaient ... à ... frappés de terreur. (M. Pagnol.) – Mon père ne savait pas tout, mais il savait un ... de tout et ce ... il le savait bien. (E. About.) – Il se ... que vous vous égariez. – ... -elle me répondre ? – Le soleil est déjà bas, sa lumière est un ... jaunie. (P. Loti.) – Je serai là sous ... .

■ **330. Construisez cinq phrases renfermant à la fois** *peut* **et** *peu*.

MOTS À ÉTUDIER :
1. l'argent, un service, un commerçant, connaître, gourmand.
2. feuilleter, se dissiper, la crainte, connaissance, raisonnable.
3. volumineux, subitement, fréquente, efficacement, un concurrent.

quant à – quand – qu'en

> **Quant à** moi, j'irai te voir **quand** il fera beau. **Qu'en** dis-tu ?
> (En ce qui concerne)   (lorsque)   (Que… en)

RÈGLE

Il ne faut pas confondre **quand (q.u.a.n.d)** avec **quant (q.u.a.n.t)** ni avec **qu'en (q.u'.e.n)**. Il faut écrire :
— **q.u.a.n.d**, si ce mot exprime le **temps**. On peut généralement le remplacer par **lorsque** ;
— **q.u'.e.n**, si l'on peut décomposer **qu'en** en **que en** ;
— **q.u.a.n.t**, si ce mot peut être remplacé par **en ce qui concerne**. Il est suivi de la préposition **à** ou de **au, aux**.

EXERCICES

■ **331. Complétez avec :** *quand, quant* **ou** *qu'en*. **Justifiez** *quand* **ou** *qu'en* **en écrivant** *lorsque* **ou** *que en* **entre parenthèses.**

… on a travaillé pendant toute une année, on est bien content de prendre quelques jours de vacances. – Vous ne paierez … sortant du magasin. – … à moi, ne m'attendez pas pour dîner. – Ils ne reviennent … été dans cette maison. – … tu viendras, préviens-moi. – L'hiver, les Esquimaux ne se déplacent … traîneaux. – Cette maison n'est habitée … partie. – … aux fleurs que je vous ai offertes, elles se garderont fraîches quelques jours, si vous changez l'eau chaque matin.

■ **332. Même exercice que 331.**

Ce n'est … courant que l'autruche peut échapper à ses ennemis. – … les chasseurs arriveront, ils trouveront le tigre au fond de la fosse. – Les alpinistes n'avançaient … prenant de grandes précautions. – … le fauve s'élance, le chasseur ne peut échapper à sa griffe … le tirant du premier coup. – … elle est adulte, l'hirondelle monte au zénith, et s'en donne à cœur joie, elle vole ou bien s'immobilise … elle le veut. (G. CHEREAU.)

■ **333. Même exercice que 331.**

… à cette «augmentation», il était désolé, elle était impossible. (J. GUÉHENNO.) – … elle se vit au lit, la Mondine connut bien que c'était la fin. (E. LE ROY.) – Nulle part on n'est mieux … wagon. – … à l'oncle Jules, il passait en ville trois jours par semaine. (M. PAGNOL.) – Nous étions en train de manger le dessert, … tout à coup il a fait noir. (J. VALLÈS.) – … au jardin lui-même, il n'en a guère que le nom. (LAMARTINE.)

■ **334. Construisez trois phrases avec** *quand*, *quant* **à et** *qu'en*.

MOTS À ÉTUDIER :

1. une année, la griffe, payer, le magasin, une autruche.
2. travailler, l'hirondelle, nulle part, des précautions, le traîneau.
3. échapper, le zénith, à cœur joie, s'immobiliser, une augmentation.

Révision

■ **335.** **Écrivez les verbes en italique au présent de l'indicatif.**
Le gardien et son chien *surveiller* l'entrée de la banque. – Les tuiles du toit *reposer* sur des linteaux. – Le champ où *se poser* les planeurs est défoncé. – Dès la tombée de la nuit *s'éclairer* les grandes avenues. – Tu lui *donner* de bons conseils. – Tu me *rendre* mon livre. – Tu *avoir* des mains de pianiste. – Tu *être* de bonne humeur. – Tu leur *raconter* une histoire.

■ **336.** **Écrivez les verbes en italique à l'imparfait de l'indicatif.**
Toi qui *avoir* tant de vitalité, tu es bien fatigué. – Moi qui *être* si patient, voilà que je m'emporte. – Une joie trop forte, un petit chagrin, tout la *contrarier.* – Les avions qui *raser* le sol *remonter* en chandelle. – Skier, sauter les bosses, voilà ce qui lui *plaire.* – Menaces ou injures, rien ne me *faire* peur. – Tapis et tableaux *décorer* la salle de séjour.

■ **337.** **Écrivez les verbes en italique au présent de l'indicatif.**
Les valises sont prêtes, je les *charger.* – Le mécanicien *démonter* les bougies et les *remplacer.* – Les maçons *préparer* le béton et le *verser* dans les coffrages. – Les bûcherons *abattre* le vieux chêne et l'*ébrancher.* – Le caissier *compter* les billets et les *ranger* par paquets de dix. – Les rayons du soleil *éclairer* la terre et la *réchauffer.*

■ **338.** **Remplacez les points par *leur* ou *leurs* et faites les accords, s'il y a lieu.**
Les fougères arborescentes étalaient … large parasol découpé comme de fines dentelles. (P. Loti.) – Cependant il tint parole et … amitié ne fut pas troublée par les quelques mots qui … échappaient de temps à autre et que … femme… escamotaient aussitôt par de grands cris de surprise. (M. Pagnol.) – L'eau coulait dans le cou, perçait … vêtement… , ruisselait sur … chair. (J. Richepin.)

■ **339.** **Écrivez correctement les participes passés des verbes en italique.**
1. Le jardin est *entourer* de murs *élever.* – *Épuiser* par un long voyage, les hirondelles se posent sur les câbles électriques. – Mes livres *préférer* sont *ranger* dans la bibliothèque. – Les courses sont *interdir* en été. – Quand les résultats auront été *proclamer*, on s'inscrira à l'université. – Les pistes avaient été *baliser* et *damer* par les moniteurs de ski.

2. Le carrelage *laver* brille. – Les serviettes *laver* ont été étendues sur la corde. – Les rues sont *laver* par la pluie. – Les pluies ont *laver* les rues. – On a *laver* le linge. – Les assiettes que Dominique a *laver* ont été rangées dans le buffet. – Les vitres ont été *laver,* la maison nettoyée à fond. – Ils se sont *laver* les mains. – Ils se sont *laver* à grande eau.

DEUXIÈME PARTIE

CONJUGAISON

Classification des verbes

D'après la terminaison de la 1ʳᵉ personne du singulier du présent de l'indicatif, on peut classer les verbes en deux grandes catégories.

1. La catégorie des **verbes en e** comprend :

– les verbes en **e.r** (1ᵉʳ groupe de conjugaison) :
couper, je coup.e ;

– quelques verbes comme **cueillir, offrir...** : **cueillir, je cueill.e** ;

2. La catégorie des **verbes en s** comprend :

– les verbes en **i.r** (2ᵉ groupe de conjugaison, dont le participe présent est en **issant**) : **finir, je fini.s, en finissant** ;

– les verbes du 3ᵉ groupe de conjugaison : **sortir, je sor.s, en sortant. – voir, je voi.s. – prendre, je prend.s.**

Remarques sur quelques infinitifs

Les verbes dont le participe présent est en **issant** (2ᵉ groupe) ont toujours l'infinitif en **i.r** : **en finissant ⟶ finir (i.r).**

Les verbes en **oir** s'écrivent **o.i.r**, sauf **boire, croire, accroire.**
Les verbes en **uir** s'écrivent **u.i.r.e**, sauf **fuir** et **s'enfuir.**
Les verbes en **air** s'écrivent **a.i.r.e** : **faire, plaire...**
Quelques verbes s'écrivent **i.r.e** : **lire, écrire, rire, suffire...**

EXERCICES

■ 340. Écrivez douze verbes en *uire*, douze verbes en *aire*, douze verbes en *oir*.

■ 341. Indiquez entre parenthèses l'infinitif des verbes suivants et le groupe de conjugaison auquel ils appartiennent.

je dors	je souris	je nourris	je pars	je vends	je polis
j'étudie	j'essuie	je remue	je joue	je lis	je perds

■ 342. Écrivez l'infinitif et le participe présent de quinze verbes du 2ᵉ groupe.

■ 343. Mettez la terminaison de l'infinitif des verbes suivants :

ri...	suffi...	construi...	fui...	vouloi...	mouri...
couri...	sorti...	détrui...	boi...	réussi...	parcouri...
éli...	épanoui...	apercevoi...	croi...	noirci...	recevoi...
choisi...	lui...	s'évanoui...	prévoi...	souri...	sali...

Maintenant, aujourd'hui – **Présent de l'indicatif**

▌ **Je pense à l'infinitif.**

Verbes en **er** ⟶ **e-es-e**   Autres verbes ⟶ **s-s-t** ou **d**

couper	étudier	bondir	attendre
je coup.**e**	j' étudi.**e**	je bond.**is**	j' attend.**s**
tu coup.**es**	tu étudi.**es**	tu bond.**is**	tu attend.**s**
il coup.**e**	il étudi.**e**	il bond.**it**	il atten.**d**
ns coup.**ons**	ns étudi.**ons**	ns bond.**issons**	ns attend.**ons**
vs coup.**ez**	vs étudi.**ez**	vs bond.**issez**	vs attend.**ez**
ils coup.**ent**	ils étudi.**ent**	ils bond.**issent**	ils attend.**ent**

RÈGLE FONDAMENTALE

Au **présent de l'indicatif**, les **verbes** se divisent en **deux grandes catégories :**

1. Les verbes en **e.r**, qui prennent **e, e.s, e** :
     j'étudi.**e**, tu étudi.**e.s**, il étudi.**e**.
2. Les autres verbes qui prennent **s, s, t** ou **d**.
     je bondi.**s**, tu bondi.**s**, il bondi.**t** – il atten.**d**.

NOTA : Quelques verbes ne suivent pas cette règle. Ex. : **je peux, il va…**
Pour bien écrire un verbe au **présent de l'indicatif** il faut penser à **l'infinitif**, puis à la personne :
     j'étudi**e** (*étudier*) **e** – tu bondi**s** (*bondir*) **s**.

trier	plier	clouer	suer	avertir	grossir
envier	publier	échouer	tuer	fléchir	guérir
épier	remercier	louer	créer	frémir	saisir

EXERCICES

■ **344. Conjuguez les verbes à la 1re personne du pluriel du présent de l'indicatif.**

1. scier une branche   balbutier quelques mots   oublier son livre
   fleurir sa demeure   bâtir un mur   établir un plan
2. remercier son voisin   plier des serviettes   trier le courrier
   noircir le tableau   emplir un panier   pétrir la pâte
3. distribuer des bonbons   saluer son ami   remuer les cendres
   maugréer contre la pluie   secouer l'amandier   jouer du piano

■ **345. Mettez les verbes aux trois personnes du singulier du présent de l'indicatif. La 3e personne sera représentée par un nom.**

convier des amis à dîner   négocier une affaire   franchir un obstacle
tuer le temps   pétrir l'argile   allouer un secours
démolir une cabane   crier à tue-tête   lier une amitié

■ **346. Mettez les verbes au présent de l'indicatif, justifiez la terminaison en écrivant l'infinitif entre parenthèses.**

j'appréci…	tu sci…	il grandi…	tu bondi…	je distribu…
je noirci…	tu bruni…	il mendi…	tu gravi…	je nou…
il adouci…	j'applaudi…	tu pari…	il châti…	tu cré…
il remerci…	j'étudi…	tu guéri…	il amorti…	tu contribu…

■ **347. Même exercice que 346.**

On appréci… la bonne cuisine. – Le castor bâti… sa hutte. – L'infirmière se dévou… à ses malades. – Le client choisi… son modèle. – La machine li… les piles de journaux. – Le voyageur s'expatri… – Le vent secou… les antennes. – Le commerçant expédi… des marchandises. – La foule afflu… dans les gares. – L'étoile pâli… au firmament. – Le navire s'échou… sur la grève. Le coupable expi… ses fautes. – La gelée durci… la terre. – Le tireur rectifi… le tir. – En hiver, la clarté diminu… – La pluie contrari… les coureurs.

■ **348. Même exercice que 346.**

Le chef d'orchestre salu… le public. – Tu étudi… un nouvel itinéraire. – Tu applaudi… le chanteur. – L'enfant remu… le sable mouillé. – Elle blêmi… de frayeur. – Je su… à grosses gouttes. – J'embelli… mon appartement. – Tu t'habitu… à ton nouveau travail. – Le jardinier enfoui… les mauvaises herbes. – Un homme mendi… dans la rue. – Le coureur bondi… sur la piste. – Je me réfugi… sous le porche de l'église pendant la pluie. – Je rougi… de plaisir. – L'homme prévoyant se souci… de l'avenir. – Tu supplé… un ami malade. – Tu tri… des timbres-poste. – Tu te meurtri… les mains.

■ **349. Mettez la terminaison convenable du présent de l'indicatif.**

Le randonneur se réfugi…, se blotti… dans une grotte. – L'orage stri… le ciel de ses éclairs, grossi… la rivière, anéanti… les récoltes. – Le facteur effectu… sa tournée habituelle. – Le fauve se tapi… dans les herbes et épi… sa proie. – Je fini… mon travail et je le vérifi… – Le soleil resplendi…, incendi… le ciel. – Tu assoupli…, tu fortifi… tes muscles. – Le malade balbuti… quelques mots, puis s'assoupi… – Le bûcheron équarri… le chêne et le sci… – Le vent gémi…, la girouette cri… au sommet du clocher. – Tu multipli… tes efforts et tu accompli… bien ta tâche.

MOTS À ÉTUDIER :
1. l'orchestre, la frayeur, un appartement, la girouette, la tâche.
2. maugréer, applaudir, expier, habituel, une tournée.
3. s'expatrier, balbutier, scier, une hutte, le firmament.

Présent de l'indicatif – **Verbes comme *cueillir***

cueillir		ouvrir		offrir	
je	cueill.**e**	j'	ouvr.**e**	j'	offr.**e**
tu	cueill.**es**	tu	ouvr.**es**	tu	offr.**es**
il	cueill.**e**	il	ouvr.**e**	il	offr.**e**
nous	cueill.**ons**	nous	ouvr.**ons**	nous	offr.**ons**
vous	cueill.**ez**	vous	ouvr.**ez**	vous	offr.**ez**
ils	cueill.**ent**	ils	ouvr.**ent**	ils	offr.**ent**

RÈGLE

Les verbes comme **cueillir, ouvrir, offrir** se conjuguent au présent de l'indicatif **comme les verbes en e.r** :
je cueill.**e**, tu cueill.**es**, il cueill.**e**.

cueillir	ouvrir	couvrir	offrir
accueillir	rouvrir	découvrir	souffrir
recueillir	entrouvrir	recouvrir	tressaillir

EXERCICES

■ **350.** **Conjuguez les verbes à la 2ᵉ personne du pluriel du présent de l'indicatif.**
accueillir des amis — entrouvrir la porte — souffrir de la tête
recueillir un chien — recouvrir un toit — tressaillir de joie

■ **351.** **Mettez les verbes au trois personnes du singulier du présent de l'indicatif. La 3ᵉ personne sera représentée par un nom.**
recueillir des réfugiés — découvrir l'énigme — tressaillir de peur
frapper à la porte — penser à ses rendez-vous — garder la maison
couvrir un blessé — offrir des tulipes — assaillir l'artiste

■ **352.** **Mettez les verbes en italique au présent de l'indicatif.**
Je *tressaillir* au moindre bruit. – Je *se hâter* vers la maison. – J'*accueillir* gentiment mes amis. – Tu *hésiter* à sortir. – Tu *découvrir* de vieilles choses dans le grenier. – Tu *écouter* le chant du vent. – Tu *cueillir* des framboises et tu les *manger*. – Le feu *flamber* et *pétiller*. – Le nouveau-né *entrouvrir* les yeux. – Les papillons *voltiger*. – Les rebelles *assaillir* et *piller* le village.

■ **353.** **Même exercice que 352.**
Les explorateurs *édifier* une cabane. – Tu *souffrir* de la chaleur. – Tu *rentrer* les voitures. – Du sommet de la colline, on *découvrir* un splendide panorama. – Le vendeur *certifier* la qualité de cet appareil. – Le nuage *assombrir* le ciel. Je *finir* mon travail. – Tu *nier* l'évidence. – Tu *assaillir* ta grand-mère de tes questions. – La source *jaillir* au pied du rocher. – Je *ouvrir* un bocal.

MOTS À ÉTUDIER :
1. **accueillir, entrouvrir, souffrir, un appareil, une évidence.**
2. **jaillir, le pied, le sommet, moindre, assaillir.**
3. **recueillir, tressaillir, se hâter, gentiment, le panorama.**

Présent de l'indicatif – **Quelques verbes du 3ᵉ groupe**

courir	**rompre**	**construire**	**lire**
je cour**s**	je romp**s**	je construi**s**	je li**s**
tu cour**s**	tu romp**s**	tu construi**s**	tu li**s**
il cour**t**	il romp**t**	il construi**t**	il li**t**
ns cour**ons**	ns romp**ons**	ns construi**sons**	ns li**sons**
vs cour**ez**	vs romp**ez**	vs construi**sez**	vs li**sez**
ils cour**ent**	ils romp**ent**	ils construi**sent**	ils li**sent**

accourir	cuire	conduire	produire	lire	conclure
parcourir	déduire	introduire	réduire	relire	exclure
secourir	détruire	luire	séduire	élire	rire
interrompre	enduire	nuire	traduire	réélire	sourire

EXERCICES

■ **354. Conjuguez les verbes à la 3ᵉ personne du singulier et du pluriel du présent de l'indicatif.**
1. interrompre son travail   rire aux éclats   relire un livre
2. suer à grosses gouttes   produire un spectacle   lier une sauce

■ **355. Écrivez aux trois personnes du pluriel du présent de l'indicatif :**
détruire   maigrir   produire   faiblir   lire   obéir

■ **356. Mettez les verbes au présent de l'indicatif. Indiquez leur infinitif.**
J'entour… tu parcour… je grossi… tu nui… je bourr… il restitu… je cour… il conclu… je congédi… tu choisi… tu exclu… il concour… tu savour… il remu… tu ni… je secour… tu continu… il entour…

■ **357. RÉVISION. Mettez la terminaison convenable du présent de l'indicatif.**
L'entreprise construi… un pont. – L'artisan conclu… une affaire. – Le feuillage remu… imperceptiblement. – Tu ri… de bon cœur. – Le piéton injuri… l'automobiliste. – La rumeur cour… . – L'arbitre exclu… le joueur brutal. – Le ridicule ne tu… pas. – Je li… une lettre. – Je li… conversation avec mon voisin. – Je condui… prudemment la voiture. – Nous empli… nos poches de pièces de monnaie.

■ **358. Même exercice que 356.**
Le soleil détrui… certains germes. – Je romp… le silence. – Cette machine produi… des centaines de pièces en une heure. – Je rédui… mes dépenses. – Je vous confi… ce coffret. – La chaleur corromp… les aliments. – Tu nui… à tes camarades par ton inexactitude. – Le passant secour… l'aveugle. – Tu accour… à mon appel. – L'orateur interromp… son discours.

MOTS À ÉTUDIER :
1. interrompre, un éclat, l'entreprise, imperceptiblement, le cœur.
2. le discours, la rumeur, un artisan, l'inexactitude, accourir.
3. l'orateur, luire, traduire, exclure, corrompre.

Présent de l'indicatif – **Verbes en -*dre***

répondre

je répon**ds**	nous répon**dons**	
tu répon**ds**	vous répon**dez**	
il répon**d**	ils répon**dent**	

perdre

je per**ds**	nous per**dons**	
tu per**ds**	vous per**dez**	
il per**d**	ils per**dent**	

RÈGLE

Les verbes en **dre** conservent généralement **d** au présent de l'indicatif : je réponds **(d.s)**, tu réponds **(d.s)**, il répond **(d)**. Les verbes en **endre** s'écrivent **e.n.d.r.e**, sauf **épandre** et **répandre** qui s'écrivent avec un **a**.

fondre	tondre	détordre	défendre	descendre	vendre
confondre	correspondre	mordre	prendre	étendre	**épandre**
pondre	reperdre	démordre	suspendre	entendre	**répandre**

EXERCICES

■ **359. Conjuguez les verbes à la 1ʳᵉ personne du singulier du présent de l'indicatif.**

1. rendre la monnaie — tondre sa pelouse — descendre l'escalier
perdre des points — tordre un clou — répandre la nouvelle

2. rompre les relations — fendre les vagues — correspondre avec Jean
étendre les bras — épandre de l'engrais — mordre à belles dents

■ **360. Conjuguez les verbes aux trois personnes du singulier du présent de l'indicatif. La 3ᵉ personne sera représentée par un nom.**
interrompre la compétition — détordre un fil de fer — dénouer sa ceinture

■ **361. Mettez la terminaison convenable du présent de l'indicatif.**
L'avocat défen… l'accusé. – Le soleil répan… sa lumière sur la campagne. – Le gendarme surpren… le malfaiteur. – Après son accident, il réappren… à marcher. – Le vent tor… les branches. – L'eau s'évapor… . – Le trapéziste se suspen… dans le vide. – Le beurre fon… . – Le chien mor… le facteur. – La pluie glacée morfon… le voyageur. – La cane pon… de gros œufs. – La barque s'échou… . – La caissière ren… la monnaie.

■ **362. Même exercice que 361.**
J'enten… un bruit suspect. – Tu écout…, tu réfléchi…, tu compren…, tu appren… . – Le voyageur explor… une région inconnue. – Tu mor… avec plaisir dans le fruit mûr. – Le camelot ven… des cravates. – J'interromp… la communication téléphonique. – Tu répon… avec assurance. – Il secou… la nappe. – Tu mou… du café.

MOTS À ÉTUDIER :
1. la monnaie, répandre, la ceinture, la compétition, l'avocat.
2. le malfaiteur, le voyageur, la cane, la caissière, l'assurance.
3. épandre, interrompre, le trapéziste, correspondre, étendre.

Présent de l'indicatif – **Verbes en -*yer***

appuyer		**employer**	
j' appu**ie**	nous appu**yons**	j' emplo**ie**	nous emplo**yons**
tu appu**ies**	vous appu**yez**	tu emplo**ies**	vous emplo**yez**
il appu**ie**	ils appu**ient**	il emplo**ie**	ils emplo**ient**

RÈGLE

Les verbes en **yer** changent l'**y** en **i** devant un **e muet** : j'appuie **(i.e)**, tu appuies **(i.e.s)**, il appuie **(i.e)**, nous appuyons **(y.o.n.s)**, vous appuyez **(y.e.z)**, ils appuient **(i.e.n.t)**.

Les verbes en **ayer** peuvent conserver ou prendre l'**y** devant un **e muet** : **je balaye – je balaie, tu balayes – tu balaies...**

Pour simplifier l'orthographe, il est préférable d'appliquer la règle à tous les verbes en **yer**.

ennuyer	tournoyer	festoyer	ployer	bégayer	étayer
essuyer	broyer	larmoyer	renvoyer	effrayer	payer
aboyer	déployer	nettoyer	rudoyer	égayer	rayer
apitoyer	envoyer	noyer	tutoyer	essayer	balayer

EXERCICES

■ **363. Conjuguez les verbes à la 3ᵉ personne du singulier et du pluriel du présent de l'indicatif.**

essuyer la vaisselle	ennuyer ses camarades	nettoyer ses habits
choyer ses invités	tutoyer son voisin	broyer du sucre
payer une note	balayer la cuisine	essayer un pull

■ **364. Mettez les verbes aux 1ʳᵉ et 2ᵉ personnes du singulier et à la 1ʳᵉ personne du pluriel du présent de l'indicatif.**

appuyer	convoyer	employer	larmoyer	envoyer	rayer
apitoyer	déployer	festoyer	octroyer	effrayer	essuyer

■ **365. Mettez les verbes en italique au présent de l'indicatif.**

Le soleil *rougeoyer*. – Les acteurs *ennuyer* le public. – Tu *appuyer* sur le déclic. – Nous *envoyer* une lettre à nos amis. – Les brouillards *noyer* les prés de leur nappe laiteuse. – Tu *effrayer* l'enfant par tes grimaces. – Les fleurs *égayer* le jardin. – Je *délayer* de la farine dans le lait. – Vous vous *frayer* un chemin dans les buissons. – Nous *essuyer* la table. – Le cow-boy brutal *rudoyer* son cheval. – Les gardiens *convoyer* le fourgon blindé. – Vous *nettoyer* votre bicyclette. – Vous *côtoyer* des étrangers. – Nous *essayer* des chaussures. – Les vautours *tournoyer* dans le ciel.

Verbes en *-uyer, -oyer, -ayer* ou en *-uire, -oir, -aire* ?

▌ Je pense à l'infinitif.

■ **366. Mettez les verbes aux trois personnes du singulier du présent de l'indicatif.**

construire — reproduire — revoir — croire — bégayer — soustraire
ennuyer — essuyer — renvoyer — ployer — faire — essayer

■ **367. Mettez les verbes aux trois personnes du singulier du présent de l'indicatif. La 3ᵉ personne sera représentée par un nom.**

conduire une moto — boire de la tisane — étayer un mur
appuyer sur la pédale — détruire les chenilles — distraire le public
entrevoir la vérité — larmoyer sans raison — frayer un chemin
envoyer un mandat — extraire une dent — soustraire une somme

■ **368. Mettez les verbes au présent de l'indicatif ; justifiez la terminaison en écrivant l'infinitif entre parenthèses.**

Le soleil flamboi... et boi... la rosée du matin. – L'avocat parle, l'accusé se tai... . – Le maçon étai... la vieille bâtisse. – Au printemps, la campagne verdoi... . – Mon père doi... rentrer à sept heures. – Les spectateurs voi... défiler les troupes. – Les commerçants envoi... des échantillons. – Il fait chaud ; je sui... le sentier, j'essui... la sueur de mon front et je poursui... mon chemin. – Les équipiers se tutoi... toujours. – La pollution détrui... la nature. – Les ouvriers nettoi... les outils. – Il reçoi... une lettre de son père.

■ **369. Même exercice que 368.**

Je suis attentif, j'essai... de comprendre comment ça fonctionne. – Sa chevelure ondoi... sous la caresse du vent. – Je broi... du gros sel. – Je pourvoi... aux besoins de ma famille. – Tu ennui... tes camarades et tu leur nui... . – Tu voi... une voile se profiler à l'horizon. – Tu envoi... des cartes postales à tes amis. – Les chiens aboi... toute la nuit. – Mon frère boi... une boisson fraîche. – Tu fai... ton travail avec application. – Tu effrai... tout le monde avec ce masque !

■ **370. Même exercice que 368.**

La soupe cui... sur le gaz. – La carabine s'enray... au premier coup de feu. – Tu aperçoi... une silhouette furtive. – Tu ploi... sous la charge. – Je me plai... à la ville. – Tu pai... une facture. – Je balai... la terrasse. – Au feu vert, le conducteur embray... rapidement. – Le clown distrai... les enfants. – La rivière chatoi... sous le soleil. – Je croi... ce que vous dites. – Je déblai... le grenier. – Je bégai... des excuses. – Je satisfai... mon appétit.

MOTS À ÉTUDIER :
1. la vaisselle, balayer, le déclic, le brouillard, sept.
2. côtoyer, un accusé, la bâtisse, bégayer, le cow-boy.
3. la chevelure, l'horizon, l'application, la silhouette, un échantillon.

Présent de l'indicatif – **Verbes en *-indre* et en *-soudre***

atteindre	craindre	joindre	résoudre
j' attein**s**	je crain**s**	je join**s**	je résou**s**
tu attein**s**	tu crain**s**	tu join**s**	tu résou**s**
il attein**t**	il crain**t**	il join**t**	il résou**t**
ns attei**gnons**	ns crai**gnons**	ns joi**gnons**	ns rés**olvons**
vs attei**gnez**	vs crai**gnez**	vs joi**gnez**	vs rés**olvez**
ils attei**gnent**	ils crai**gnent**	ils joi**gnent**	ils rés**olvent**

RÈGLE

Les verbes en **indre, oindre** et **soudre** perdent le **d** au présent de l'indicatif et prennent **s, s, t** :

> j'attein**s** (**n.s**), tu attein**s** (**n.s**), il attein**t** (**n.t**).

Remarques

1. Les personnes du pluriel du présent de l'indicatif des verbes en **indre** et en **oindre** sont en **gn** : nous attei**gnons** (**g.n.o.n.s**), vous attei**gnez** (**g.n.e.z**), ils attei**gnent** (**g.n.e.n.t**).

2. Les verbes en **indre** s'écrivent **e.i.n.d.r.e** sauf **plaindre, craindre** et **contraindre** qui s'écrivent avec un **a**.

3. Il ne faut pas confondre les verbes en **soudre** avec les verbes en **oudre** qui suivent la règle des verbes en **dre** : **je résous, je couds**.

teindre	empreindre	enfreindre	plaindre	disjoindre	résoudre
peindre	geindre	ceindre	craindre	enjoindre	absoudre
étreindre	feindre	éteindre	contraindre	rejoindre	dissoudre

EXERCICES

■ **371. Conjuguez les verbes à la 1ʳᵉ personne du pluriel du présent de l'indicatif.**

peindre la grille	rejoindre ses parents	craindre le froid
plaindre l'orphelin	atteindre le but	résoudre un problème

■ **372. Mettez les verbes en italique au présent de l'indicatif.**

Tu *craindre* de t'enrhumer. – J'*éteindre* la lampe. – L'ouvrier *peindre* les portes de la maison. – Vous vous *plaindre* de la mauvaise saison. – Je *résoudre* une difficulté. – Tu *étreindre* ton vieil ami. – Le malade *geindre* faiblement. – Le sel *se dissoudre* dans l'eau. – La bourrasque *disjoindre* le volet. – Les alpinistes *atteindre* le sommet de la montagne. – Nous *teindre* des étoffes. – Tu *se restreindre*. – Ils *rejoindre* leurs amis. – Vous *feindre* la surprise. – Nous *joindre* les mains.

Verbes en -*dre* ou en -*indre* ? | Je pense à l'infinitif.

■ **373.** **Conjuguez les verbes à la 2ᵉ personne du singulier du présent de l'indicatif.**

éteindre la lampe   fendre la foule   coudre un bouton
étendre le bras   feindre un malaise   résoudre une énigme

■ **374.** **Mettez les verbes à la 1ʳᵉ personne du pluriel du présent de l'indicatif.**

| teindre | tendre | descendre | disjoindre | éteindre | peindre |
| atteindre | ceindre | coudre | dissoudre | détendre | prendre |

■ **375.** **Mettez les verbes au présent de l'indicatif.**

Je tein…   Tu cein…   Il atten…   Il voi…   Tu cou…   Il étudi…
Je ten…   Tu descen…   Il attein…   Il envoi…   Tu résou…   Il bondi…

■ **376.** **Mettez les verbes en italique au présent de l'indicatif.**

La flèche *atteindre* la cible. – Le voyageur *attendre* le train. – La poule *pondre*. – Le soleil *poindre* à l'horizon, embrase le ciel, *descendre*, puis *s'éteindre*. – On *étendre* le linge sur la corde. – Le hors-bord *fendre* les vagues. – L'acteur *feindre* de s'évanouir. – Le maire *ceindre* son écharpe. – L'avion *planer* et *descendre*. – Le militaire *rejoindre* son régiment. – Le conférencier *répondre* aux questions. – L'ampoule *pendre* au bout du fil. – Mon père *peindre* la grille du jardin.

■ **377.** **Même exercice que 376.**

La tempête *contraindre* l'avion à atterrir. – Tu *entendre* la voiture des pompiers. – Tu *éteindre* la lampe. – Ali Baba *surprendre* le secret de la caverne des voleurs. – Je *s'étendre* sur le sable. – Je *teindre* une étoffe. – Le cantonnier *épandre* du sable sur le verglas. – Je *craindre* l'orage. – Je *résoudre* un problème. – Je *coudre* mon chemisier. – Tu *enfreindre* le règlement. – Le baigneur *étreindre* le maître nageur. – Tu *apprendre* ton rôle. – Tu *rejoindre* un appartement.

■ **378.** **Même exercice que 376.**

Nous *tendre* la main à nos amis. – Nous *teindre* la robe. – Vous *atteindre* le but. – Vous *tendre* les bras. – Vous *peigner* les clientes. – Vous *peindre* le buffet de la cuisine. – Vous *suspendre* le vêtement. – Le motard *craindre* la pluie. – Le soleil *éteindre* les étoiles. – Je *plaindre* les malheureux. – Je *ceindre* mon front d'un ruban. – Tu *comprendre* l'explication.

■ **379.** **Après chaque verbe, écrivez un nom de la même famille.**

vendre	attendre	défendre	peindre	ceindre
fendre	descendre	apprendre	teindre	empreindre
tendre	suspendre	pendre	craindre	plaindre

MOTS À ÉTUDIER :
1. **s'enrhumer, la difficulté, faiblement, la bourrasque, le sommet.**
2. **une énigme, le hors-bord, s'évanouir, le verglas, le règlement.**
3. **plaindre, contraindre, craindre, ceindre, une explication.**

Présent de l'indicatif – **Verbes en -*tre***

mettre	**battre**	**paraître**	**croître**
je me**ts**	je ba**ts**	je parai**s**	je croî**s**
tu me**ts**	tu ba**ts**	tu parai**s**	tu croî**s**
il me**t**	il ba**t**	il paraî**t**	il croî**t**
ns me**ttons**	ns ba**ttons**	ns parai**ssons**	ns croi**ssons**
vs me**ttez**	vs ba**ttez**	vs parai**ssez**	vs croi**ssez**
ils me**ttent**	ils ba**ttent**	ils parai**ssent**	ils croi**ssent**

RÈGLE

Les verbes en **tre** comme **mettre, battre, paraître, croître,** perdent **un t de leur infinitif** aux personnes du singulier **du présent de l'indicatif**. Ainsi **je mets** (n'a plus qu'un t), **je parais** (n'en a plus).

Remarques

Les verbes comme **paraître** et **croître** conservent l'accent circonflexe quand l'**i** du radical est suivi d'un **t** : **il paraît, il croît**.
Le verbe **croître** conserve l'accent circonflexe quand il peut être confondu avec le verbe **croire** : **je croîs** (croître) ; **je crois** (croire).
Les verbes de la famille de **mettre** s'écrivent **e.tt.r.e**.

| admettre | transmettre | abattre | naître | reparaître | accroître |
| soumettre | omettre | combattre | connaître | apparaître | décroître |

EXERCICES

■ **380.** **Conjuguez les verbes à la 2e personne du singulier et du pluriel du présent de l'indicatif.**
promettre une récompense, abattre un mur, accroître ses ressources, compromettre son avenir, connaître la vérité, reconnaître le parcours.

■ **381.** **Mettez les verbes aux trois personnes du singulier du présent de l'indicatif. La 3e personne sera représentée par un nom.**
comparaître   rabattre   naître   s'abattre   reparaître   se débattre
croître   combattre   s'ébattre   renaître   disparaître   paître

■ **382.** **Mettez les verbes en italique au présent de l'indicatif.**
La police *promettre* une récompense. – Le jour *croître*. – Je *reconnaître* cette personne. – Tu *admettre* mon raisonnement. – Le cristal *émettre* un son pur. – Au printemps, la nature *renaître*. – Je *battre* la semelle. – Je *compromettre* mon avenir. – Le troupeau *paître*. – Tu *commettre* un erreur. – Il *croire* ce que je lui dis. – Je *rabattre* le col de mon manteau. – Tu *transmettre* un ordre. – Tu *paraître* en bonne santé. – L'arbre *croître* rapidement.

MOTS À ÉTUDIER :

1. la récompense, les ressources, le parcours, le raisonnement, le printemps.
2. la santé, rapidement, promettre, naître, croître.
3. transmettre, admettre, comparaître, la vérité, paître.

Présent de l'indicatif – **Verbes en -*tir* comme *mentir***

mentir		**repartir**	
je men**s**	nous men**tons**	je repar**s**	nous repar**tons**
tu men**s**	vous men**tez**	tu repar**s**	vous repar**tez**
il men**t**	ils men**tent**	il repar**t**	ils repar**tent**

RÈGLE

Les verbes en **tir** du 3ᵉ groupe, comme **mentir**, **sortir**, **sentir**, **partir**, **se repentir**, perdent le **t** de leur infinitif aux personnes du singulier du présent de l'indicatif et prennent **s, s, t** :

　　je mens **(n.s)**, tu mens **(n.s)**, il ment **(n.t)**.

mentir	sortir	sentir	consentir	partir	départir
démentir	ressortir	ressentir	pressentir	repartir	se repentir

Il ne faut pas les confondre avec les verbes du 2ᵉ groupe :

mentir : je mens (3ᵉ groupe)　　ralentir : je ralentis (2ᵉ groupe)

Verbes apparentés perdant la consonne qui précède la terminaison de l'infinitif :

dormir	servir	vivre	suivre
endormir	desservir	revivre	poursuivre
rendormir	resservir	survivre	s'ensuivre

EXERCICES

■ **383. Conjuguez les verbes à la 3ᵉ personne du singulier et du pluriel du présent de l'indicatif.**

sortir par un beau soleil	consentir un rabais	démentir une nouvelle
ralentir le pas	partir en vacances	avertir un camarade

■ **384. Mettez les verbes en italique au présent de l'indicatif.**

L'alcool *abêtir* l'homme. – Je *se blottir* derrière un buisson. – Je *partir* pour la ville. – Tu *sentir* les odeurs qui montent de la cuisine. – Je *bâtir* une hutte. – Tu *sortir* de bonne heure. – Tu *consentir* à répondre. – Je *se repentir* de ma faiblesse. – La vague *engloutir* la barque. – La grêle *anéantir* les plantes. – Je *vivre* dans une ville du bord de mer. – Je *poursuivre* mon chemin.

■ **385. Mettez les verbes au présent de l'indicatif ; justifiez la terminaison en écrivant l'infinitif entre parenthèses.**

Tu par… le coup. – Marie-Hélène par… pour les U.S.A. – Tu par… au travail. – Au printemps, la terre se par… de fleurs. – Tu ser… la main de ton ami. – Tu ser… un rafraîchissement. – Mon voisin se ser… d'une perceuse pour installer des appliques. – Le mécanicien ser… les boulons du moteur.

MOTS À ÉTUDIER :
1. **la perceuse, se blottir, le rabais, poursuivre.**
2. **le buisson, la faiblesse, engloutir, anéantir.**
3. **des appliques, ralentir, desservir, pressentir, survivre.**

Présent de l'indicatif – **vouloir, pouvoir, valoir**

vouloir	**pouvoir**	**valoir**
je veu**x**	je peu**x**	je vau**x**
tu veu**x**	tu peu**x**	tu vau**x**
il veu**t**	il peu**t**	il vau**t**
nous voul**ons**	nous pouv**ons**	nous val**ons**
vous voul**ez**	vous pouv**ez**	vous val**ez**
ils veul**ent**	ils peuv**ent**	ils val**ent**

RÈGLE

Les verbes **vouloir, pouvoir, valoir** prennent **x, x, t** aux personnes du singulier du présent de l'indicatif : je veu.**x** – tu veu.**x** – il veu.**t**.

Remarque

Il ne faut pas confondre **peut (p.e.u.t)**, du verbe **pouvoir** avec **peu (p.e.u)**, adverbe de quantité.

Si l'on peut mettre l'imparfait **pouvait**, il faut écrire **p.e.u.t** :

> On ne **peut** pas réussir si l'on ne travaille pas un peu.
> On ne **pouvait** pas réussir si l'on ne travaillait pas un peu.

EXERCICES

■ **386. Conjuguez les verbes à la 1ʳᵉ personne du singulier et du pluriel du présent de l'indicatif.**

vouloir se rendre utile   pouvoir beaucoup   valoir mieux
se sentir du courage   poursuivre sa route   servir le repas

■ **387. Remplacez les points par *peu* ou *peut*. Justifiez l'emploi de *peut* en écrivant *pouvait* entre parenthèses.**

Le coureur … fatigué … reprendre sa route. – Il ne … manger cette viande … cuite. – Ce détour … important ne … pas nous retarder. – Que … l'aviateur … expérimenté contre la tempête ? Il ne … qu'atterrir. – Il sait de tout un …, mais si … qu'il ne … faire grand-chose. – Avant de conduire, l'automobiliste ne … boire que très … de vin. – Il veut, donc il … – Il s'en est fallu de … que le voyage ne soit annulé. – Il a si … de loisirs qu'il ne … plus lire. – …-on me laisser couler un bain ? Cela … me faire un … de bien.

■ **388. Mettez la terminaison convenable du présent de l'indicatif.**

J'étein…	Je produi…	Il envoi…	Je peu…	Il flamboi…	Tu t'appui…
J'éten…	J'essui…	Tu jou…	Je veu…	Il pen…	Tu t'instrui…
Il oubli…	Il nettoi…	Tu cou…	Je vau…	Il pein…	Tu veu…
Il faibli…	Il voi…	Tu résou…	Il boi…	Tu peu…	Tu vau…

MOTS À ÉTUDIER :
1. le coureur, le détour, tu veux, tu peux, tu vaux.
2. rendre, valoir, important, expérimenté, atterrir.
3. grand-chose, annulé, les loisirs, ils veulent, ils peuvent.

Verbes comme *espérer* et *achever*

espérer				achever			
j'	espère	nous	espérons	j'	achève	nous	achevons
tu	espères	vous	espérez	tu	achèves	vous	achevez
il	espère	ils	espèrent	il	achève	ils	achèvent

RÈGLES

1. Les verbes comme **espérer** changent l'**accent aigu** de l'avant-dernière syllabe en **accent grave** devant une terminaison **muette** :

   tu esp**è**res ⟶ vous esp**é**rez.

2. Les verbes comme **achever** prennent un **accent grave** à l'avant-dernière syllabe devant une terminaison **muette** :

   tu ach**è**ves ⟶ vous ach**e**vez.

verbes comme *espérer*				verbes comme *achever*	
aérer	ébrécher	pénétrer	sécher	crever	lever
céder	empiéter	persévérer	succéder	dépecer	mener
célébrer	espérer	posséder	suggérer	égrener	peser
compléter	exagérer	protéger	tempérer	emmener	promener
digérer	inquiéter	rapiécer	vénérer	grever	semer

EXERCICES

■ 389. **Conjuguez les verbes à la 2e personne du singulier et du pluriel du présent de l'indicatif.**

   1. aérer l'appartement   vénérer ses ancêtres   régler sa facture
      ébrécher un couteau   succéder à son père   rapiécer un vêtement
   2. égrener du maïs   semer du blé   enlever une tache

■ 390. **Mettez les verbes à la 2e personne du singulier et du pluriel du présent de l'indicatif.**

abréger	céder	inquiéter	protéger	malmener	énumérer
adhérer	semer	peser	régner	refléter	pénétrer

■ 391. **Mettez les verbes en italique au présent de l'indicatif.**

   Le cycliste *accélérer*. – Nous *posséder* une maison. – Le 14 juillet, on *célébrer* l'anniversaire de la prise de la Bastille. – Tu se *promener* au bord de l'eau. – Le linge *sécher* sur le balcon. – Les feuilles mortes *parsemer* le gazon. – Nous *soulever* une pierre. – Je *compléter* mon équipement. – Vous *persévérer* dans l'effort. – L'acheteur *soupeser* un melon. – Le marin *rapiécer* la voile. – Quelques rayons de soleil *tempérer* l'atmosphère. – Il est onze heures et Julie n'est pas rentrée : ses parents s'*inquiéter*.

MOTS À ÉTUDIER :

1. l'anniversaire, le gazon, le rayon, l'appartement, l'effort.
2. l'atmosphère, onze, refléter, énumérer, exagérer.
3. aérer, le cycliste, le maïs, le vêtement, emmener.

Présent de l'indicatif des verbes *être* et *avoir*
et de verbes irréguliers importants

être	avoir	faire	dire
je suis	j' ai	je fais	je dis
tu es	tu as	tu fais	tu dis
il est	il a	il fait	il dit
nous sommes	nous avons	nous faisons	nous disons
vous êtes	vous avez	vous faites	vous dites
ils sont	ils ont	ils font	ils disent

aller	asseoir		boire
je vais	j' assois	j' assieds	je bois
tu vas	tu assois	tu assieds	tu bois
il va	il assoit	il assied	il boit
nous allons	nous assoyons	nous asseyons	nous buvons
vous allez	vous assoyez	vous asseyez	vous buvez
ils vont	ils assoient	ils asseyent	ils boivent

croire	voir	fuir	devoir
je crois	je vois	je fuis	je dois
tu crois	tu vois	tu fuis	tu dois
il croit	il voit	il fuit	il doit
nous **croyons**	nous **voyons**	nous **fuyons**	nous devons
vous **croyez**	vous **voyez**	vous **fuyez**	vous devez
ils croient	ils voient	ils fuient	ils doivent

bouillir	coudre	moudre	mourir
je bous	je couds	je mouds	je meurs
tu bous	tu couds	tu mouds	tu meurs
il bout	il coud	il moud	il meurt
nous bouillons	nous cousons	nous moulons	nous mourons
vous bouillez	vous cousez	vous moulez	vous mourez
ils bouillent	ils cousent	ils moulent	ils meurent

mouvoir	haïr	plaire	vaincre
je meus	je hais	je plais	je vaincs
tu meus	tu hais	tu plais	tu vaincs
il meut	il hait	il plaît	il vainc
nous mouvons	nous haïssons	nous plaisons	nous vainquons
vous mouvez	vous haïssez	vous plaisez	vous vainquez
ils meuvent	ils haïssent	ils plaisent	ils vainquent

prendre	venir	acquérir	écrire
je prends	je viens	j' acquiers	j' écris
tu prends	tu viens	tu acquiers	tu écris
il prend	il vient	il acquiert	il écrit
nous prenons	nous venons	nous acquérons	nous écrivons
vous prenez	vous venez	vous acquérez	vous écrivez
ils prennent	ils viennent	ils acquièrent	ils écrivent

■ **392. Conjuguez les verbes à la 3ᵉ personne du singulier et du pluriel du présent de l'indicatif.**

1. défaire un nœud ; mourir de frayeur ; acquérir une maison ; distraire ses amis ; moudre du café ; s'asseoir à l'ombre (2 formes).

2. prendre un bain ; tenir parole ; recoudre un bouton ; haïr un adversaire ; aller au théâtre ; contrefaire une signature.

■ **393. Trouvez des verbes de la famille de _venir_ et écrivez-les aux 2ᵉ et 3ᵉ personnes du singulier, puis aux 1ʳᵉ et 3ᵉ personnes du pluriel du présent de l'indicatif.**

■ **394. Écrivez des verbes de la famille de _tenir_ aux 1ʳᵉ et 3ᵉ personnes du singulier, puis aux 2ᵉ et 3ᵉ personnes du pluriel du présent de l'indicatif.**

■ **395. Écrivez des verbes de la famille de _prendre_ à la 1ʳᵉ personne du singulier, puis aux trois personnes du pluriel du présent de l'indicatif.**

■ **396. Mettez les verbes en italique au présent de l'indicatif.**

Vous _faire_ une expérience enrichissante. – Vous _dire_ toujours la vérité. – Vous _être_ de bonne humeur. – L'acteur _aller_ dans sa loge. – Tu _être_ énervé. – Je _s'asseoir_ sur le tapis. – Nous _moudre_ du café. – Le cascadeur _vaincre_ sa peur. – Le paysage _plaire_ au voyageur. – Vous _devoir_ aller en courses. – Cette grande société _acquérir_ un immeuble pour y installer ses bureaux. – Les populations _s'enfuir_ vers les abris souterrains. – Les passagers _voir_ les côtes s'approcher. – L'énorme machine _se mouvoir_ facilement. – Je _haïr_ la guerre. – Tu _avoir_ une bonne santé.

■ **397. Révision. Mettez la terminaison convenable du présent de l'indicatif.**

Je copi… le texte. – Je me tapi… dans l'herbe. – Le chien mendi… un morceau de sucre. – Le tigre bondi… sur sa proie. – Tu pli… le linge. – Le pompiste rempli… le réservoir de la voiture. – Tu oubli… ton rendez-vous. – Tu te rétabli… lentement. – Je remerci… mes parents. – Je noirci… mes souliers. – Je prend… de ses nouvelles. – Je repein… des chaises de jardin. – Je revoi… mes amis. – J'envoi… une caisse de livres à mon frère. – Je met… le couvert. – Tu essui… le meuble. – Tu condui… vite. – L'eau bou… à cent degrés. – Je cou… un bouton. – Le chirurgien résou… un problème délicat.

MOTS À ÉTUDIER :
1. la frayeur, acquérir, s'asseoir, haïr, le théâtre.
2. l'expérience, enrichissante, l'humeur, le tapis, le paysage.
3. acquérir, le voyageur, facilement, le chirurgien, délicat.

Hier – **Imparfait de l'indicatif**

couper	**finir**	**tendre**
je coup**ais**	je finis**sais**	je tend**ais**
tu coup**ais**	tu finis**sais**	tu tend**ais**
il coup**ait**	il finis**sait**	il tend**ait**
nous coup**ions**	nous finis**sions**	nous tend**ions**
vous coup**iez**	vous finis**siez**	vous tend**iez**
ils coup**aient**	ils finis**saient**	ils tend**aient**

RÈGLE

À **l'imparfait**, tous les verbes prennent les mêmes terminaisons :
a.i.s – a.i.s – a.i.t – i.o.n.s – i.e.z – a.i.e.n.t.

quelques verbes du 1ᵉʳ groupe	*quelques verbes du 2ᵉ groupe*	*quelques verbes du 3ᵉ groupe*
examiner jouer	vieillir noircir	partir mettre
honorer continuer	bondir réussir	conclure recevoir

EXERCICES

■ **398.** **Conjuguez les verbes à la 1ʳᵉ personne du singulier et du pluriel de l'imparfait de l'indicatif.**

enjamber le ruisseau   avouer son ignorance   rougir de plaisir
sortir le soir   tenir la rampe   perdre patience

■ **399.** **Écrivez les verbes aux trois personnes du singulier et à la 3ᵉ du pluriel de l'imparfait de l'indicatif.**

rompre   grandir   réprimander   mourir   secouer   remuer
tordre   saluer   correspondre   courir   franchir   recevoir

■ **400.** **Écrivez les verbes aux trois personnes du pluriel du présent et de l'imparfait de l'indicatif.**

surgir   engloutir   fouiller   venir   ouvrir   suer

■ **401.** **Mettez les verbes en italique à l'imparfait de l'indicatif.**

Vous *assouvir* votre passion. – Hors du réfrigérateur, le beurre *rancir*. – La tempête *engloutir* le navire. – Les secrétaires *répondre* au téléphone. – L'étoile *scintiller* dans le ciel clair. – La carpe *happer* le moucheron. – Tu *embellir* ta maison. – La brise *fraîchir* vers le soir. – Les coureurs *accomplir* trois tours de piste. – En juin, les beaux jours *revenir*. – Je *perdre* mes forces. – Les fleurs *embaumer* l'air. – Tu *s'offrir* une semaine de vacances. – Le ciel *s'obscurcir*. – Nous *unir* nos efforts. – La commerçante *rendre* la monnaie. – Grâce à cette pommade, vous *atténuer* votre douleur.

MOTS À ÉTUDIER :

1. **hors, réfrigérateur, l'ignorance, la rampe, la patience.**
2. **assouvir, le beurre, scintiller, happer, la pommade.**
3. **la commerçante, embellir, s'obscurcir, atténuer, accomplir.**

Imparfait de l'indicatif – **Verbes en *-yer, -ier, -iller, -gner***

employer	crier	habiller	gagner
j' employais	je criais	j' habillais	je gagnais
tu employais	tu criais	tu habillais	tu gagnais
il employait	il criait	il habillait	il gagnait
ns employions	ns criions	ns habillions	ns gagnions
vs employiez	vs criiez	vs habilliez	vs gagniez
ils employaient	ils criaient	ils habillaient	ils gagnaient

Remarques

Aux deux premières personnes du pluriel de l'imparfait de l'indicatif :

– Les verbes en **yer** s'écrivent avec un **y** et un **i** :
   nous employions (y.i.o.n.s)

– Les verbes en **ier** s'écrivent avec deux **i** :
   nous criions (i.i.o.n.s).

– Les verbes en **iller** s'écrivent avec un **i** après **ill** :
   nous habillions (i.ll.i.o.n.s).

– Les verbes en **gner** s'écrivent avec un **i** après **gn** :
   nous gagnions (gn.i.o.n.s).

Les verbes en **yer, ier, iller, gner** ont une prononciation presque semblable aux deux premières personnes du pluriel du présent et de l'imparfait de l'indicatif. Pour éviter cette confusion, il faut penser à la personne correspondante du singulier :

nous crions ⟶ je crie ; nous criions ⟶ je criais.

				imparfait comme **employer**	imparfait comme **crier**
ennuyer	certifier	tailler	soigner		
appuyer	confier	détailler	peigner	asseoir	rire
ployer	copier	travailler	saigner	voir	sourire
tutoyer	étudier	conseiller	enseigner		imparfait comme **habiller**
broyer	expédier	effeuiller	aligner	fuir	
rayer	manier	briller	signer	croire	cueillir
essayer	mendier	fouiller	désigner	traire	bouillir
balayer	remercier	tortiller	égratigner	soustraire	tressaillir
égayer	trier	dépouiller	cogner	distraire	

EXERCICES

■ **402. Conjuguez les verbes à la 2ᵉ personne du singulier et du pluriel de l'imparfait de l'indicatif.**

1. oublier l'heure   rire aux éclats   fuir la foule
   nettoyer le fusil   payer une dette   soigner un malade
2. extraire une dent   voir ses amies   balbutier une excuse
   essuyer un meuble   croire en l'avenir   aligner des chiffres

3. écailler un poisson   cueillir un dahlia   verrouiller la porte
trier des timbres   effeuiller la rose   tressaillir de peur

403. **Écrivez les verbes aux deux premières personnes du pluriel du présent et de l'imparfait de l'indicatif.**

1. larmoyer cueillir rire   2. appuyer saigner sommeiller
   expédier égayer payer   justifier soustraire accueillir
   tournoyer voir signer   fuir bâiller cogner
   fouiller peigner essayer   entrevoir gagner manier

404. **Mettez les verbes en italique à l'imparfait de l'indicatif.**

Nous *côtoyer* beaucoup de monde. – Vous *essuyer* la vaisselle. – Nous *envoyer* une lettre. – Nous *tutoyer* nos amis. – Les branches *ployer* sous le poids de la neige. – Nous *fouiller* dans l'armoire. – Nous *balayer* la cuisine. – Vous *peigner* vos cheveux. – Nous *saigner* abondamment. – Vous *crier* à tue-tête. – Vous *fuir* les plages surpeuplées. – Nous *manier* le rabot. – Vous *tortiller* un papier. – Vous *distraire* vos camarades. – Vous *soigner* un blessé. – Le facteur *trier* les lettres. – Nous *essayer* un costume neuf. – Vous *rire* de bon cœur. – Nous *apprécier* ce nouveau spectacle. – Vous *effeuiller* la marguerite.

405. **Après chaque verbe, écrivez la personne correspondante du pluriel.**

Je payais une facture. – Tu étudies l'itinéraire. – Je plie des serviettes. – Tu riais aux larmes. – Tu recueilles des renseignements. – Tu broyais du sucre. – Je m'assieds dans mon fauteuil. – Tu sautillais sur place. – Tu fuyais au loin. – Tu vérifies l'état des pneus. – J'accompagne un ami à la gare. – Tu habilles une poupée. – Je m'éloignais de la maison. – Je travaillais beaucoup. – Je cueille des fleurs. – J'effrayais le chien. – Tu t'apitoies sur le sort des réfugiés. – Tu rayais le verre avec un diamant. – Je justifiais ma réponse.

406. **Après chaque verbe, écrivez la personne correspondante du singulier.**

Vous criiez de douleur. – Nous cognions à la porte. – Vous effrayez les chevaux. – Vous accueillez les convives. – Nous ployions sous les ennuis. – Vous fuyez la solitude. – Nous liions des gerbes. – Nous balbutiions des remerciements. – Vous maniez la langue avec aisance. – Nous assaillions l'orateur de questions. – Vous aligniez des chiffres. – Nous rectifiions une erreur. – Vous essayiez une nouvelle voiture. – Nous signons une lettre. – Vous fouillez dans le tiroir. – Nous gagnions la partie. – Vous riiez jaune. – Nous taillons la vigne. – Nous dépouillions le courrier.

MOTS À ÉTUDIER :
1. un dahlia, une excuse, la dette, le fusil, les timbres.
2. soigner, nous criions, nous gagnions, vous employiez, peigner.
3. le poids, abondamment, à tue-tête, les renseignements, le diamant.

Verbes en -*eler* et en -*eter*

rappeler

Présent		Imparfait	
je	rappelle	je	rappelais
tu	rappelles	tu	rappelais
il	rappelle	il	rappelait
ns	rappelons	ns	rappelions
vs	rappelez	vs	rappeliez
ils	rappellent	ils	rappelaient

jeter

Présent		Imparfait	
je	jette	je	jetais
tu	jettes	tu	jetais
il	jette	il	jetait
ns	jetons	ns	jetions
vs	jetez	vs	jetiez
ils	jettent	ils	jetaient

RÈGLE

Les verbes en **eler** et en **eter** prennent généralement **deux l** ou **deux t** devant un **e muet** :

> je rappelle ⟶ je rappelais ; je jette ⟶ je jetais.

Remarque

Quelques verbes en **eler** et en **eter** ne doublent pas l'**l** ou le **t** devant un **e muet**, mais s'écrivent avec un accent grave sur l'**e** :

> je mart**è**le ⟶ je martelais ; j'ach**è**te ⟶ j'achetais.

accent
il prennent un V

Verbes doublant l'*l* ou le *t* devant un *e* muet

appeler	ensorceler	renouveler	empaqueter
amonceler	épeler	ressemeler	épousseter
atteler	étinceler	ruisseler	étiqueter
botteler	ficeler	cacheter	projeter
carreler	morceler	feuilleter	rejeter
chanceler	niveler	décacheter	souffleter
dételer	râteler	déchiqueter	voleter

Verbes ne doublant pas l'*l* ou le *t* devant un *e* muet

harceler	démanteler
ciseler	marteler
déceler	modeler
geler	peler
dégeler	acheter
congeler	fureter
écarteler	haleter

EXERCICES

■ **407.** **Conjuguez les verbes au présent et à l'imparfait de l'indicatif.**

1. appeler son chien   râteler le gazon   carreler la cuisine
   atteler son cheval   fureter partout   empaqueter du thé
2. marteler ses mots   épeler un mot   ficeler un paquet
   projeter un film   peler un fruit   cacheter une lettre
3. dégeler le robinet   fêler une tasse   arrêter sa voiture
   étiqueter un objet   acheter du pain   guetter le signal

■ 408. **Mettez les verbes en italique au présent et à l'imparfait de l'indicatif.**

Le cordonnier *ressemeler* des chaussures. – Les jeunes oiseaux *voleter* au bord du toit. – L'artiste *ciseler* une statuette de bronze. – Anne *dételer* son cheval. – Nous *épeler* un mot difficile. – Vous *niveler* un terrain. – Les héritiers *morceler* la propriété. – Je *renouveler* mes déclarations. – Le soleil *étinceler* dans le ciel clair. – Le cycliste *haleter* dans la côte. – Les enfants *jeter* du pain aux oiseaux. – L'acteur *répéter* son rôle. – Les douaniers *guetter* les contrebandiers. – Sylvie et Katia *râteler* les feuilles mortes.

■ 409. **Même exercice que 408.**

Tu *fureter* dans le grenier. – Paul *acheter* un ordinateur de bureau. – Les étoiles *étinceler* dans la nuit. – Vous *amonceler* des connaissances inutiles. – Je *cacheter* une enveloppe. – Les journalistes *harceler* l'actrice de questions. – Tu *épousseter* les bibelots de la vitrine. – Les chats *déchiqueter* les rideaux. – Les eaux de l'étang *geler* en hiver. – Tu *empaqueter* soigneusement une marchandise. – Tu *peler* une pêche bien mûre. – Nous *atteler* le trotteur au sulky.

■ 410. **Mettez les verbes suivants à la 1ʳᵉ personne du singulier et du pluriel du présent et de l'imparfait de l'indicatif.**

amonceler	démanteler	feuilleter	souffleter	exceller	répéter
chanceler	modeler	déchiqueter	rejeter	démêler	regretter
ciseler	ressemeler	voleter	épousseter	prêter	compléter

■ 411. **RÉVISION. Mettez les verbes suivants aux trois personnes du pluriel du présent et de l'imparfait de l'indicatif.**

1.			2.		
appuyer	rejeter	renvoyer	cueillir	déblayer	saluer
vieillir	prêter	défendre	tutoyer	éternuer	avouer
sourire	clouer	pétrir	grandir	conseiller	plier
étudier	asseoir	croire	vérifier	travailler	pâlir

■ 412. **Mettez les verbes suivants aux trois personnes du singulier du présent et de l'imparfait de l'indicatif.**

1.			2.		
appeler	démêler	fêter	quereller	regretter	niveler
atteler	projeter	jeter	marteler	acheter	arrêter
râteler	fouetter	peler	végéter	rejeter	mêler
geler	inquiéter	révéler	exceller	empiéter	fureter

MOTS À ÉTUDIER :
1. **le thé, des chaussures, le bronze, les héritiers, haleter.**
2. **le douanier, le contrebandier, une propriété, guetter, les bibelots.**
3. **soigneusement, un trotteur, le sulky, exceller, souffleter.**

Imparfait de l'indicatif des verbes *être* et *avoir* et de verbes irréguliers importants

être	**avoir**	**faire**	**dire**
j' étais nous étions	j' avais nous avions	je faisais nous faisions	je disais nous disions
croître	**paraître**	**haïr**	**conduire**
je croissais nous croissions	je paraissais nous paraissions	je haïssais nous haïssions	je conduisais nous conduisions
éteindre	**prendre**	**coudre**	**vaincre**
j' éteignais nous éteignions	je prenais nous prenions	je cousais nous cousions	je vainquais nous vainquions
résoudre	**boire**	**moudre**	**écrire**
je résolvais nous résolvions	je buvais nous buvions	je moulais nous moulions	j' écrivais nous écrivions

EXERCICES

■ **413. Conjuguez les verbes à la 3ᵉ personne du singulier et du pluriel de l'imparfait de l'indicatif.**

haïr le mensonge	paraître sincère	faire son travail
moudre du café	vaincre la peur	plaire aux téléspectateurs
dire la vérité	apprendre à lire	craindre le froid

■ **414. Conjuguez les verbes à la 1ʳᵉ personne du pluriel du présent et de l'imparfait de l'indicatif.**

1. ceindre   rejoindre   peindre   2. comprendre   geindre   résoudre
    craindre   plaindre   peigner   reprendre   feindre   coudre

■ **415. Mettez les verbes en italique à l'imparfait de l'indicatif.**

Le député *ceindre* son écharpe. – Le vent *bruire* dans le feuillage. – L'eau *dissoudre* le sel. – Les alpinistes *atteindre* le sommet de la montagne. – Le malade *geindre*. – Vous *apprendre* l'anglais. – Je *boire* à petits coups. – Tu *croître* comme une herbe folle. – Ils *vaincre* leur appréhension. – Tu *moudre* du café. – Vous *résoudre* la difficulté. – Les pluies acides *détruire* les forêts.

■ **416. Après chaque verbe, écrivez la personne correspondante du singulier.**

Vous vous plaigniez du temps. – Nous feignions d'écouter. – Vous éteigniez la lampe. – Vous rejoigniez des amis. – Nous peignions la porte en rouge. – Nous atteignons le rivage à la nage. – Nous craignions de vous déranger. – Nous contraignons les joueurs à abandonner. – Vous craigniez d'être en retard. – Vous joignez les deux bouts.

MOTS À ÉTUDIER :
1. vaincre, craindre, l'écharpe, résoudre, apprendre.
2. geindre, feindre, le sommet, l'appréhension, la difficulté.
3. ceindre, peigner, contraindre, rejoindre, haïr.

Révision

■ **417. Mettez les verbes en italique au présent de l'indicatif.**

Une automobile *surgir* au tournant de la route. – Le facteur *se réfugier* sous la porte cochère pendant l'averse. – L'haltérophile *raidir* ses muscles avant de soulever l'énorme barre. – L'eau de la piscine *tiédir* au soleil. – Le soleil *resplendir* après la pluie. – On *congédier* le mauvais joueur. – Un jeune homme *mendier* dans la rue. – Le canal *réunir* les deux rivières. – La gymnaste *manier* bien les rubans. – Tu *nier* la vérité. – Tu *vernir* un meuble. – Les rideaux sombres *obscurcir* la pièce.

■ **418. Même exercice que 417.**

L'espion *épier* les faits et gestes des diplomates. – Tu *essuyer* la table. – Tu *étudier* l'astronomie. – Je n'ai rien à faire, je *s'ennuyer*. – Certains gaz *détruire* la couche d'ozone. – Tu *appuyer* sur le déclic. – Tu *construire* un cerf-volant. – J'*envoyer* une lettre à mon frère. – Je *voir* des nuages qui annoncent l'orage. – Je *peindre* un paysage. – Je *pendre* un jambon dans la cave. – La mer *descendre*. – L'arrière *réussir* la transformation. – Vous *relayer* votre frère pour garder le bébé.

■ **419. Même exercice que 417.**

Tu *éteindre* la lampe. – Tu *étendre* les draps sur le lit. – Tu *tendre* un filin entre deux rochers. – Le coiffeur *teindre* les cheveux de la cliente. – Le voyageur *attendre* le train. – La tortue *atteindre* le but la première. – Tu *savoir* patienter. – Tu *essayer* de réaliser un exploit. – On *se plaire* bien à la plage. – Le chien *aboyer* sans arrêt. – Le coureur *boire* pour se rafraîchir. – Tu *se frayer* un passage dans la haie. – L'âne *braire*.

■ **420. Mettez les verbes en italique à l'imparfait de l'indicatif.**

L'herbe *verdoyer* au printemps. – On *devoir* respecter la nature. – Monsieur Abel *aller* au marché. – Vous *faire* les réparations nécessaires. – Le médecin *vaincre* la maladie. – Je *s'asseoir* sur un tabouret. – Vous *dire* toujours la même chose. – Nous *s'asseoir* autour de la table familiale. – Les fleurs *achever* de se faner dans le vase. – L'équipe de France *mener* deux à zéro.

■ **421. Même exercice que 420.**

Je *partir* en voyage. – Je *parer* le sapin de Noël. – Le pain *dorer* dans le four. – Le clochard *dormir* sous le pont. – Tu *pouvoir* faire tes bagages rapidement. – Je *vouloir* faire plaisir à mes amis. – Tu *valoir* plus que tu ne pensais. – Je ne *mentir* jamais. – Tu *sortir* à l'aube. – Je *sentir* la bonne odeur des lilas. – Je *mettre* la casserole sur le feu. – Le candidat *connaître* la réponse. – La machine à laver *essorer* aussi le linge. – L'humidité *ressortir*. – On *prendre* le temps de visiter chaque maison.

Hier – **Passé simple**

Il n'y a que les verbes en **e.r** qui prennent au passé simple : **a.i, a.s, a**.

couper		**franchir**		**attendre**	
je	coup**ai**	je	franch**is**	j'	attend**is**
tu	coup**as**	tu	franch**is**	tu	attend**is**
il	coup**a**	il	franch**it**	il	attend**it**
nous	coup**âmes**	nous	franch**îmes**	nous	attend**îmes**
vous	coup**âtes**	vous	franch**îtes**	vous	attend**îtes**
ils	coup**èrent**	ils	franch**irent**	ils	attend**irent**

RÈGLES

1. Au **passé simple**, tous les verbes du **1er groupe** prennent :
a.i – a.s – a – â.m.e.s – â.t.e.s – è.r.e.n.t.

2. Au **passé simple**, tous les verbes du **2e groupe** prennent :
i.s – i.s – i.t – î.m.e.s – î.t.e.s – i.r.e.n.t.

3. Beaucoup de verbes du **3e groupe**, notamment la plupart des verbes en **dre**, prennent au passé simple **les terminaisons des verbes du 2e groupe**.

a.i		**i.s**			
habiller	balayer	franchir	garnir	descendre	cueillir
achever	sommeiller	noircir	surgir	répandre	tressaillir
balbutier	ficeler	remplir	guérir	perdre	voir
secouer	acheter	vieillir	nourrir	mentir	servir
créer	jeter	réjouir	bâtir	sentir	suivre
ennuyer	hésiter	bondir	garantir	battre	rire

Remarque

La **1re personne du singulier du passé simple et celle de l'imparfait** de l'indicatif des verbes en **e.r** ont presque la même prononciation. Pour éviter la confusion, il faut penser à la personne **correspondante** du pluriel :

je coupais ⟶ nous coupions   **imparfait (a.i.s)** ;
je coupai ⟶ nous coupâmes   **passé simple (a.i)**.

EXERCICES

■ **422. Conjuguez les verbes à la 1re personne du singulier et du pluriel du passé simple.**

    1.   nettoyer la lampe   payer la note   pénétrer dans la cour
        remercier ses parents   ficeler un colis   projeter un jeu

2. remplir le seau dire la vérité partir en voyage
 ouvrir la porte farcir la dinde fondre en larmes
3. perdre du temps voir bien clair souffrir en silence
 accueillir un ami suivre sa route fendre les vagues

■ **423.** **Écrivez les verbes aux 1ʳᵉ et 3ᵉ personnes du singulier et à la 3ᵉ personne du pluriel du passé simple.**

désherber sommeiller danser accomplir mordre suspendre
choyer apprécier cueillir répondre rompre interrompre

■ **424.** **Écrivez les verbes à la 1ʳᵉ personne du singulier et du pluriel du présent de l'indicatif et du passé simple.**

clouer remuer attendre combattre essuyer adoucir
certifier bâtir attendrir tressaillir appeler scier

■ **425.** **Écrivez les verbes à la 2ᵉ personne du singulier et du pluriel du présent de l'indicatif et du passé simple.**

obéir partir abattre dormir ruisseler blanchir
hasarder recueillir répandre suivre brunir grandir

■ **426.** **Écrivez les verbes à la 3ᵉ personne du singulier et du pluriel du passé simple.**

choisir sauter éternuer servir blêmir grelotter
arrondir compter arrêter avouer débattre fréquenter
grossir descendre sentir recueillir souhaiter exhorter

■ **427.** **Mettez les verbes en italique au passé simple.**

Le prêtre *regarder* tout autour de lui et il *répondre* d'une voix que je *trouver* soudain très lasse. Toutes ces pierres suaient la douleur et je ne les *regarder* jamais sans angoisse. Je le *chercher* en vain, maintenant c'était fini. Il *se lever* à ce mot et m'*encourager* à poursuivre mon idée. Nous *marcher* longtemps sur la plage. J'*avoir* l'impression que je ne savais pas où j'allais. Là, nous *trouver* nos deux ennemis. D'après *L'étranger,* A. Camus, Gallimard.

■ **428.** **Mettez les verbes en italique à l'imparfait de l'indicatif et au passé simple.**

Le boucher *aiguiser* les couteaux. – Nous *prêter* l'oreille. – Le soleil *resplendir* dans l'azur. – Tu *observer* l'horizon. – La lumière *vaciller.* – J'*examiner* la pierre. – L'avocat *défendre* les accusés. – Vous *ouvrir* la fenêtre. – Nous *envelopper* des objets. – Nous *suivre* les bons conseils. – Je *ramasser* des papiers gras. – Les gelées *durcir* la terre. – Le vent *gonfler* les voiles. – Les nuages *obscurcir* le ciel.

MOTS À ÉTUDIER :
1. nettoyer, le colis, un seau, créer, ennuyer.
2. la voix, lasse, une idée, longtemps, les ennemis.
3. aiguiser, les couteaux, l'azur, l'horizon, les accusés.

Verbes en -*cer*

effacer

Présent	Imparfait	Passé simple
j' efface	j' effaçais	j' effaçai
nous effaçons	nous effacions	nous effaçâmes

RÈGLE

Les verbes en **cer** prennent une cédille sous le **c** devant **a** et **o** pour conserver à la lettre **c** le son [s] : **nous effaçons, nous effaçâmes.**

lacer	grincer	exercer	rapiécer	lancer	agencer
tracer	rincer	exaucer	annoncer	balancer	cadencer
déplacer	évincer	forcer	prononcer	avancer	ensemencer
espacer	gercer	amorcer	dénoncer	devancer	commencer
pincer	bercer	foncer	froncer	distancer	influencer

EXERCICES

■ 429. **Conjuguez les verbes à la 2ᵉ personne du singulier et du pluriel du passé simple, du présent et de l'imparfait de l'indicatif.**
exercer un métier, exaucer un désir, froncer le sourcil, grincer des dents, évincer les bavards, balancer la tête.

■ 430. **Mettez les verbes à la 3ᵉ personne du singulier et à la 1ʳᵉ personne du pluriel du présent, de l'imparfait de l'indicatif, puis du passé simple :**
1. tracer   menacer   évincer   exercer   rapiécer   renoncer
2. grimacer   grincer   rincer   amorcer   acquiescer   annoncer

■ 431. **Mettez les verbes en italique au présent et à l'imparfait.**
Le ministre *se déplacer* souvent en avion. – Le froid *gercer* les lèvres. – Nous *distancer* nos camarades. – La machine *rincer* le linge. – L'employé *tracer* le terrain. – Vous *lancer* un appel. – Tu *s'efforcer* de bien faire. – Le biologiste *ensemencer* le bouillon de culture. – La girouette *grincer* au sommet du clocher. – Les flots *bercer* les voiliers dans le port. – Les nuages noirs *annoncer* l'orage. – Nous *s'exercer* au tir au but. – Il *lacer* ses tennis.

■ 432. **Mettez les verbes en italique au présent de l'indicatif et au passé simple.**
Hugues *se pincer* les doigts dans la porte. – Nous *commencer* notre travail. – Vous *effacer* des taches. – Les ouvriers *percer* une tôle. – Vous *remplacer* une vitre cassée. – Les élèves *énoncer* une règle de grammaire. – Les écologistes *dénoncer* le gaspillage de l'énergie. – Les présentateurs *annoncer* les programmes. – Le pêcheur *amorcer* sa ligne. – Tu *écorcer* une orange. – L'aigle *foncer* sur le chamois.

MOTS À ÉTUDIER :
1. l'aigle, le chamois, l'énergie, le programme, la tôle.
2. le sourcil, un employé, le terrain, un appel, la grammaire.
3. influencer, ensemencer, exaucer, exercer, le gaspillage.

Verbes en -*ger*

voyager

Présent	Imparfait	Passé simple
je voyage	je voyageais	je voyageai
nous voyageons	nous voyagions	nous voyageâmes

RÈGLE

Les verbes en **ger** prennent un **e muet** après le **g** devant **a** et **o**, pour conserver au **g** le son [ʒ] : **nous voyageons, je voyageais.**

Remarque

Les verbes en **anger** s'écrivent **a.n.g.e.r** sauf **venger**.

saccager	avantager	diriger	longer	louanger	démanger
soulager	alléger	exiger	plonger	changer	arranger
partager	protéger	voltiger	ronger	vendanger	déranger
ménager	obliger	loger	songer	mélanger	
encourager	négliger	interroger	héberger	manger	**venger**

EXERCICES

■ **433.** **Conjuguez les verbes à la 3ᵉ personne du singulier et du pluriel du passé simple, du présent et de l'imparfait de l'indicatif.**

héberger un ami   ranger ses livres   manger un fruit
loger à la belle étoile   exiger la marque   ronger son frein

■ **434.** **Mettez les verbes à la 1ʳᵉ personne du pluriel du présent et de l'imparfait de l'indicatif.**

emménager   interroger   exiger   vendanger   mélanger   nager
dédommager   héberger   charger   se venger   louanger   plonger

■ **435.** **Mettez les verbes en italique au présent et à l'imparfait de l'indicatif.**

Le cyclone *saccager* les cultures. – Nous *longer* la frontière italienne. – Vous *échanger* des idées. – Antoine *héberger* un ami étranger. – Nous *manger* de bon appétit. – Nous *plonger* dans la piscine. – Les élèves *songer* à leurs examens. – Le commissaire nous *interroger*. – Vous *vendanger* votre vigne. – Les avions de la patrouille de France *voltiger*. – Nous *partager* les fruits de notre travail. – Il *se diriger* vers la porte.

■ **436.** **Mettez les verbes en italique à l'imparfait de l'indicatif et au passé simple.**

Le cavalier *ménager* sa monture. – Les sociétés *engranger* les bénéfices. – Je *ranger* mes papiers. – Par grand froid, la neige *protéger* les cultures. – Nous *allonger* le pas. – Vous *négliger* votre tenue. – L'ouvrier *changer* de vêtement. – La grand-mère de Rémi *songer* à prendre sa retraite. – Tu *emménager* dans une maison neuve. – Le mât du catamaran *émerger* du brouillard. – La sauce *figer* dans le plat.

MOTS À ÉTUDIER :
1. un examen, du brouillard, la retraite, emménager, émerger.
2. le cyclone, héberger, exiger, la monture, un étranger.
3. le catamaran, la société, alléger, venger.

Verbes en -*guer* et en -*quer*

naviguer

Présent	Imparfait	Passé simple
je navigue	je naviguais	je naviguai
nous naviguons	nous naviguions	nous naviguâmes

fabriquer

je fabrique	je fabriquais	je fabriquai
nous fabriquons	nous fabriquions	nous fabriquâmes

RÈGLE

Les verbes en **guer** et en **quer** se conjuguent régulièrement.
**La lettre u de leur radical se retrouve à toutes les personnes
et à tous les temps** de leur conjugaison.

reléguer	distinguer	divaguer	attaquer	pratiquer	embarquer
prodiguer	carguer	élaguer	appliquer	suffoquer	marquer
fatiguer	narguer	draguer	expliquer	croquer	risquer

EXERCICES

■ **437. Conjuguez les verbes à la 1ʳᵉ personne du singulier et du pluriel du présent et de l'imparfait de l'indicatif.**

expliquer un problème   traquer les bandits   prodiguer des soins
appliquer le règlement   draguer la rivière   marquer du linge

■ **438. Mettez les verbes à la 2ᵉ personne du singulier du présent, de l'imparfait et du passé simple de l'indicatif, puis au participe présent.**

1. embarquer risquer haranguer   2. pratiquer zigzaguer croquer
   attaquer draguer élaguer   subjuguer piquer indiquer
   alléguer marquer convoquer   suffoquer remarquer naviguer

■ **439. Mettez les verbes en italique au présent et à l'imparfait de l'indicatif, puis au passé simple.**

Les gendarmes *s'embusquer* derrière les buissons. – L'orateur *haranguer* la
foule. – Les glaces *se disloquer* avec fracas. – Les mariniers *draguer* le
fleuve. – Les ruisseaux *zigzaguer* dans la prairie. – Vous *appliquer* le
règlement à la lettre. – L'artisan *fabriquer* un bahut. – Nous *suffoquer* de
chaleur. – Les barques *naviguer* par temps calme. – Tu *indiquer* le chemin au
voyageur. – Les avions *piquer* droit sur l'aérodrome. – Vous *risquer* votre
vie. – Dans la brume, nous *distinguer* les tours du château. – Le joueur de
tennis *attaquer* au filet.

MOTS À ÉTUDIER :

1. **le voyageur, l'aérodrome, convoquer, s'embusquer, appliquer.**
2. **embarquer, traquer, prodiguer, le fracas, le bahut.**
3. **zigzaguer, suffoquer, haranguer, subjuguer.**

Hier – **Passé simple en -*us* et en -*ins***

courir	recevoir	tenir	venir
je courus	je reçus	je tins	je vins
tu courus	tu reçus	tu tins	tu vins
il courut	il reçut	il tint	il vint
ns courûmes	ns reçûmes	ns tînmes	ns vînmes
vs courûtes	vs reçûtes	vs tîntes	vs vîntes
ils coururent	ils reçurent	ils tinrent	ils vinrent

RÈGLE

1. Au **passé simple**, un certain nombre de verbes comme **courir, mourir, valoir, recevoir, paraître**, etc., prennent :
u.s – u.s – u.t – û.m.e.s – û.t.e.s – u.r.e.n.t.
2. Au **passé simple**, les verbes de la famille de **tenir** et de **venir** prennent : **i.n.s – i.n.s – i.n.t – î.n.m.e.s – î.n.t.e.s – i.n.r.e.n.t**.

	u.s			i.n.s	
parcourir	vouloir	croître	maintenir	s'abstenir	prévenir
secourir	apparaître	accroître	contenir	entretenir	survenir
valoir	disparaître	recevoir	soutenir	parvenir	devenir
lire	connaître	apercevoir	obtenir	souvenir	intervenir

EXERCICES

■ **440. Conjuguez les verbes à la 2ᵉ personne du singulier et du pluriel du passé simple.**

accourir au signal   vouloir un jouet   revenir de loin
maintenir sa candidature   paraître fatigué   apercevoir la côte

■ **441. Mettez les verbes en italique au passé simple.**
Je *vouloir* réussir. – Tu *parvenir* au sommet de la colline. – Le bateau *parvenir* à éviter l'écueil. – Nous *parcourir* la ville en tous sens. – On *connaître* la réponse. – Vous *convenir* de votre erreur. – Les enfants *lire* un passage amusant. – L'avion *disparaître* à l'horizon. – Je *se maintenir* en bonne santé par la pratique des sports. – Le policier *apercevoir* une silhouette.

■ **442. Mettez les verbes en italique à l'imparfait de l'indicatif et au passé simple.**
Tu *vouloir* et tu *réussir*. – Le coupable *comparaître* devant les juges. – Nous *revenir* sur notre décision. – Vous *contenir* votre indignation. – Les touristes *parcourir* les routes de France. – La société *accroître* ses activités. – La grand-mère *recevoir* une lettre de son petit-fils. – L'avocat *intervenir* pour défendre l'accusé.

MOTS À ÉTUDIER :
1. accourir, paraître, maintenir, la candidature, le sommet.
2. apercevoir, l'horizon, convenir, le juge, l'indignation.
3. l'accusé, l'avocat, disparaître, intervenir, accroître.

Passé simple des verbes *être* et *avoir*
et de verbes irréguliers importants

être	**avoir**	**devoir**	**savoir**
je fus	j' eus	je dus	je sus
nous fûmes	nous eûmes	nous dûmes	nous sûmes

croire	**boire**	**plaire**	**taire**
je crus	je bus	je plus	je tus
nous crûmes	nous bûmes	nous plûmes	nous tûmes

résoudre	**moudre**	**pouvoir**	**vivre**
je résolus	je moulus	je pus	je vécus
nous résolûmes	nous moulûmes	nous pûmes	nous vécûmes

écrire	**faire**	**plaindre**	**voir**
j' écrivis	je fis	je plaignis	je vis
nous écrivîmes	nous fîmes	nous plaignîmes	nous vîmes

conduire	**asseoir**	**coudre**	**prendre**
je conduisis	j' assis	je cousis	je pris
nous conduisîmes	nous assîmes	nous cousîmes	nous prîmes

vaincre	**naître**	**acquérir**	**mettre**
je vainquis	je naquis	j' acquis	je mis
nous vainquîmes	nous naquîmes	nous acquîmes	nous mîmes

EXERCICES

■ **443. Conjuguez les verbes à la 3ᵉ personne du singulier et du pluriel du passé simple.**

1. avoir des ennuis — être en forme — savoir son rôle
   taire sa peine — résoudre un problème — moudre du sel
2. écrire une lettre — éteindre la lampe — craindre le noir
   conduire un camion — coudre un bouton — vaincre la peur

■ **444. Mettez les verbes aux 1ʳᵉ et 3ᵉ personnes du singulier et à la 3ᵉ personne du pluriel du passé simple.**

1. détruire — produire — souscrire — 2. transcrire — peindre — plaindre
   instruire — séduire — taire — apprendre — peigner — recoudre
   comprendre — décrire — tuer — suspendre — reprendre — naître

■ **445. Mettez les verbes à la 3ᵉ personne du singulier et aux 1ʳᵉ et 3ᵉ personnes du pluriel du passé simple.**

1. permettre — craindre — promettre — adjoindre — contraindre
   étreindre — admettre — geindre — attendre — revenir
2. ceindre — saigner — rejoindre — croire — renaître
   entreprendre — croître — convaincre — déplaire — soutenir

■ 446. **Mettez les verbes en italique au passé simple.**

Le défenseur *commettre* une erreur. – Les futurs conducteurs *apprendre* par
cœur le code de la route. – Jean Bart *naître* à Dunkerque. – Claude *recoudre*
son bouton. – Tu *conduire* ta voiture très prudemment. – Le maçon *détruire* un
vieux mur. – Tu *savoir* ta scène. – Tu *peindre* la grille. – Le coiffeur *peigner*
sa cliente. – Je *vouloir*, mais je ne *pouvoir* pas fournir un effort. – Nous *être*
contents de vous revoir. – Tu *écrire* à tes parents. – Il *comprendre* sa
réaction. – Le bavard *se taire* enfin. – Le vent *éteindre* le lampion. – Il *falloir*
recourir aux engrais artificiels.

■ 447. **Même exercice que 446.**

La tempête *ravager* les cultures. – Le chasseur *épauler* son fusil, *viser*, et la
perdrix *s'abattre* dans le buisson. – Un orage *survenir* qui *briser* tout sur son
passage. – Les amis *choquer* leurs verres. – Nous *évoquer* des souvenirs. –
Les gourmands *croquer* du chocolat. – Vous *se fatiguer*. – Le soleil *disparaître*
derrière les nuages. – L'ogre *regarder* le Petit Poucet et *froncer* les sourcils. –
Vous *se diriger* vers la gare. – Tu *claquer* des dents. – Le médecin *accourir*
aussitôt. – Tu *séjourner* dans ce pays pendant un certain temps.

■ 448. **Mettez les verbes en italique au présent de l'indicatif et au passé simple.**

Nous *boire* une boisson chaude. – Vous *vaincre* votre frayeur. – Il *résoudre* un
problème difficile. – Le maire *lire* son discours. – Je *mettre* la soupière sur la
table. – Nous *se permettre* d'entrer. – Vous *prévenir* les gendarmes. – Le ciel
devenir subitement sombre. – Le navire *tanguer* fortement. – Les jardiniers
élaguer les platanes. – Les barmans *rincer* les verres. – Tu *nager* comme un
poisson. – Le kinésithérapeute *rééduquer* mon bras. – Nous *fuir* les plages
surchargées. – J'*essayer* de te persuader de prendre quelques heures de repos.

■ 449. **Mettez les verbes en italique à l'imparfait de l'indicatif et au passé simple.**

Le semi-remorque *atteindre* le sommet de la côte. – J'*écrire* une longue lettre
à mon oncle. – J'*avoir* une bonne réputation. – Tu *être* félicité par tes
coéquipiers. – Le poisson *mordre* à l'hameçon. – Je *répondre* correctement. –
Tu *se souvenir* des histoires de ton enfance. – Nous *craindre* de prendre
froid. – Vous vous *plaire* aux États-Unis. – Nous *s'asseoir* à l'ombre d'une
haie. – Il *faire* ce qu'il *pouvoir*.

MOTS À ÉTUDIER :
1. la remorque, la réputation, la haie, un hameçon, les coéquipiers.
2. correctement, la perdrix, aussitôt, la frayeur, fortement.
3. subitement, tanguer, les sourcils, éteindre, un effort.

Demain, dans l'avenir : **Futur simple**

▌ Je pense à l'infinitif.

couper	étudier	bondir	tendre
je couper**ai**	j' étudier**ai**	je bondir**ai**	je tendr**ai**
tu couper**as**	tu étudier**as**	tu bondir**as**	tu tendr**as**
il couper**a**	il étudier**a**	il bondir**a**	il tendr**a**
ns couper**ons**	ns étudier**ons**	ns bondir**ons**	ns tendr**ons**
vs couper**ez**	vs étudier**ez**	vs bondir**ez**	vs tendr**ez**
ils couper**ont**	ils étudier**ont**	ils bondir**ont**	ils tendr**ont**

RÈGLES

1. Au **futur simple**, tous les verbes prennent les mêmes terminaisons : **a.i – a.s – a – o.n.s – e.z – o.n.t**, toujours précédées de la lettre **r**.

2. Au **futur simple**, les verbes du **1ᵉʳ** et du **2ᵉ groupe** conservent généralement **l'infinitif en entier**. Ex. : j'**étudier.ai**, je **bondir.ai**.

▌ Pour bien écrire un verbe au **futur simple**, il faut penser à l'**infinitif**, puis à la **personne**.

compter	saluer	mendier	garnir	interrompre	craindre
aiguiser	remuer	balbutier	gravir	peindre	connaître
respecter	secouer	plier	choisir	battre	naître
donner	jouer	remédier	pâlir	permettre	croire
hésiter	avouer	supplier	franchir	attendre	conduire

EXERCICES

■ 450. **Conjuguez les verbes à la 1ʳᵉ personne du singulier et du pluriel du futur simple.**

1. vérifier son itinéraire / scier une planche / manier un instrument
franchir le fossé / assouplir les articulations / démolir le vieux mur
2. clouer une caisse / moudre le grain / rompre le pain
coudre la robe / saluer le public / grimper à l'arbre
3. lire une histoire / confire des fruits / distribuer des vivres
lier les accords / confier une nouvelle / conclure un marché
4. éteindre la lampe / battre le tapis / aider ses amis
rendre la monnaie / éclater en sanglots / défendre son camp

■ 451. **Mettez les verbes au futur simple ; justifiez la terminaison en écrivant l'infinitif entre parenthèses.**

Tu empli…	Nous ni…	Je bâti…	On grossi…	Nous abatt…
Tu pli…	Nous uni…	Je châti…	On remerci…	Nous gratt…
Il applaudi…	Ils nourri…	Vous jou…	Tu ri…	Tu grond…
Il expédi…	Ils vari…	Vous coud…	Tu adouci…	Tu répond…

■ **452. Mettez les verbes à la 3ᵉ personne du singulier et du pluriel du futur simple.**

crier	rougir	rectifier	partir	tremper	rencontrer
dormir	balbutier	supplier	sentir	interrompre	agiter
apprécier	grossir	varier	hâter	gronder	garder
noircir	amincir	servir	combattre	tondre	prendre

■ **453. Mettez les verbes à la 2ᵉ personne du singulier et à la 3ᵉ personne du pluriel du futur simple.**

trouer	lire	apprendre	remercier	défendre	fonder
coudre	lier	connaître	noircir	hasarder	fondre
situer	omettre	apparaître	guider	suspendre	demander
évaluer	disparaître	croître	descendre	commander	attendre

■ **454. Mettez les verbes en italique au futur simple.**

La rafale *secouer* les antennes de télévision. – Tu *coudre* le corsage déchiré. – Les entreprises *bâtir* un barrage. – Le chien *avertir* son maître. – Ce perchiste *battre* le record du monde. – Le marinier *rompre* la glace. – Vous *garantir* la qualité de la marchandise. – Nous *multiplier* nos efforts. – Tu *échouer* à l'épreuve de saut si tu ne t'entraînes pas. – Cet hiver, les sans-logis *mendier* un peu de nourriture. – Nous *vérifier* un compte. – Tu *plier* ta serviette. – Tu *ponctuer* correctement ton texte. – Un rayon de lune *trouer* les nuages épais.

■ **455. Même exercice que 454.**

Le journaliste *châtier* son langage. – Le soleil couchant *incendier* la vitre. – Tu *copier* ce tableau avec application et tu le *réussir*. – Les fleurs *déplier* leurs pétales et *ouvrir* leurs corolles. – Les fruits *mûrir*. – La température *varier*. – Tu *vernir* le meuble. – Je *gravir* la pente escarpée. – Les vagues *engloutir* la petite barque. – Les coureurs *effectuer* ce long trajet en peu de temps. – Je vous *donner* des conseils. – Vous me *montrer* le chemin. – Nous lui *serrer* la main. – Ils nous *prêter* des livres. – Elle nous *raconter* des histoires.

■ **456. Même exercice que 454.**

Nous *prier* nos amis de rester à dîner. – Nous *applaudir* le chanteur. – Vous *étudier* le règlement du concours. – Je vous *expédier* un colis. – La gelée *durcir* la terre. – Vous *remercier* vos voisins. – Le vent *rabattre* la fumée. – Le chien *gratter* à la porte. – Nous *unir* nos efforts. – L'escrimeur *manier* son épée habilement. – Nous n'*oublier* pas d'apprendre nos rôles. – Le vent *faiblir*. – Les glaces *fondre* à la fin de l'hiver. – Les légumes *abonder* sur le marché à la belle saison. – Vous *crier*. – Vous *écrire* à vos correspondants.

MOTS À ÉTUDIER :
1. **un itinéraire, scier, une articulation, un instrument, conclure.**
2. **un sanglot, une rafale, la qualité, la nourriture, un compte.**
3. **le marinier, le concours, une corolle, le règlement, habilement.**

Futur simple

Particularités de quelques verbes

rappeler	jeter	acheter	marteler
je rappellerai	je jetterai	j' achèterai	je martèlerai
tu rappelleras	tu jetteras	tu achèteras	tu martèleras
il rappellera	il jettera	il achètera	il martèlera
ns rappellerons	ns jetterons	ns achèterons	ns martèlerons
vs rappellerez	vs jetterez	vs achèterez	vs martèlerez
ils rappelleront	ils jetteront	ils achèteront	ils martèleront

employer	courir	mourir	acquérir
j' emploierai	je courrai	je mourrai	j' acquerrai
tu emploieras	tu courras	tu mourras	tu acquerras
il emploiera	il courra	il mourra	il acquerra
ns emploierons	ns courrons	ns mourrons	ns acquerrons
vs emploierez	vs courrez	vs mourrez	vs acquerrez
ils emploieront	ils courront	ils mourront	ils acquerront

Remarques
Au **futur simple** :

– Les verbes en **eler** et en **eter** prennent **deux l** ou **deux t** :
   il rappellera, il jettera ;

– Ceux qui font exception prennent un accent grave :
   il achètera, il martèlera ;

– Les verbes en **yer** changent l'y en i : il appuiera, il emploiera ;

– Les verbes **mourir, courir, acquérir** et ceux de leur famille ont **deux r**, alors qu'ils n'en prennent qu'un à l'imparfait :
   futur   ⟶   il mourra, il courra, il acquerra.
   imparfait ⟶   il mourait, il courait, il acquérait.

tournoyer	essuyer	chanceler	peler	acheter	requérir
nettoyer	ennuyer	ruisseler	projeter	fureter	accourir
ployer	balayer	épeler	rejeter	étiqueter	concourir
broyer	essayer	ficeler	décacheter	conquérir	parcourir
larmoyer	payer	geler	empaqueter	reconquérir	secourir

EXERCICES

■ **457.** **Conjuguez les verbes à la 2ᵉ personne du singulier et du pluriel du futur simple.**

1. essuyer la vaisselle   broyer du sucre   employer un outil
   conduire un camion   boire du thé   croire son ami

2. ficeler un paquet   peler un fruit   projeter un film
    secouer l'amandier   acquérir un livre   secourir les réfugiés

458. **Mettez les verbes au futur simple ; justifiez la terminaison en écrivant l'infinitif entre parenthèses.**

Il boi…   Tu nettoi…   Ils reprodui…   Vous appui…   Tu plai…
Il aboi…   Ils essui…   Nous ennui…   Elle lui…   Tu pai…
Tu croi…   Ils condui…   Nous nui…   Elle essai…   Tu emploi…

459. **Mettez les verbes à la 1ʳᵉ personne du singulier et à la 3ᵉ personne du pluriel du futur simple.**

reproduire   introduire   boire   distancer   bercer   plaire
construire   essuyer   flamboyer   avancer   distraire   délayer
appuyer   tournoyer   remplacer   ensemencer   rayer   extraire

460. **Mettez les verbes à la 2ᵉ personne du singulier du présent, de l'imparfait de l'indicatif et du futur simple.**

1. amonceler   déchiqueter   mourir   2. harceler   acquérir   tutoyer
atteler   rejeter   parcourir   acheter   secourir   commencer
ressemeler   décacheter   accourir   étiqueter   ployer   lancer

461. **Mettez les verbes en italique au futur simple.**

Tu *atteler* la caravane. – La neige *étinceler* sous le soleil. – Le brouillard *noyer* les autoroutes. – Tu *boire* de l'orangeade. – Nous *grincer* des dents. – Les pigeons *accourir* de toutes parts quand on leur *lancer* des graines. – Le maçon *construire* la grange. – Le randonneur *essuyer* la sueur de son front. – La mer *rejeter* des épaves. – J'*acheter* une balle. – Les chiens *aboyer* à la lune. – Les fleurs *mourir* aux premiers froids. – Les pompiers *secourir* les blessés. – La tempête *secouer* la vieille bâtisse. – Le mineur *extraire* du charbon. – On *balayer* la cuisine.

462. **Même exercice que 461.**

Mes parents *acquérir* une nouvelle voiture. – Tu *s'instruire*. – Tu *s'ennuyer*. – Le soleil *luire* après la pluie. – Nous *décongeler* la viande. – Le conducteur *appuyer* sur l'accélérateur. – Tu *feuilleter* ton livre. – Jean-Michel ne *rudoyer* pas son cheval, il le *conduire* avec douceur. – Tu *croire* les personnes d'expérience et tu *apprécier* leurs conseils. – Les mouches *harceler* tout le monde. – Les cyclistes *essayer* leurs nouveaux vélos. – Cette usine *produire* des meubles de cuisine. – Tu *payer* la note. – Tu *plaire* à tes amis par ta gentillesse.

MOTS À ÉTUDIER :
1. la vaisselle, la gentillesse, l'accélérateur, l'orangeade, la sueur.
2. acquérir, un amandier, un pigeon, flamboyer, le front.
3. empaqueter, rudoyer, le conducteur, les conseils, larmoyer.

Futur simple des verbes *être* et *avoir* et de verbes irréguliers importants

être	avoir	faire	aller
je serai	j' aurai	je ferai	j' irai
nous serons	nous aurons	nous ferons	nous irons

cueillir	recevoir	asseoir	
je cueillerai	je recevrai	j' assiérai	j' assoirai
nous cueillerons	nous recevrons	nous assiérons	nous assoirons

envoyer	voir	pouvoir	savoir
j' enverrai	je verrai	je pourrai	je saurai
nous enverrons	nous verrons	nous pourrons	nous saurons

tenir	venir	devoir	vouloir
je tiendrai	je viendrai	je devrai	je voudrai
nous tiendrons	nous viendrons	nous devrons	nous voudrons

EXERCICES

■ **463.** **Conjuguez les verbes à la 3ᵉ personne du singulier et du pluriel du futur simple.**

aller au marché	cueillir des œillets	savoir l'anglais
faire un match	retenir son souffle	être gentil
recevoir un colis	devoir une facture	prévenir les pompiers
voir au loin	envoyer une lettre	vouloir réussir

■ **464.** **Mettez les verbes à la 3ᵉ personne du singulier et du pluriel du futur simple.**

contenir	appartenir	subvenir	pouvoir	accueillir	envoyer
obtenir	entretenir	être	avoir	recueillir	soutenir
maintenir	parvenir	aller	voir	cueillir	prévenir

■ **465.** **Mettez les verbes du n° 464 à la 2ᵉ personne du singulier du présent, de l'imparfait de l'indicatif, puis du futur simple.**

■ **466.** **Mettez les verbes à la 1ʳᵉ personne du singulier et à la 3ᵉ personne du pluriel du futur simple.**

valoir	mourir	devoir	revoir	défaire	savoir
pouvoir	secourir	entrevoir	faire	refaire	recevoir
vouloir	asseoir	voir	satisfaire	accourir	apercevoir

■ **467.** **Mettez les verbes en italique au futur simple.**

Je *faire* mon travail dès demain. – Tu *savoir* ton texte. – Tu *envoyer* une carte à un camarade. – Nous *parvenir* au sommet de la colline. – Les auditeurs *retenir* les paroles de cette chanson. – Tu *cueillir* la rose et l'*offrir* à ta mère. – Les enfants *aller* au théâtre ; ils *regarder* les acteurs qui *jouer* une pièce de Molière. – Les touristes *devoir* payer l'entrée du musée. – Tu *pouvoir* venir à la maison. – Les auto-stoppeurs s'*asseoir* au bord de la route.

■ **468. Mettez les verbes en italique au futur simple.**

Elles *se souvenir* longtemps de leurs vacances au Canada. – Tu *se maintenir* dans les premiers du peloton. – La rivière *charrier* des glaçons. – Tu *rire* de bon cœur. – L'arbre *plier* sous la tempête. – Le pompiste *remplir* les réservoirs. – Il *expédier* un colis. – Le soleil *resplendir*. – Tu n'*envier* pas la richesse. – Tu *mettre* ton anorak. – Tu *planter* des rosiers. – La résine *durcir* en séchant. – Le bûcheron *scier* un énorme tronc. – Tu *essuyer* une tempête. – Tu *abattre* le bouleau. – Tu *gratter* une tache.

■ **469. Même exercice que 468.**

Le soleil *flamboyer* et *boire* la rosée du matin. – Tu *recevoir* des nouvelles de ta famille. – Les portes *claquer*. – Nous *devoir* arriver à l'heure. – Vous *venir* nous voir. – Ils nous *aider* à transporter les colis. – Le chien *courir* après les passants. – L'herbe *verdoyer* au printemps. – Ils *lire* un livre pour se délasser l'esprit. – Les machines *lier* les gerbes. – Les gouttes de pluie *étinceler* au soleil. – Tu *jeter* la balle. – Tu *mettre* un tricot de laine. – Nous *parcourir* le journal.

■ **470. Mettez les verbes en italique à l'imparfait de l'indicatif et au futur simple.**

Tu *mener* ton chien chez le vétérinaire. – Il *semer* des haricots. – Maman *aérer* sa chambre. – Les horloges *égrener* les heures. – Le maître nageur *secourir* le noyé. – Je *parcourir* une longue distance. – Les fleurs *mourir* dans le vase. – Tu *s'appuyer* sur ta canne. – Je *percer* la cloison. – Le prestidigitateur *distraire* l'assistance. – Ils *distancer* leurs camarades. – Je *ficeler* le paquet. – Nous *dételer* la remorque. – Les enfant *feuilleter* un album d'images.

■ **471. Mettez les verbes en italique au futur simple.**

Nous leur *prêter* un parapluie. – Il nous *voir* de temps en temps. – Nous leur *retenir* des places au cinéma. – Mes amis nous *faire* plaisir en venant. – Nos cousins nous *envoyer* des cartes postales. – Nous leur *chanter* une chanson. – Les pêcheurs *ramener* beaucoup de poissons. – Ton père te *payer* des disques. – Tu lui *cueillir* des roses. – Ils nous *recevoir* avec cordialité. – Nous leur *savoir* gré de leur franchise. – Les promeneurs *s'asseoir* au bord de la rivière. – S'il fait beau, nous *aller* à la pêche. – Les cyclistes *continuer* leur route.

MOTS À ÉTUDIER :
1. **un œillet, un pompier, subvenir, longtemps, charrier.**
2. **la richesse, un anorak, le printemps, l'esprit, la cordialité.**
3. **la franchise, le cycliste, le bouleau, apercevoir, accourir.**

Les temps composé du mode indicatif

I. Verbes se conjuguant avec l'auxiliaire *avoir*.

auxiliaire *avoir*

Présent	Imparfait	Passé simple	Futur simple
j' ai	j' avais	j' eus	j' aurai
ns avons	ns avions	ns eûmes	ns aurons
ils ont	ils avaient	ils eurent	ils auront

Passé composé	Plus-que-parfait	Passé antérieur	Futur antérieur
couper			
j' ai coupé	j' avais coupé	j' eus coupé	j' aurai coupé
ns avons coupé	ns avions coupé	ns eûmes coupé	ns aurons coupé
ils ont coupé	ils avaient coupé	ils eurent coupé	ils auront coupé
avoir			
j' ai eu	j' avais eu	j' eus eu	j' aurai eu
ns avons eu	ns avions eu	ns eûmes eu	ns aurons eu
ils ont eu	ils avaient eu	ils eurent eu	ils auront eu
être			
j' ai été	j' avais été	j' eus été	j' aurai été
ns avons été	ns avions été	ns eûmes été	ns aurons été
ils ont été	ils avaient été	ils eurent été	ils auront été

II. Verbes se conjuguant avec l'auxiliaire *être*.

auxiliaire *être*

Présent	Imparfait	Passé simple	Futur simple
je suis	j' étais	je fus	je serai
ns sommes	ns étions	ns fûmes	ns serons
ils sont	ils étaient	ils furent	ils seront

tomber

Passé composé	Plus-que-parfait	Passé antérieur	Futur antérieur
je suis tombé	j' étais tombé	je fus tombé	je serai tombé
ns sommes tombés	ns étions tombés	ns fûmes tombés	ns serons tombés
ils sont tombés	ils étaient tombés	ils furent tombés	ils seront tombés

RÈGLES

– Un **temps composé** est formé de l'**auxiliaire** *avoir* ou *être* et du **participe passé** du verbe conjugué.

Passé composé	Plus-que-parfait	Passé antérieur	Futur antérieur
présent de l'indicatif de l'auxiliaire	**imparfait de l'indicatif** de l'auxiliaire	**passé simple** de l'auxiliaire	**futur simple** de l'auxiliaire
+	**+**	**+**	**+**
participe passé du verbe conjugué	**participe passé** du verbe conjugué	**participe passé** du verbe conjugué	**participe passé** du verbe conjugué

– Le **participe passé employé avec** *avoir* sans complément reste invariable :

> J'ai coup**é**, nous avons coup**é**.
> Ils ont coup**é**, elles ont coup**é**.

– Le **participe passé employé avec** *être* s'accorde **en genre et en nombre** avec le **sujet** du verbe :

> Je suis tomb**é**, nous sommes tomb**és**.
> Ils sont tomb**és**, elles sont tomb**ées**.

	quelques verbes se conjuguant avec *avoir*			verbes se conjuguant avec *être*	
sauter	embellir	rompre	plaindre	tomber	intervenir
chanter	saisir	recevoir	ouvrir	partir	mourir
étudier	sourire	attendre	offrir	repartir	aller
frapper	dormir	éteindre	souffrir	venir	naître
écouter	mettre	teindre	écrire	revenir	arriver
grandir	disparaître	craindre	conduire	parvenir	entrer

EXERCICES

■ **472.** Conjuguez les verbes à la 1ʳᵉ personne du singulier et du pluriel du passé composé.

1. nettoyer le fossé   rendre la monnaie   rompre la glace
   remplir son panier   partir en voyage   aller au marché
2. offrir un cadeau   mettre le couvert   tomber des nues
   prendre froid   conduire la moto   arriver à l'heure
3. éteindre la lampe   écrire une lettre   apprendre l'italien
   recevoir un colis   mourir de peur   entrer brusquement

■ **473.** Conjuguez à la 2ᵉ personne du pluriel les verbes du n° 472 : 1° au passé antérieur ; 2° au plus-que-parfait ; 3° au futur antérieur.

■ **474. Écrivez les verbes à la 1re personne du pluriel des temps composés du mode indicatif.**

1. grelotter	rêver	réussir	2. teindre	offrir	rompre
guetter	bondir	venir	aller	mettre	boire
hésiter	entrer	partir	mourir	craindre	naître

■ **475. Construisez une phrase avec chacun des verbes suivants. Le sujet sera féminin et le verbe au plus-que-parfait de l'indicatif.**

revenir   chanter   tomber   coudre   aller

■ **476. Mettez les verbes en italique aux temps demandés.**

Tu *courir* (pass. comp.) sans t'essouffler. – La foudre *démolir* (pass. comp.) le clocheton de l'église. – Émilie *mettre* (pl.-q.-parf.) une nappe blanche. – Quand nous *battre* (fut. ant.) les cartes, nous les *distribuer* (fut. s.) – Quand j'*travailler* (pl.-q.-parf.), ma grand-mère et surtout maman me faisaient des compliments. (Ch. Péguy.) – Quand nous *éteindre* (pass. ant.) la lampe, nous nous *coucher* (pass. s.). – L'année même où j'*avoir* (pass. comp.) six ans, le docteur Lachevrette se désolait de ne pouvoir s'asseoir à notre table. (T. Derème.) – Quand les chauffeurs *conduire* (pass. ant.) les autobus au garage, ils *revenir* (pass. s.) à leur domicile.

■ **477. Même exercice que 476.**

Quand il *pousser* (pass. ant.) une des grandes portes cochères, il *traverser* (pass. s.) la cour. (Flaubert.) – Lorsque nous *atteindre* (pass. ant.) les plateaux élevés, la mer nous *apparaître* (pass. s.). – Tu *teindre* (pass. comp.) un pantalon usagé. – Quand les feuilles *naître* (fut. ant.), les nids *se bâtir* (fut. s.). – Les eaux mugissantes *rompre* (pass. comp.) les digues. – Il *finir* (pl.-q.-parf.) par préférer rester derrière papa qu'il *suivre* (imparf.) à pas de loup (L. Bourliaguet.) – Les voyageurs *attendre* (pl.-q.-parf.) le train. – Le cavalier *saisir* (pass. comp.) les rênes et *enlever* (pass. comp.) sa monture d'une légère pression des talons.

■ **478. Même exercice que 476.**

Vous *répondre* (pl.-q.-parf.) avec sincérité. – Le ministre *promettre* (pl.-q.-parf.) la construction d'une piscine. – Petit-œuf *essayer* (pl.-q.-parf.) plusieurs fois de se servir d'une ligne, mais il *accrocher* (imp. de l'ind.) son fil aux branches. (L. Bourliaguet.) – Quand nous *gravir* (pass. ant.) la côte, nous nous *reposer* (pass. s.). – C'est bien, tu *savoir* (pass. comp.) ta leçon. (F. Jammes.) – Le jour *tomber* (pass. comp.) et les ombres s'*installer* (prés. de l'ind.). – Quand ils *brosser* (fut. ant.) leurs vêtements, il les *plier* (fut. s.). – Les musiciens *entrer* (pass. comp.) en scène sous les applaudissements du public. – Nous *souffrir* (pass. comp.) du froid. – Il *évoquer* (imp. de l'ind.) le moment où il *falloir* (pl.-q.-parf.) vaincre. (J.H. Rosny.)

MOTS À ÉTUDIER :
1. le voyage, brusquement, apprendre, rompre, un clocheton.
2. une porte cochère, les applaudissements, évoquer, vaincre, un compliment.
3. mugissant, les rênes, la sincérité, la piscine, le public.

La forme pronominale

se couper

Présent de l'indicatif		Passé composé						
je me coupe	ns ns coupons	je	me	suis coupé	ns	ns sommes	coupés
tu te coupes	vs vs coupez	tu	t'	es coupé	vs	vs êtes	coupés
il se coupe	ils se coupent	il	s'	est coupé	ils	se sont	coupés
		elle	s'	est coupée	elles	se sont	coupées

Remarques

1. Un verbe pronominal est un verbe qui se conjugue avec **deux pronoms de la même personne, dont un réfléchi**.

Ex. : **Je me coupe. Nous nous sommes coupés.**

2. Les temps composés d'un verbe pronominal se conjuguent toujours avec l'auxiliaire **être**.

Ex. : **Elle s'était coupée. Nous nous sommes coupés.**

quelques verbes « transitifs » à la voix pronominale			quelques verbes « essentiellement » pronominaux		
se frapper	s'atteler	se poursuivre	se vautrer	s'agenouiller	s'enfuir
s'apitoyer	s'enrichir	se construire	s'évertuer	s'accouder	s'immiscer
se quereller	s'assagir	s'instruire	se fier	s'élancer	s'envoler
se heurter	se salir	s'entendre	s'ingénier	s'extasier	s'ébattre
se risquer	s'assoupir	s'éteindre	se démener	s'insurger	se repentir
se briser	s'apercevoir	se plaindre	se soucier	se lamenter	s'évanouir
se pencher	s'asseoir	se perdre	s'emparer	se cabrer	se tapir
se fatiguer	se battre	se taire	s'écrouler	se moquer	se blottir

EXERCICES

■ **479. Conjuguez les verbes à la 1ʳᵉ personne du singulier du présent et de l'imparfait de l'indicatif.**

s'approcher du sommet   s'étendre sur le sable   se tenir debout
s'apercevoir de son erreur   se protéger du froid   se blottir dans l'ombre

■ **480. Conjuguez les verbes à la 2ᵉ personne du pluriel du passé simple et du futur simple.**

s'asseoir dans l'herbe   se perdre dans la ville   se tenir debout
se fier à son instinct   se salir en bricolant   se couvrir légèrement

■ **481. Conjuguez à la 3ᵉ personne du singulier : 1° du passé composé et du passé antérieur ; 2° du plus-que-parfait et du futur antérieur.**

s'accouder au balcon   se rendre au marché   se plier au règlement
se fatiguer vite   s'évanouir de peur   se divertir gentiment

■ 482. **Construisez une phrase avec chacun des verbes suivants. Le sujet sera féminin et le verbe au passé composé.**

s'asseoir   s'arrêter   s'affoler   s'endormir   se servir

■ 483. **Écrivez les verbes suivants à la 3ᵉ personne du singulier et aux 1ʳᵉ et 3ᵉ personnes du pluriel des temps demandés.**

1° passé composé et passé antérieur :

se pencher   s'avancer   se risquer
s'instruire   s'atteler   s'enorgueillir
s'ébattre   se lamenter   s'évertuer

2° plus-que-parfait et futur antérieur :

s'extasier   se ranger   se moquer
se distraire   s'agenouiller   s'asseoir
se fatiguer   se confier   se blottir

■ 484. **Écrivez les verbes suivants à la 1ʳᵉ personne du singulier et aux 1ʳᵉ et 3ᵉ personnes du pluriel du passé composé.**

attacher   heurter   nourrir   attendre   promettre   plaindre
s'attacher   se heurter   se nourrir   s'attendre   se promettre   se plaindre

■ 485. **Complétez les phrases suivantes avec les pronoms personnels qui conviennent afin que les verbes soient à la voix pronominale.**

La fusée … sépare lentement de sa plate-forme de lancement. – Je … aperçois que sa trajectoire n'est pas du tout conforme au plan de vol. – Nous … tenons devant les écrans de télévision pour assister au départ. – Tu ne … tiens pas pour battu malgré les preuves apportées. – Elle … blessera si elle ne fait pas attention. – Elle … montre trop imprudente en ne … soignant pas. – Vous… apprêtez à sortir de la maison. – Il … était apitoyé sur le sort des bébés phoques. – Les chevaux … étaient cabrés de frayeur.

■ 486. **Recopiez les verbes qui peuvent se construire à la voix pronominale.**

outiller   chanter   vouvoyer
devoir   paraître   nourrir
daigner   soigner   rester
voyager   vexer   habiller

MOTS À ÉTUDIER :
1. s'étendre, le sommet, le quartier, une variété, gentiment.
2. la trajectoire, le lancement, la serre, l'imprudence, s'asseoir.
3. s'extasier, s'affoler, apercevoir, se heurter, s'accouder.

Forme négative

| Je **coupe** la tarte. (forme **affirmative**)
| Je **ne coupe pas** la tarte. (forme **négative**)

Présent de l'indicatif	Futur simple	Passé composé
je **ne** coupe **pas**	je **ne** couperai **pas**	je **n'**ai **pas** coupé
il **ne** coupe **pas**	il **ne** coupera **pas**	il **n'**a **pas** coupé
ns **ne** coupons **pas**	ns **ne** couperons **pas**	ns **n'**avons **pas** coupé
ils **ne** coupent **pas**	ils **ne** couperont **pas**	il **n'**ont **pas** coupé

Remarque

Pour mettre un verbe à la forme négative, on ajoute à la forme affirmative une des négations suivantes : **ne... pas – ne... plus – ne... jamais – ne... point – ne... guère – ne... rien.**

EXERCICES

■ 487. **Conjuguez à la forme négative** (ne... jamais) **les verbes, à la 3ᵉ personne du singulier et du pluriel du présent et de l'imparfait de l'indicatif.**

conduire la nuit   répondre effrontément   déchirer ses livres

■ 488. **Conjuguez à la forme négative** (ne... pas) **les verbes, à la 2ᵉ personne du singulier et du pluriel du passé simple et du futur simple.**

salir ses habits   fournir une attestation   taquiner le chien

■ 489. **Conjuguez à la forme négative et à la 1ʳᵉ personne du pluriel les verbes du n° 488 : 1° au passé composé ; 2° au plus-que-parfait ; 3° au futur antérieur.**

■ 490. **Mettez les verbes en italique aux temps indiqués.**

Je *ne pas informer* (pass. comp.) mes correspondants. – Je *ne pas boire* (fut. s.) de boissons alcoolisées avant de conduire. – Tu *ne pas humilier* (prés. de l'ind.) tes adversaires. – Le violoniste *ne jamais brutaliser* (imp. de l'ind.) son instrument, il en prenait grand soin. – Nous *ne pas savoir* (imp. de l'ind.) quelle route emprunter. – Je *ne jamais sortir* (prés. de l'ind.) sans un parapluie. – Je *ne plus nier* (fut. s.) l'évidence. – Vous *ne pas lire* (pl.-q.-parf.) ce roman.

■ 491. **Donnez aux phrases suivantes la forme négative.**

Émeric et Sandrine partaient en vacances. – Laurent eut envie d'aller à la piscine. – Elle a voulu me faire du mal. – Mon père se lève tôt le dimanche. – Je sortirai après le dîner. – Vous voyez clair. – Ces avions atterrissent ici.

MOTS À ÉTUDIER :
1. **effrontement, taquiner, les habits.**
2. **le correspondant, humilier, l'alcool, les adversaires.**
3. **un instrument, les soins, emprunter, une évidence, atterrir.**

Forme interrogative

Coupes-tu la tarte **?**
Le pâtissier **coupe-t-il** la tarte **?**

Présent de l'indicatif	Futur simple	Passé composé
Coupé-je[1] ?	Couperai-je ?	Ai-je coupé ?
Coupes-tu ?	Couperas-tu ?	As-tu coupé ?
Coupe-t-il ?	Coupera-t-il ?	A-t-il coupé ?
Coupe-t-elle ?	Coupera-t-elle ?	A-t-elle coupé ?
Coupe-t-on ?	Coupera-t-on ?	A-t-on coupé ?
Coupons-nous ?	Couperons-nous ?	Avons-nous coupé ?
Coupez-vous ?	Couperez-vous ?	Avez-vous coupé ?
Coupent-ils ?	Couperont-ils ?	Ont-ils coupé ?
Coupent-elles ?	Couperont-elles ?	Ont-elles coupé ?

1. En souvenir d'une prononciation ancienne, on écrit **coupé-je** bien que l'**é** se prononce [ɛ].

Remarques

1. À la **forme interrogative**, on place le **pronom sujet** après le verbe (ou après l'auxiliaire, dans les temps composés).
On lie le pronom sujet au verbe par un **trait d'union** :
Coupes-tu ? As-tu coupé ?
On peut aussi faire précéder le verbe à la forme affirmative de l'expression **est-ce que...** :
Est-ce que je coupe ? Est-ce que je couperai ?
Par euphonie, on préférera : **Est-ce que j'éteins ?** à **Éteins-je ?**...

2. **Pour éviter la rencontre de deux syllabes muettes**, on met un **accent aigu** sur l'**e** muet terminal de la 1ʳᵉ personne du singulier du présent de l'indicatif des verbes en **e.r** : **Coupé-je ?**
Pour éviter la rencontre de deux voyelles, on place un t euphonique après un **e** ou un **a** à la 3ᵉ personne du singulier :
Coupe-t-il ? Coupera-t-il ? A-t-il coupé ?

3. Lorsque le sujet du verbe est un nom, on répète le pronom équivalent du nom : **Le pâtissier coupe-t-il la tarte ?**

4. Il ne faut pas oublier **le point d'interrogation** à la fin de la phrase interrogative.

EXERCICES

■ 492. Conjuguez à la forme interrogative les verbes en les mettant à la 1ʳᵉ personne du pluriel du présent et de l'imparfait de l'indicatif.

chanter un refrain pétrir la pâte jouer aux échecs

■ 493. Conjuguez à la forme interrogative les verbes en les mettant à la 2ᵉ personne du pluriel du passé simple et du futur simple.

s'atteler au travail balayer la cuisine venir à l'entraînement

■ 494. Conjuguez à la forme interrogative et à la 3ᵉ personne du pluriel les verbes en les mettant : 1° au passé composé ; 2° au passé antérieur ; 3° au plus-que-parfait ; 4° au futur antérieur.

partir en voyage réussir un exploit corriger sa position

■ 495. Conjuguez à la forme interrogative, aux 2ᵉ et 3ᵉ personnes du singulier et à la 3ᵉ personne du pluriel, les verbes aux temps demandés.

Présent de l'ind.	Imparfait de l'ind.	Passé simple	Futur simple
employer	s'allonger	songer	acheter
courir	se déplacer	choisir	venir
cueillir	s'accroupir	recevoir	craindre

■ 496. Conjuguez à la forme interrogative, aux 1ʳᵉ et 3ᵉ personnes du singulier et à la 3ᵉ personne du pluriel, les verbes aux temps demandés.

Passé composé	Passé antérieur	Plus-que-parfait	Futur antérieur
s'ennuyer	croire	entendre	remuer
crier	s'avancer	tenir	se conduire
avouer	faiblir	répondre	se taire

■ 497. Donnez aux phrases suivantes la forme interrogative.

Il s'était attardé en chemin. – Il était utile de reprendre les explications. – J'ai trouvé un parapluie. Il avait été oublié dans le compartiment. – Nous pensons qu'ils viendront prochainement. – Nous nous rendons à l'usine. – Ils écoutaient les instructions de l'ingénieur. – J'ai voulu visiter l'atelier de montage des ordinateurs. – Elles courent à toutes jambes dans le seul but de nous rattraper.

■ 498. Même exercice que 497.

Il força l'allure et arriva très fatigué. – Il rejoindra ses amis avant la fin de la partie. – Nous avons eu des moments biens difficiles. – Les touristes gravissaient la pente abrupte. – La tempête a soufflé toute la nuit. – Le courant électrique avait été coupé avant l'orage. – Je retrouverai mon chemin grâce à ma boussole et à ma carte d'état-major.

MOTS À ÉTUDIER :
1. le refrain, la pâte, les échecs, balayer, un exploit.
2. corriger, employer, s'ennuyer, s'attarder, les explications.
3. le compartiment, une allure, abrupte, la boussole, l'état-major.

Forme interro-négative

▎ **Ne coupes-tu pas** la tarte **? Ne coupe-t-il pas** la tarte **?**

Présent de l'indicatif	Futur simple	Passé composé
Ne coupé-je pas ?	Ne couperai-je pas ?	N'ai-je pas coupé ?
Ne coupe-t-il pas ?	Ne coupera-t-il pas ?	N'a-t-il pas coupé ?
Ne coupons-ns pas ?	Ne couperons-ns pas ?	N'avons-ns pas coupé ?
Ne coupent-ils pas ?	Ne couperont-ils pas ?	N'ont-ils pas coupé ?

Remarque

La **forme interro-négative** est la combinaison de la **forme interrogative** et de la **forme négative**.

Ex. : **Coupes-tu ?**
Tu ne coupes pas. } **Ne coupes-tu pas ?**

EXERCICES

■ **499.** **Conjuguez à la forme interro-négative et à la 3ᵉ personne du singulier et du pluriel les verbes, en les mettant aux temps simples de l'indicatif.**
1. trier les cartes   2. répondre intelligemment   3. choisir un menu

■ **500.** **Même exercice aux temps composés de l'indicatif.**
1. brosser son pantalon   2. sortir l'après-midi   3. se rendre au cinéma

■ **501.** **Conjuguez à la forme interro-négative et aux 3ᵉ personnes du singulier et du pluriel les verbes, en les mettant aux temps demandés.**

Prés. de l'ind.	Imp. de l'ind.	Pass. simpl.	Futur simp.
Pass. comp.	**Plus-que-parf.**	**Pass. ant.**	**Fut. ant.**
mordre	crier	tomber	écrire
négliger	maigrir	frapper	craindre
jouer	mentir	gémir	se blesser

■ **502.** **Donnez aux phrases suivantes la forme interro-négative.**
Tu as apporté ton soutien au comité. – Ils collectionnaient les briquets. – Le pompiste remplira le réservoir. – C'était le début du printemps. – Le peintre vient relever les mesures. – Ce sera amusant de se déguiser. – La police a réglé la circulation. – Je m'avançais doucement.

■ **503.** **Même exercice que 502.**
Tu apprends la musique. – L'employé a relevé le compteur. – C'est toi qui as fait ce dessin. – J'ai compris les instructions du guide. – Le train arriva en retard. – Les plans auront été étalés sur la table. – Ce serait curieux que nous nous rencontrions. – Le mécanicien avoue son impuissance à réparer ce moteur.

MOTS À ÉTUDIER :
1. **le soutien, le comité, collectionner, le briquet, se déguiser.**
2. **la circulation, je m'avançais, doucement, amusant.**
3. **l'impuissance, les instructions, le retard, curieux.**

Révision

■ **504.** **Mettez les verbes en italique à l'imparfait de l'indicatif et au passé simple.**
Je *marcher* droit devant moi. – Je *rougir* de plaisir. – Tu *réussir* à te libérer. –
Tu *entendre* la sirène du bateau. – Tu *courir* à perdre haleine. – Le potier
pétrir la glaise. – Nous *venir* à l'improviste. – Nous *conserver* notre sang-
froid. – Vous *résister* à la chaleur. – Vous *perdre* des points. – Vous *retenir*
votre souffle. – Les spectateurs *siffler*. – Les lions *rugir*. – Les acteurs
apprendre leurs rôles. – Les passants *lire* les affiches. – Nous *dormir* tous dans
le bateau.

■ **505.** **Mettez les verbes en italique au présent et à l'imparfait de l'indicatif.**
Nous *oublier* notre rendez-vous. – Nous *plier* des journaux. – Nous *ouvrir* un
bocal de confitures. – Nous *fouiller* dans nos poches. – Nous *essuyer* les
meubles. – Nous *accompagner* des amis à la gare. – Vous *nettoyer* votre
bicyclette. – Vous *travailler* beaucoup. – Vous *cogner* à la porte. – Vous *trier*
des informations. – Tu *envoyer* un mandat. – Vous *envoyer* une lettre
recommandée à votre client.

■ **506.** **Mettez les verbes en italique au présent et à l'imparfait de l'indicatif, puis
au passé simple.**
Je *commencer* mon stage. – Je *manger* avec appétit. – Je m'*habiller*. – Tu
nager la brasse. – Tu *écorcer* une orange. – Tu *croquer* une tablette de
chocolat. – Le froid *gercer* les lèvres. – Le parachutiste *plonger* dans le
vide. – Nous *lancer* un appel. – Vous *changer* de chemise. – Les jardiniers
élaguer les tilleuls. – Les cascadeurs *risquer* leur vie. – L'ouvreuse *placer* les
spectateurs dans la salle.

■ **507.** **Mettez les verbes en italique au futur simple.**
Nous *lier* conversation avec nos voisins de camping. – Le journaliste *relire* un
article. – Nous *rire* de vos grimaces. – La rivière *charrier* des troncs d'arbres.
– Le malade *guérir*. – Le marbrier *polir* le sol de la salle à manger. – Les
branches *plier* sous la bourrasque. – Vous *écrire* à votre oncle. – Vous *chanter*,
vous ne *crier* pas. – Vous n'*oublier* pas votre sac. – Ils *établir* la facture. – Le
pilote *poser* son appareil en douceur sur la piste.

■ **508.** **Même exercice que 507.**
Les majorettes *agiter* les rubans. – Nous *mettre* de l'ordre dans nos affaires. –
Nous *châtier* nos propos. – Les vagues *engloutir* l'embarcation. – Nous
ralentir le pas. – Les ouvriers *déblayer* la route. – Nous *balayer* la cour. – Les
fils de fer *rouiller* à l'air. – Nous *essayer* un costume neuf. – Nous *employer*
bien notre temps. – Les musiciens *saluer* le public. – Nous *jouer* avec entrain.

Si... – **Le présent du conditionnel**

▌ **Si j'étais plus adroit, je couperais la tarte.**

couper	**étudier**	**bondir**	**tendre**
je couper**ais**	j' étudier**ais**	je bondir**ais**	je tendr**ais**
tu couper**ais**	tu étudier**ais**	tu bondir**ais**	tu tendr**ais**
il couper**ait**	il étudier**ait**	il bondir**ait**	il tendr**ait**
ns couper**ions**	ns étudier**ions**	ns bondir**ions**	ns tendr**ions**
vs couper**iez**	vs étudier**iez**	vs bondir**iez**	vs tendr**iez**
ils couper**aient**	ils étudier**aient**	ils bondir**aient**	ils tendr**aient**

RÈGLE

1. Au **présent du conditionnel**, tous les verbes prennent les mêmes terminaisons : **a.i.s – a.i.s – a.i.t – i.o.n.s – i.e.z – a.i.e.n.t**, toujours précédées de la lettre **r**.

2. Au **présent du conditionnel** comme au futur simple, les verbes du **1ᵉʳ** et du **2ᵉ groupe conservent** généralement l'**infinitif** en entier.

   Ex. : **je couper-ais, j'étudier-ais, je bondir-ais.**

▌ Pour bien écrire un verbe au **présent du conditionnel**, il faut penser à l'**infinitif**, puis à la **personne**.

se déshabiller	certifier	renouer	éblouir	lire	se plaindre
se baigner	parier	trouer	rétablir	écrire	abattre
pincer	prier	échouer	se réjouir	rompre	admettre
précipiter	atténuer	distribuer	blanchir	attendre	disparaître

EXERCICES

■ 509. **Conjuguez les verbes à la 1ʳᵉ personne du singulier et du pluriel du présent du conditionnel.**

1. remercier le public	bâtir un hangar	expédier un colis
noircir ses chaussures	châtier ses paroles	applaudir le chanteur
2. avouer sa faiblesse	distribuer les vivres	interrompre son travail
découdre un ourlet	conclure une affaire	tondre le gazon
3. teindre son vêtement	connaître l'adresse	remettre une lettre

■ 510. **Mettez la terminaison convenable du présent du conditionnel ; écrivez l'infinitif entre parenthèses.**

Je me tapi…	Nous mani…	Ils s'estropi…	Tu abatt…
Je copi…	Nous aplati…	Il déguerpi…	Tu gratt…
Tu vieilli…	Vous faibli…	Ils pli…	Nous émiett…
Tu tri…	Vous oubli…	Ils assoupli…	Nous permett…

■ 511. **Conjuguez les verbes à l'imparfait de l'indicatif et au présent du conditionnel.**

conduire	établir	sourire	attendre	vider	multiplier

Futur ou conditionnel ?

Pour ne pas confondre la **1ʳᵉ personne du singulier du futur simple** avec la même personne du **conditionnel présent**, il faut penser à la personne **correspondante** du pluriel :

je couperai, nous couperons (futur **a.i**).
je couperais, nous couperions (conditionnel **a.i.s**).

Remarque
Avec la conjonction **si**, le **présent** appelle le **futur**, l'**imparfait** appelle le **présent du conditionnel** :

si tu le veux, je lirai, nous lirons (futur **a.i**).
si tu le voulais, je lirais, nous lirions (conditionnel **a.i.s**).

■ **512.** **Écrivez le premier verbe en italique de chaque phrase au présent de l'indicatif et les autres au temps convenable.**

Si tu *appeler*, on te *répondre*. – Si le coureur *accélérer* la course, il *arriver* en tête. – Si nous *étudier* la carte avec soin, nous *retrouver* certainement notre route. – Si vous *partir* à temps, vous *rejoindre* vos amis. – Si les frontières *s'ouvrir*, les peuples *circuler* plus facilement. – J'*espérer* que vous *profiter* de votre séjour. – Il *paraître* que l'hiver *être* très rude. – On *estimer* que le mauvais temps *durer* cinq jours.

■ **513.** **Écrivez le premier verbe en italique de chaque phrase à l'imparfait de l'indicatif et les autres au temps convenable.**

Si je *répondre* bien, je *tirer* une nouvelle question. – Si tu *ouvrir* la fenêtre, tu *aérer* la pièce. – Si Pierre *arriver* en retard, il *perdre* sa place. – Si nous *manier* imprudemment la tronçonneuse, nous *se blesser*. – Si vous *suivre* les conseils du docteur, vous *guérir*. – Si les orages *continuer*, les eaux *couper* les routes. – On *croire* que les pluies *cesser* et que le soleil *favoriser* la pousse des champignons.

■ **514.** **Écrivez les verbes en italique au temps convenable, puis écrivez entre parenthèses ces mêmes verbes à la personne correspondante du pluriel.**

Si le temps se mettait au beau, je *partir* en vacances. – Je *ranger* les outils dans le hangar, s'il y a de la place. – Je *se lever* dès que le réveil sonne. – Je vous *aider* volontiers si je le pouvais. – J'*accourir* immédiatement si vous me dites de venir. – Je *sortir* si j'avais le temps. – J'*allumer* bien le feu, mais il n'y a plus de bois. – Je *chanter* avec plaisir, mais je n'ai pas de voix.

■ **515.** **Sur les modèles précédents, construisez : 1° trois phrases avec un verbe au futur simple ; 2° trois phrases avec un verbe au conditionnel présent.**

MOTS À ÉTUDIER :
1. **bâtir, châtier, le hangar, applaudir, interrompre.**
2. **un ourlet, teindre, connaître, accélérer, certainement.**
3. **facilement, volontiers, imprudemment, la tronçonneuse, les outils.**

Présent du conditionnel

Particularités de quelques verbes

rappeler	jeter	acheter	marteler
je rappellerais	je jetterais	j' achèterais	je martèlerais
ns rappellerions	ns jetterions	ns achèterions	ns martèlerions

employer	courir	mourir	acquérir
j' emploierais	je courrais	je mourrais	j' acquerrais
ns emploierions	ns courrions	ns mourrions	ns acquerrions

Verbes *être* et *avoir* et verbes irréguliers importants

être	avoir	faire	aller
je serais	j' aurais	je ferais	j' irais
ns serions	ns aurions	ns ferions	ns irions

cueillir	recevoir	asseoir	
je cueillerais	je recevrais	j' assiérais	j' assoirais
ns cueillerions	ns recevrions	ns assiérions	ns assoirions

envoyer	voir	pouvoir	savoir
j' enverrais	je verrais	je pourrais	je saurais
ns enverrions	ns verrions	ns pourrions	ns saurions

tenir	venir	devoir	vouloir
je tiendrais	je viendrais	je devrais	je voudrais
ns tiendrions	ns viendrions	ns devrions	ns voudrions

Remarque

Les **particularités** et les **irrégularités** constatées au **futur** simple **se retrouvent**, compte tenu des terminaisons, **au présent** du conditionnel. (Voir leçons n° 24 et n° 25.)

EXERCICES

■ **516. Conjuguez les verbes à la 2ᵉ personne du singulier et du pluriel du présent du conditionnel.**

1. essuyer l'assiette   mourir de peur   côtoyer le ruisseau
   reproduire un dessin   courir vite   accueillir un ami
2. empaqueter du riz   recevoir un colis   aller à la fontaine
   acheter du beurre   savoir sa leçon   morceler un champ
3. faire la soupe   revenir du marché   être patient
   envoyer un bouquet   retenir son souffle   tenir un long discours

■ 517. Mettez les terminaisons du présent du conditionnel.

Je croi…	Vous condui…	Nous acquer…	Ils proj…
Je nettoi…	Vous essui…	Vous conquer…	Elles achèt…
Tu construi…	Il avanc…	Vous attel…	Je cueill…
Tu appui…	Elle plac…	Vous nivel…	Je cour…

■ 518. Écrivez à la forme interrogative, à la 2ᵉ personne du singulier et aux 2ᵉ et 3ᵉ personnes du pluriel les verbes, en les mettant au présent du conditionnel.

s'apitoyer	croire	essuyer	vouloir	s'asseoir	défaire
envoyer	traduire	se souvenir	pouvoir	devoir	recueillir

■ 519. Écrivez les verbes à la 1ʳᵉ personne du singulier et du pluriel de l'imparfait de l'indicatif et du présent du conditionnel.

courir	secourir	concourir	acquérir	discourir	soutenir
parcourir	secouer	nourrir	conquérir	obtenir	parvenir

■ 520. Écrivez les verbes à la 1ʳᵉ personne du singulier du présent et de l'imparfait de l'indicatif, du passé simple et du présent du conditionnel.

employer	enduire	essuyer	atteler	acheter	envoyer
nettoyer	traduire	appuyer	peler	projeter	voir

■ 521. Écrivez les verbes en italique à l'imparfait de l'indicatif et au présent du conditionnel.

Je *se nourrir* de fruits que je *cueillir* moi-même. – Tu *essuyer* le meuble. – Le chien perdu *apitoyer* les passants. – On *obtenir* un bon résultat. – Le magasinier *ficeler* les colis, il les *étiqueter* et les *envoyer* au dépôt. – Nous *avancer* avec prudence. – Vous *venir* nous voir. – Les voyageurs *monter* dans le T.G.V., ils *chercher* leurs places et *s'asseoir*. – Nous *enduire* les murs de chaux.

■ 522. Mettez les verbes en italique au présent du conditionnel.

Laurent m'avait promis qu'il ne m'*oublier* pas et qu'il m'*envoyer* une carte postale de son lieu de vacances. – En gagnant dimanche prochain, nos deux équipes *aller* en finale. – Si nous vivions en pavillon, nous *prendre* un chien. – En soufflant, la tramontane *chasser* ces gros nuages. – On avait dit qu'on *construire* des voies rapides pour améliorer la circulation. – En supprimant le chauffage de nuit, vous *économiser* du combustible.

■ 523. Écrivez les verbes en italique au temps convenable.

Ma mère disait qu'elle *lire* quand elle aurait fini son travail. – Je pensais que vous *accepter* mon offre. – Si l'on me demande mon avis, je le *donner*. – Nous *prendre* des vacances si nous avions le temps. – Je *pouvoir* réussir, si je m'entraînais plus. – Nous *s'asseoir* au bord de la rivière, s'il fait beau.

MOTS À ÉTUDIER :
1. le riz, essuyer, le beurre, le bouquet, le champ.
2. apitoyer, le magasinier, la chaux, un discours.
3. la tramontane, la circulation, étiqueter, le dépôt, une offre.

Les temps composés du mode conditionnel

▌ Si j'avais été plus adroit, **j'aurais coupé** la tarte.

Conditionnel passé 1re forme				Conditionnel passé 2e forme			
couper		**tomber**		**couper**		**tomber**	
j' **aurais** coupé		je **serais** tombé		j' **eusse** coupé		je **fusse** tombé	
tu **aurais** coupé		tu **serais** tombé		tu **eusses** coupé		tu **fusses** tombé	
il **aurait** coupé		il **serait** tombé		il **eût** coupé		il **fût** tombé	
ns **aurions** coupé		ns **serions** tombés		ns **eussions** coupé		ns **fussions** tombés	
vs **auriez** coupé		vs **seriez** tombés		vs **eussiez** coupé		vs **fussiez** tombés	
ils **auraient** coupé		ils **seraient** tombés		ils **eussent** coupé		ils **fussent** tombés	
avoir		**être**		**avoir**		**être**	
j' **aurais** eu		j' **aurais** été		j' **eusse** eu		j' **eusse** été	
ns **aurions** eu		ns **aurions** été		ns **eussions** eu		ns **eussions** été	

RÈGLE

Le conditionnel passé 1re forme est formé du **présent du conditionnel** de l'auxiliaire **avoir** ou **être** et du **participe passé du verbe** conjugué :
    j'aurais coupé ; je serais tombé.

Le conditionnel passé 2e forme est en **eusse** avec l'auxiliaire **avoir,** en **fusse** avec l'auxiliaire **être** :
    j'eusse coupé ; je fusse tombé.

quelques verbes se conjuguant avec :

avoir			être		
redouter	salir	plaindre	venir	s'entendre	s'emparer
balbutier	recevoir	mettre	partir	se plaindre	se repentir
employer	entendre	ouvrir	arriver	se battre	s'apercevoir

EXERCICES

▪ **524. Conjuguez à la 3e personne du singulier et du pluriel les verbes, en les mettant : 1° au conditionnel passé 1re forme ; 2° au conditionnel passé 2e forme.**

enfoncer un clou   apercevoir la fusée   finir un film
se blesser au doigt   devenir pâle   avancer le réveil

▪ **525. Mettez le premier verbe de chaque phrase au plus-que-parfait de l'indicatif et les autres au temps convenable.**

Si tu ne *attendre* pas, je ne *trouver* pas mon chemin facilement. – S'il *prendre* l'ascenseur, il *arriver* avant nous. – Si le dépanneur *venir*, il *réparer* la voiture. – Si nous *partir* à temps, nous *avoir* le train. – Si vous *programmer* correctement, vous *avoir* des renseignements exacts.

eut – eût   fut – fût

Pour ne pas confondre la **3ᵉ personne du singulier du passé antérieur**, qui **ne prend pas d'accent,** avec la même personne du **passé 2ᵉ forme du conditionnel**, qui **prend un accent circonflexe**, il faut **penser à la personne correspondante** du pluriel :

il eut coupé ; ils eurent coupé
il fut tombé ; ils furent tombés   } Passé antérieur : pas d'accent.

il eût coupé ; ils eussent coupé
il fût tombé ; ils fussent tombés   } Conditionnel passé 2ᵉ forme : **eût** et **fût** accentués.

EXERCICES

■ **526. Écrivez les verbes à la 3ᵉ personne du singulier et du pluriel du passé antérieur et du conditionnel passé 2ᵉ forme.**
étudier   éternuer   attendre   partir   aller   se blesser
bondir   grossir   ouvrir   venir   avoir   se défaire

■ **527. Remplacez les points par** *eut* **ou** *eût,* *fut* **ou** *fût,* **puis mettez chaque phrase au pluriel.**
Quand il … fini son travail, l'ouvrier rangea ses outils. – La locomotive du petit train crachait des flots de fumée comme si elle … voulu s'égaler aux puissantes machines. – Il se … couvert de gloire s'il avait gagné. – Quand le malade … guéri, il … le droit de sortir.

■ **528. Remplacez les points par** *eut* **ou** *eût,* *fut* **ou** *fût.*
Le chirurgien … bien de la peine à arrêter l'hémorragie. – La neige tombait si légère, qu'on … dit un duvet d'oiseau. – Le représentant se … contenté d'un menu à cinquante francs. – Mon père … préféré que mon frère apprît l'anglais plutôt que l'allemand. – Quand le commerçant … vendu ses marchandises, il porta immédiatement l'argent à la banque. – Quand le match … terminé, les joueurs regagnèrent les vestiaires. – Il se … bien conduit, s'il avait été bien conseillé. – Le pêcheur … rapporté du poisson, s'il avait bien amorcé. – Il l'… attrapé, s'il l'… voulu. – S'il se … trouvé devant le chasseur, le chevreuil … détalé.

■ **529. Sur les modèles précédents, construisez : 1° trois phrases avec un verbe au passé antérieur ; 2° trois phrases avec un verbe au conditionnel passé 2ᵉ forme.**

MOTS À ÉTUDIER :
1. se défaire, allemand, le duvet, la fumée, les outils.
2. le flot, la gloire, le chirurgien, la peine, la neige.
3. le représentant, le chevreuil, immédiatement, conseiller, cinquante.

Présent de l'impératif

> **Coupe** cette tarte avec ton couteau.
> **Étudie** la carte. **Finis** tes soins. **Coupe-toi** du pain.

couper	étudier	cueillir	savoir	se couper
coupe	étudie	cueille	sache	coupe-toi
coupons	étudions	cueillons	sachons	coupons-nous
coupez	étudiez	cueillez	sachez	coupez-vous

finir	courir	venir	répondre	se rendre
finis	cours	viens	réponds	rends-toi
finissons	courons	venons	répondons	rendons-nous
finissez	courez	venez	répondez	rendez-vous

avoir
aie – ayons – ayez

Impératif passé du verbe couper
aie coupé – ayons coupé – ayez coupé

être
sois – soyons – soyez

Impératif passé du verbe venir
sois venu – soyons venus – soyez venus

RÈGLES

L'impératif sert à exprimer un ordre, une prière, un conseil. Il ne se conjugue qu'à trois personnes, sans sujets exprimés. Le singulier du présent de l'impératif est en **e** ou en **s**.

1. Il est en **e** pour les verbes du **1ᵉʳ groupe** et pour les autres verbes dont la terminaison est **muette** à l'impératif singulier (verbes de la catégorie de **cueillir** et **savoir**) :

> **coupe** (couper, 1ᵉʳ groupe) | cueill**e**, ouvr**e**, sach**e** :
> **étudie** (étudier, 1ᵉʳ groupe) | terminaison muette.

2. Il est en **s** pour les autres verbes : fini**s**, cour**s**, vien**s**, répond**s**.
Exceptions : aller : **va** ; avoir : **aie.**

Remarque :
par **euphonie**, on écrit : coupe**s**-en, va**s**-y ; retourne**s**-y ; etc.

ranger	essuyer	courir	prendre	recueillir	se blottir
rincer	avouer	servir	dire	offrir	s'excuser
épeler	oublier	tenir	faire	souffrir	se plaindre

EXERCICES

■ **530. Conjuguez les verbes au présent de l'impératif.**

1. dételer le poney
2. savoir se défendre
3. s'habiller avec goût

accueillir son ami
avoir confiance
saisir l'occasion

aller au cinéma
fendre du bois
éteindre la lampe

■ 531. Conjuguez les verbes à la forme négative du présent de l'impératif.

gêner les joueurs   salir le mouchoir   tuer le papillon
manquer le car   oublier le rendez-vous   jouer brutalement

■ 532. Conjuguez les verbes à la forme négative du présent de l'impératif.

se salir   se précipiter   se balancer   se moquer   s'inquiéter   se piquer

■ 533. Mettez les verbes en italique à la personne du singulier du présent de l'impératif ; le premier verbe sera mis à la forme négative.

hésiter, acheter ce livre   *bondir, rester* calme
flâner, finir les courses   *se troubler, répondre* posément
boire, attendre un peu   *écrire, réfléchir* quelques minutes
se découvrir, garder ton manteau   *nier, dire* la vérité
punir, pardonner à ce petit   *remuer, rester* immobile

■ 534. Sur le modèle ci-dessous (deux verbes), adressez-vous :

à un épicier – à une infirmière – à un cuisinier – à un facteur.

Donnez-moi ces fleurs s'il vous plaît et faites-moi un joli bouquet.

■ 535. Mettez les verbes en italique au présent de l'impératif.

Allonger le pas, si tu veux arriver à la maison avant la nuit. – Ne se *décourager* pas, *poursuivre* tes efforts, tu réussiras. – Ne *chercher* pas d'excuses, nous n'aurions jamais dû agir ainsi. – *Découper*-toi une part de tarte et *manger*-la de bon appétit. – *Écouter* les conseils des personnes expérimentées, ils vous profiteront. – *Être* propres, si vous voulez être estimés. – *Savoir* t'excuser quand tu fais une sottise. – *S'appliquer,* si tu veux faire des progrès.

■ 536. Transformez les phrases suivantes pour obtenir le présent de l'impératif.

Tu écoutes ce disque.   Nous ne fumons pas.
Vous prenez ce train.   Tu cours vite.
Nous vivons dangereusement.   Tu te baignes.
Tu ne te salis pas.   Tu es bon avec tes amis.
Nous sommes à l'heure.   Vous essayez une chemise.
Tu conduis prudemment.   Nous donnons l'alarme.
Vous téléphonez à vos amis.   Tu examines le projet.
Nous avons du courage.   Tu as de la patience.

MOTS À ÉTUDIER :
1. le poney, la confiance, l'occasion, le goût, éteindre.
2. gêner, un rendez-vous, brutalement, hésiter, flâner.
3. prudemment, le projet, une sottise, posément, se décourager.

Présent de l'impératif
et présent de l'indicatif interrogatif

Coupe un morceau de pain.
Coupe-toi un morceau de pain.
Coupes-tu un morceau de pain **?**
Te coupes-tu un morceau de pain **?**

Dans les verbes en **e**, il ne faut pas confondre le **présent de l'impératif**, qui n'a pas de sujet exprimé, avec le **présent de l'indicatif interrogatif** qui a un sujet.
Dans **coupe-toi**, **toi** est un **pronom complément**.

EXERCICES

■ **537. Écrivez les verbes au singulier du présent de l'impératif et à la 2ᵉ personne du singulier du présent de l'indicatif interrogatif.**

ranger	frapper	avouer	offrir	aller	accueillir
se cacher	se tourner	se laver	se blesser	appeler	se jeter

■ **538. Écrivez les verbes à la forme négative du présent de l'impératif et à la 2ᵉ personne du singulier du présent de l'indicatif interrogatif.**

s'arrêter   s'allonger   s'éloigner   se baigner   se tromper   se baisser

■ **539. Mettez la terminaison convenable du présent de l'impératif ou du présent de l'indicatif interrogatif.**

Va… à la gare chercher tes parents, dépêch…-toi, le train arrive dans quelques minutes. Y va…-tu ? – Amus…-toi, mon ami ; profit… du beau soleil. – Prêt…-moi ton nouveau disque. – Aiguis…-tu ta scie ? – Te moqu…-tu ? – Ne te moqu… pas. – Envoi… un colis à tes cousins. – Mont…-tu dans le wagon de tête ? – Rappell…-toi nos dernières vacances. – Te rappell…-tu des bons moments que nous avons passés ensemble ?

■ **540. Accordez les verbes en italique. Il peut y avoir plusieurs possibilités.**

Arroser-tu la pelouse ? – Ne *s'arrêter* pas au milieu du carrefour. – *Aider*-toi, le ciel t'aidera. – Pourquoi *se tourmenter*-tu ? – Ne *se tourmenter* plus. – *Abriter*-toi sous le parapluie. – Ne *s'obstiner* plus, *obéir*. – *Cultiver* ton jardin. – *Caresser*-tu ton chien ? – *Mâcher*-tu les aliments avant de les avaler ? – *Mâcher*-les bien. – *Exercer*-toi au maniement du rabot. – *Pencher*-toi sur ce problème avec attention.

■ **541. Construisez : 1° trois phrases avec un verbe au présent de l'impératif ; 2° trois phrases avec un verbe au présent de l'indicatif interrogatif.**

MOTS À ÉTUDIER :
1. **accueillir, s'arrêter, le soleil, la scie, le moment, aiguiser.**
2. **le wagon, s'éloigner, mâcher, attention, s'exercer.**
3. **le maniement, le rabot, le carrefour, se tourmenter, s'obstiner.**

Il faut, je souhaite, je doute – **Présent du subjonctif**

▌ Il faut **que nous coupions** la tarte.

couper	étudier	finir	entendre
que je coupe	que j' étudie	que je finisse	que j' entende
que tu coupes	que tu étudies	que tu finisses	que tu entendes
qu'il coupe	qu'il étudie	qu'il finisse	qu'il entende
que ns coupions	que ns étudiions	que ns finissions	que ns entendions
que vs coupiez	que vs étudiiez	que vs finissiez	que vs entendiez
qu'ils coupent	qu'ils étudient	qu'ils finissent	qu'ils entendent

aller	cueillir	courir	s'asseoir
que j' aille	que je cueille	que je coure	que je m'asseye
que ns allions	que ns cueillions	que ns courions	que n. n. asseyions

avoir		être	
que j' aie	que ns ayons	que je sois	que ns soyons
que tu aies	que vs ayez	que tu sois	que vs soyez
qu'il ait	qu'ils aient	qu'il soit	qu'ils soient

RÈGLE

Le subjonctif exprime une action voulue, désirée ou douteuse.

Il faut   **que nous coupions la tarte.**
Proposition principale :   Proposition subordonnée :
présent de l'indicatif.   présent du subjonctif.

Les personnes du subjonctif sont toujours précédées de la conjonction de subordination **que**.

Au présent du subjonctif, tous les verbes prennent les mêmes terminaisons : **e – e.s – e – i.o.n.s – i.e.z – e.n.t**

que je coup**e**, que je finiss**e**, que je cour**e**.
Exceptions : **avoir** et **être**.

placer	jeter	trier	travailler	obéir	joindre
gagner	acheter	payer	accueillir	perdre	coudre

EXERCICES

▌ 542. **Conjuguez les verbes à la 3ᵉ personne du singulier et du pluriel du présent du subjonctif.**

éteindre la lampe   faire son travail   avoir l'espoir
nettoyer sa moto   aller au théâtre   prendre le thé

▌ 543. **Mettez les verbes en italique au présent du subjonctif.**

Je désire que tu *écrire* à tes amis. – Il est tard, il faut que nous *dormir*. – Il est temps que nous *prendre* la route. – Afin que vous *pouvoir* nous voir, venez tôt. – Notre entraîneur veut que nous *être* ponctuels. – Nous souhaitons qu'il *réussir*.

Présent de l'indicatif ou présent du subjonctif ?

Pour ne pas confondre le **présent de l'indicatif** avec le **présent du subjonctif**, il faut penser à la **1ʳᵉ personne du pluriel** ou **remplacer** le verbe employé par un autre verbe comme **prendre, venir, aller**.

Il faut **que je   coure.**
Il faut **que nous courions.**   }   Subjonctif présent :
Il faut **que j'   aille.**   **je coure**

Reste ici pendant **que je cours**   à la gare. }   Indicatif
Reste ici pendant **que nous courons**   à la gare. }   présent :
Reste ici pendant **que je vais**   à la gare. }   **je cours**

EXERCICES

■ **544. Conjuguez les verbes aux 2ᵉ et 3ᵉ personnes du singulier et à la 1ʳᵉ personne du pluriel du présent de l'indicatif et du présent du subjonctif.**

1. lire	mettre	conduire	2. teindre	croire	mentir
suivre	battre	prendre	avoir	voir	plier
salir	joindre	fuir	rire	boire	naître

■ **545. Mettez les verbes en italique au temps convenable.**

Le livre que je *parcourir* me paraît intéressant. – Il faut que je *parcourir* une longue distance pour aller à la ville. – Les heures que nous *gaspiller* sont perdues. – Il ne faut pas que nous *gaspiller* le pain. – Le chalutier que nous *voir* sortir du port breton part pour Terre-Neuve. – Je tiens à ce que vous *revoir* votre position. – Laissez la fenêtre ouverte pendant que vous *essuyer* les meubles. – Je désire que vous *essuyer* ces bibelots avec le plus grand soin.

■ **546. Même exercice que 545.**

Quoiqu'il y *avoir* de la neige, il ne fait pas froid. – Je fais sonner les pièces que j'*avoir* dans ma poche. – Il faut que j'*avoir* beaucoup de patience avec eux. – J'espère que vous *être* toujours aussi gai. – Je tiens à ce que vous *avoir* une réponse. – La nuit tombe, je crois qu'il *être* temps de rentrer. – Il importe que les secouristes *avoir* du courage. – Pour que les vacanciers *être* bronzés, il faut que l'été *être* beau. – Pour que les arbres *avoir* de beaux fruits, il faut qu'ils *être* taillés.

■ **547. Construisez : 1° trois phrases avec un verbe au présent de l'indicatif ; 2° trois phrases avec un verbe au présent du subjonctif.**

MOTS À ÉTUDIER :
1. le théâtre, le thé, l'espoir, tôt, l'entraîneur.
2. ponctuel, un secouriste, intéressant, teindre, naître.
3. gaspiller, les bibelots, la patience, bronzé, la position.

Il fallait, je souhaitais, je doutais – **Imparfait du subjonctif**

▌ Il fallait **que je coupasse** cette tarte.

couper	finir	lire	tenir

Passé simple

	couper		finir		lire		tenir
je	coupai	je	finis	je	lus	je	tins
il	coupa	il	finit	il	lut	il	tint

Imparfait du subjonctif

	couper		finir		lire		tenir
q. je	coupasse	q. je	finisse	q. je	lusse	q. je	tinsse
q. tu	coupasses	q. tu	finisses	q. tu	lusses	q. tu	tinsses
qu'il	coupât	qu'il	finît	qu'il	lût	qu'il	tînt
q. ns	coupassions	q. ns	finissions	q. ns	lussions	q. ns	tinssions
q. vs	coupassiez	q. vs	finissiez	q. vs	lussiez	q. vs	tinssiez
qu'ils	coupassent	qu'ils	finissent	qu'ils	lussent	qu'ils	tinssent

RÈGLE

L'imparfait du subjonctif dérive du passé simple. Si le verbe de la principale est à l'imparfait, à un passé ou au conditionnel, le verbe de la subordonnée se met à l'imparfait du subjonctif :

il fallait, il faudrait – que je coupasse.

jeter	grossir	mordre	courir	vouloir	retenir
gercer	salir	conduire	mourir	croire	venir
songer	gravir	craindre	paraître	boire	revenir

EXERCICES

■ **548.** **Conjuguez les verbes à la 1ʳᵉ personne du singulier et du pluriel du passé simple et de l'imparfait du subjonctif.**
1. hésiter à partir   éteindre la lanterne   nager sur le dos
2. polir la pierre   boire un jus d'orange   connaître la route

■ **549.** **Mettez les verbes en italique à l'imparfait du subjonctif.**
Je souhaiterais qu'il *tenir* ses promesses. – Les ouvriers voulaient que le patron leur *accorder* une augmentation. – Les spectateurs regrettaient que le chanteur *ne pas continuer* son spectacle. – Il était nécessaire que le train *partir* à l'heure. – Nous insistions pour qu'il *venir* à la fête. – J'aurais désiré qu'il *savoir* son rôle.

■ **550.** **Même exercice que 549.**
Le supporter encourageait le coureur pour qu'il *gravir* la côte. – Je lui donnai un mot pour qu'il *prévenir* son père. – Il aurait fallu qu'il *reconnaître* ses erreurs. – Le client attendait qu'on *ouvrir* la porte de la banque. – Monsieur Devaux voulait qu'on le *servir* plus rapidement. – Je désirais que vous *chanter*. – Il était temps que ces enfants *apprendre* à lire. – Je voulais qu'ils *rapporter* ce livre.

Passé simple ou imparfait du subjonctif ?

Pour ne pas confondre la **3ᵉ personne du singulier du passé simple** avec la même personne de l'**imparfait du subjonctif** qui prend **un accent circonflexe, il faut penser à la personne correspondante du pluriel**.

Il fallait qu'il étudi**ât** sa partition.
Il fallait qu'ils étudi**assent** leur partition.
La partition qu'il étudi**a** était facile.
La partition qu'ils étudi**èrent** était facile.

} Subjonctif imparfait : **étudiât**
} Passé simple : **étudia**

EXERCICES

■ **551. Mettez les verbes aux 2ᵉ et 3ᵉ personnes du singulier et à la 3ᵉ personne du pluriel du passé simple et de l'imparfait du subjonctif.**

1. devancer — désherber — s'allonger — sortir — peindre — valoir
2. soutenir — vieillir — attendre — percer — tendre — croire
3. recevoir — paraître — prévenir — offrir — ranger — agir

■ **552. Mettez les verbes en italique au temps convenable (passé simple ou imparfait du subjonctif).**

Bien qu'il *paraître* fatigué, le promeneur continuait sa route. – L'apprenti maniait si mal son outil qu'il *se blesser*. – J'étais très étonné qu'elle *jouer* si bien du violoncelle. – Dès qu'il *avoir* un peu de temps, il *être* content de bêcher son jardin. – Il ne désirait qu'une chose, qu'on l'*écouter*. – Il attendait que son voisin le *prévenir* du danger qui le menaçait. – Je désirais qu'il vous *lire* à haute voix le message. – Le lièvre se lança à la poursuite de la tortue qu'il ne *parvenir* pas à rattraper.

■ **553. Même exercice que 552.**

J'aurais désiré que mon ami *venir* me voir. – Il acheta des présents qu'il *distribuer* à ses amis. – Bien que sa voiture *être* la plus rapide, le pilote eut de la peine à gagner le Grand Prix. – Le vieillard resta dans le jardin jusqu'à ce qu'il *sentir* la fraîcheur. – Il tira si fort sur la corde qu'elle *casser*. – Il *cueillir* des fleurs qu'il *offrir* à sa mère. – Bien que le soleil *briller*, le vent resta froid. – Il fallut qu'il *s'arrêter* pour reprendre haleine.

■ **554. Construisez : 1° trois phrases avec un verbe au passé simple ; 2° trois phrases avec un verbe à l'imparfait du subjonctif.**

MOTS À ÉTUDIER :
1. hésiter, le promeneur, l'apprenti, l'outil.
2. bêcher, le violoncelle, le vieillard, des présents, la fraîcheur.
3. le supporter, l'haleine, paraître, désherber, étonné.

Les temps composés du mode subjonctif

| Il **faut** que j'**aie** coupé… | Il **faut** que je **sois** tombé… |
| Il **fallait** que j'**eusse** coupé… | Il **fallait** que je **fusse** tombé… |

auxiliaire *avoir*

Présent	**Imparfait**
que j' **aie**	que j' **eusse**
que nous **ayons**	que nous **eussions**

couper

Passé	**Plus-que-parfait**
que j' **aie coupé**	que j' **eusse coupé**
que nous **ayons coupé**	que nous **eussions coupé**

auxiliaire *être*

Présent	**Imparfait**
que je **sois**	que je **fusse**
que nous **soyons**	que nous **fussions**

tomber

Passé	**Plus-que-parfait**
que je **sois tombé**	que je **fusse tombé**
que nous **soyons tombés**	que nous **fussions tombés**

RÈGLES

Le **passé du subjonctif** est formé du **présent du subjonctif** de l'auxiliaire **avoir** ou **être** et du **participe passé** du verbe conjugué : que j'**aie coupé**, que je **sois tombé**.

Le **plus-que-parfait du subjonctif** est formé de l'**imparfait du subjonctif** de l'auxiliaire **avoir** ou **être** et du **participe passé** du verbe conjugué : que j'**eusse coupé**, que je **fusse tombé**.

| hésiter | perdre | mettre | arriver | partir | naître |
| gravir | voir | écrire | entrer | venir | aller |

EXERCICES

555. Conjuguez les verbes à la 2e personne du singulier et du pluriel du passé du subjonctif.

peser des fruits	rendre la monnaie	partir à l'heure
laver le linge	se lever tôt	arriver à temps
rincer des verres	se mettre à table	rentrer sa voiture

556. Conjuguez les verbes de l'exercice précédent à la 3e personne du singulier et du pluriel du plus-que-parfait du subjonctif.

557. Mettez les verbes aux 1re et 3e personnes du singulier du passé du subjonctif.

oser	sculpter	se plaindre	hésiter	battre	lire
finir	revenir	se couvrir	réussir	prendre	rire

558. Mettez les verbes à la 3e personne du singulier et à la 3e personne du pluriel du plus-que-parfait du subjonctif.

humecter	arriver	se perdre	sortir	peindre	naître
observer	faiblir	se cacher	venir	vouloir	mettre

559. Mettez les verbes en italique au passé du subjonctif.

Il faut qu'ils *courir* bien fort pour être ainsi essoufflés. – Je désire qu'il *terminer* son travail avant la nuit. – Il faut que je *arriver* au refuge avant la nuit. – Je crains qu'il n'*recevoir* pas ma lettre. – Nous souhaitons qu'ils *réussir*. – Il vaut mieux que tu *partir*. – Bien que tu *prendre* un cachet d'aspirine, tu as toujours mal à la tête. – L'épicier attend que j'*finir* mes achats pour fermer son magasin. – Pensez-vous qu'ils *arrêter* par ces difficultés ?

560. Mettez les verbes en italique au plus-que-parfait du subjonctif.

Il fallait que tu *flâner* pour arriver si tard. – Il fallait que j'*faire* un exploit pour être félicité. – Tu craignais qu'il ne *tomber* sur le pavé glissant. – J'attendais que tu *ranger* tes outils. – Il fallait que les meubles *livrer* avant la fin de la semaine. – Il travailla jusqu'à ce qu'il *atteindre* son but. – Avant qu'il *ouvrir* la bouche on le pria de se taire. – Puisqu'ils sont fâchés, il eût été préférable qu'ils ne *se rencontrer* pas.

561. Mettez les verbes en italique au temps convenable (passé ou plus-que-parfait du subjonctif).

Pourquoi voulez-vous qu'il lui *arriver* un accident ? – Les gens se bousculaient autour de lui sans qu'il *bouger* d'un pouce. – Je veux que tu *finir* ton travail avant le dîner. – Il valait mieux qu'il *revenir* sur ses pas. – Je doute qu'il *réussir* à se libérer. – Bien qu'ils *hâter* le pas, ils arrivent en retard. – Avant qu'il *recevoir* la réponse, il fit sa valise et partit.

Mode indicatif ou subjonctif ?

Pour ne pas confondre :

1. la **1ʳᵉ personne du singulier du passé composé** avec la **1ʳᵉ personne du singulier du passé du subjonctif** ;

2. la **3ᵉ personne du singulier du passé antérieur** avec la **3ᵉ personne du singulier du plus-que-parfait du subjonctif** qui prend un accent circonflexe,

il faut penser à la personne **correspondante** du pluriel.

Le fruit que j'**ai** cueilli est mûr.
Le fruit que nous **avons** cueilli est mûr. } Passé composé : j'**ai** cueilli

Il faut que j'**aie** cueilli ce fruit…
Il faut que nous **ayons** cueilli ce fruit… } Passé du subjonctif : que j'**aie** cueilli

Quand il **eut** taillé la vigne…
Quand ils **eurent** taillé la vigne… } Passé antérieur : il **eut** taillé

Bien qu'il **eût** taillé la vigne…
Bien qu'ils **eussent** taillé la vigne… } Pl.-que-parf. du subj. : qu'il **eût** taillé

EXERCICES

■ **562.** Écrivez les verbes à la 1ʳᵉ personne du singulier et du pluriel du passé composé et du passé du subjonctif.

oublier　　　salir　　　prendre　　　partir　　　tomber　　　faiblir

■ **563.** Écrivez à la 3ᵉ personne du singulier et du pluriel du passé antérieur et du plus-que-parfait du subjonctif.

1. perdre　　bâtir　　atteindre　　arriver　　retenir　　retomber
2. cacher　　finir　　attendre　　naître　　revenir　　repartir

■ **564.** Mettez les verbes en italique au temps convenable (passé composé ou passé du subjonctif).

Le pays que j'*visiter* m'a enchanté. – Si je veux m'offrir ce voyage, il faut que je *gagner* beaucoup d'argent. – Le paysage que j'*peindre* est très réaliste. – Les partenaires sont heureux parce que j'*gagner* cette partie. – Le touriste que j'*rencontrer* m'a demandé son chemin. – Tu crains que je n'*fermer* pas la porte à clé. – Le train que j'*prendre* est arrivé en retard. – Bien que j'*tailler* les arbres, ils donnent peu de fruits.

■ **565.** Mettez les verbes en italique au temps convenable (passé antérieur ou plus-que-parfait du subjonctif).

Bien qu'il *visiter* beaucoup de pays, il ne parla jamais anglais. – J'attendais qu'il *choisir* pour choisir à mon tour. – Aussitôt qu'il *décharger* son camion, le routier prit la direction de Paris. – Dès qu'il *paraître*, le soleil embrasa le ciel. – Je redoutais qu'il *aller* au bord de la rivière. – Soit qu'il *partir* en retard, soit qu'il *musarder,* il manqua l'autobus. – Sitôt qu'il *arriver*, on se mit à table. – Il eût été souhaitable qu'il *se présenter* avec ses parents pour obtenir cet emploi.

■ **566. Même exercice que 565.**

Dès qu'il *boire*, le coureur repartit. – Aussitôt qu'il *se remettre* sur ses pattes, l'ours grogna. – Dès qu'il *chanter*, les applaudissements retentirent. – Bien qu'il *chanter* avec passion, il n'eut pas de succès. – Les gens se précipitèrent dehors dès qu'ils *entendre* la détonation. – Quoiqu'il *entendre* l'appel de ses amis, Clément ne répondit pas. – Je craignais qu'il ne *se perdre* en chemin. – Lorsqu'il *se perdre* dans la brume, l'alpiniste corna.

■ **567. RÉVISION. Mettez les verbes en italique au temps convenable (passé simple ou imparfait du subjonctif).**

Je doutais qu'il *se mettre* en route et qu'il *venir* par un temps pareil. – Malgré le mauvais temps, il *se mettre* en route et *venir* à l'heure convenue. – Il fallait que le tailleur *rectifier* le pantalon et *déplacer* les boutons de la veste. – Le garçon me versa un verre de limonade que je *boire* d'un trait. – Il fallait le forcer pour qu'il *boire* ce sirop. – Les feuilles tombaient sans qu'aucun souffle *agiter* les arbres.

■ **568. Même exercice que 567.**

Bien qu'il *avoir* de bonnes dents, il ne put manger cette viande. – L'imprudent se balança jusqu'à ce qu'il *tomber.* – Il aurait fallu qu'il *pleuvoir* avant la vendange. – À trente ans, il fallut qu'il *étudier* l'anglais et qu'il *apprendre* la gestion. – Il parut dans l'encadrement de la porte et *s'avancer* en souriant. – Malgré son âge, mon oncle *faire* comme nous, il *se mêler* au jeu. – On trouva plaisant que mon oncle *faire* comme tout le monde et *se mêler* au jeu. – On sentait à peine le froid, quoiqu'il *être* plus intense.

■ **569. Sur les modèles précédents, construisez :**

1. Trois phrases avec un verbe au passé composé et trois phrases avec un verbe au passé du subjonctif.

2. Trois phrases avec un verbe au passé antérieur et trois phrases avec un verbe au plus-que-parfait du subjonctif.

MOTS À ÉTUDIER :
1. **atteindre, le paysage, réaliste, les partenaires, heureux.**
2. **la clé, aussitôt, paraître, sitôt, souhaitable.**
3. **passion, le succès, la détonation, l'appel, le sirop.**

La voix passive

▌ La passante est blessée par une balle perdue.

Présent	Imparfait	Passé simple	Futur simple
je suis blessé	j' étais blessé	je fus blessé	je serai blessé
ns sommes blessés	ns étions blessés	ns fûmes blessés	ns serons blessés

Passé composé	Plus-que-parfait
j' ai été blessé	j' avais été blessé
nous avons été blessés	nous avions été blessés

Passé antérieur	Futur antérieur
j' eus été blessé	j' aurai été blessé
nous eûmes été blessés	nous aurons été blessés

RÈGLE

Pour conjuguer un verbe à la voix passive, **il faut conjuguer l'auxiliaire être au temps demandé, puis écrire à la suite le participe passé** du verbe conjugué.

	être	**être blessé**
Imparfait :	**j'étais**	**j'étais blessé**
Futur antérieur :	**j'aurai été**	**j'aurai été blessé**

EXERCICES

■ **570. Conjuguez les verbes au présent de l'indicatif, puis au passé composé.**
être soigné avec dévouement   être averti du danger

■ **571. Mettez les verbes aux trois personnes du pluriel de l'imparfait de l'indicatif.**

blesser	se blesser	être blessé	servir	se servir	être servi
ouvrir	s'ouvrir	être ouvert	voir	se voir	être vu

■ **572. Mettez les phrases suivantes à la voix passive.**
L'électricien avait changé le fusible. – On fait le vin avec le raisin. – La fusée emportera le satellite artificiel. – Christophe Colomb a découvert l'Amérique. – Autrefois, les rois gouvernaient la France. – La tempête arrachait les tuiles des toitures. – Napoléon avait remporté la bataille d'Austerlitz. – Le plombier pose la tuyauterie du gaz. – L'enfant aura usé son survêtement.

■ **573. Mettez les phrases suivantes à la voix active.**
Le piéton est renversé par l'automobiliste. – Tous les témoignages avaient été recueillis par les gendarmes. – La roche la plus dure avait été brisée par le gel. – L'atterrissage avait été retardé par le brouillard. – De jolies villas avaient été bâties au bord de l'eau. – Les Pyrénées sont souvent admirées.

MOTS À ÉTUDIER :
1. l'électricien, le fusible, le dévouement, le danger.
2. la fusée, le satellite, artificiel, gouverner, le gouvernement.
3. le plombier, la tuyauterie, le gaz, autrefois, le témoignage.

Le verbe impersonnel

> **Il neige, il fait froid.**
> Présent : **il neige**. – Imparfait : **il neigeait**. –
> Passé simple : **il neigea**. – Futur simple : **il neigera**.

RÈGLE

Un verbe impersonnel est un verbe dont le **sujet** ne représente **ni une personne, ni un animal, ni une chose définie**.

Les verbes impersonnels ne se conjuguent qu'à la **3ᵉ personne du singulier**, avec le sujet **il**, du genre neutre.

Il y a des verbes **essentiellement impersonnels** comme **pleuvoir, neiger, grêler, falloir.**

Certains verbes « ordinaires » peuvent avoir un emploi impersonnel. Il **fait** froid. Il **paraît** que vous sortirez ce soir.

EXERCICES

■ **574. Conjuguez les verbes aux temps simples du mode indicatif.**

neiger en abondance   pleuvoir sans arrêt   geler à pierre fendre

■ **575. Conjuguez aux temps composés du mode indicatif.**

tonner fort   falloir rattraper le retard   faire un temps superbe

■ **576. Dans les phrases suivantes, mettez à la voix active les verbes impersonnels (lorsque c'est possible).**

Il vient du four ouvert des bouffées de chaleur. – Il arrivait du large des vagues énormes qui se brisaient sur les jetées. – Il ne faut pas croire tout ce qu'on raconte. – Il ne faut pas jeter de papiers à terre. – Il circulait des rumeurs stupides. – Il passait par la porte mal jointe un vent qui faisait frissonner. – Il sortait de partout des fourmis qui portaient de lourdes charges. – Il se dégage de la marmite un bon fumet.

■ **577. Indiquez pour chaque phrase la forme à laquelle les verbes sont employés.**

Le jockey détache son cheval, puis il ajuste les harnais. – Il monte des sous-sols des bruits sourds. – Le vent s'éleva soudain, secouant les portes ; il souffla avec rage toute la nuit. – Il soufflait un vent impétueux qui brisait tout. – Il va vous arriver quelque chose de fâcheux. – Le ruisseau s'attarde dans la campagne, puis il va se perdre dans la rivière. – Il paraît que vous ne devez pas sortir. – Le coureur s'arrête quelques instants, il paraît fatigué.

MOTS À ÉTUDIER :
1. **neiger, tonner, pleuvoir, fendre, geler.**
2. **rattraper, le retard, une bouffée, la vague, la jetée.**
3. **la rumeur, stupide, frissonner, le fumet, le jockey.**

avoir

Indicatif

Présent	Passé composé	Imparfait	Plus-que-parfait
j' ai	j' ai eu	j' avais	j' avais eu
tu as	tu as eu	tu avais	tu avais eu
il a	il a eu	il avait	il avait eu
ns avons	ns avons eu	ns avions	ns avions eu
vs avez	vs avez eu	vs aviez	vs aviez eu
ils ont	ils ont eu	ils avaient	ils avaient eu

Futur	Futur antérieur	Passé simple	Passé antérieur
j' aurai	j' aurai eu	j' eus	j' eus eu
tu auras	tu auras eu	tu eus	tu eus eu
il aura	il aura eu	il eut	il eut eu
ns aurons	ns aurons eu	ns eûmes	ns eûmes eu
vs aurez	vs aurez eu	vs eûtes	vs eûtes eu
ils auront	ils auront eu	ils eurent	ils eurent eu

Conditionnel

Présent

j' aurais
tu aurais
il aurait
ns aurions
vs auriez
ils auraient

Subjonctif

Présent

que j' aie
que tu aies
qu' il ait
que ns ayons
que vs ayez
qu' ils aient

Imparfait

que j' eusse
que tu eusses
qu' il eût
que ns eussions
que vs eussiez
qu' ils eussent

Passé 1re forme	Passé 2e forme	Passé	Plus-que-parfait
j' aurais eu	j' eusse eu	que j' aie eu	que j' eusse eu
tu aurais eu	tu eusses eu	que tu aies eu	que tu eusses eu
il aurait eu	il eût eu	qu' il ait eu	qu' il eût eu
ns aurions eu	ns eussions eu	que ns ayons eu	que ns eussions eu
vs auriez eu	vs eussiez eu	que vs ayez eu	que vs eussiez eu
ils auraient eu	ils eussent eu	qu' ils aient eu	qu' ils eussent eu

Impératif

Présent
aie, ayons, ayez

Passé
aie (ayons, ayez) eu

Participe

Présent	Passé
ayant	ayant eu

être

Indicatif

Présent	Passé composé		Imparfait	Plus-que-parfait	
je suis	j' ai	été	j' étais	j' avais	été
tu es	tu as	été	tu étais	tu avais	été
il est	il a	été	il était	il avait	été
ns sommes	ns avons	été	ns étions	ns avions	été
vs êtes	vs avez	été	vs étiez	vs aviez	été
ils sont	ils ont	été	ils étaient	ils avaient	été

Futur	Futur antérieur		Passé simple	Passé antérieur	
je serai	j' aurai	été	je fus	j' eus	été
tu seras	tu auras	été	tu fus	tu eus	été
il sera	il aura	été	il fut	il eut	été
ns serons	ns aurons	été	ns fûmes	ns eûmes	été
vs serez	vs aurez	été	vs fûtes	vs eûtes	été
ils seront	ils auront	été	ils furent	ils eurent	été

Conditionnel

Présent

je	serais
tu	serais
il	serait
ns	serions
vs	seriez
ils	seraient

Subjonctif

Présent			Imparfait		
que	je	sois	que	je	fusse
que	tu	sois	que	tu	fusses
qu'	il	soit	qu'	il	fût
que	ns	soyons	que	ns	fussions
que	vs	soyez	que	vs	fussiez
qu'	ils	soient	qu'	ils	fussent

Passé 1re forme		Passé 2e forme		Passé			Plus-que-parfait		
j' aurais	été	j' eusse	été	que j'	aie	été	que j'	eusse	été
tu aurais	été	tu eusses	été	que tu	aies	été	que tu	eusses	été
il aurait	été	il eût	été	qu' il	ait	été	qu' il	eût	été
ns aurions	été	ns eussions	été	que ns	ayons été	que ns	eussions été
vs auriez	été	vs eussiez	été	que vs	ayez	été	que vs	eussiez	été
ils auraient	été	ils eussent	été	qu' ils	aient	été	qu' ils	eussent	été

Impératif

Présent
sois, soyons, soyez

Passé
aie (ayons, ayez) été

Participe

Présent
étant

Passé
ayant été

Les verbes en *-er* : exemple : *couper*

Indicatif

Présent	Passé composé	Imparfait	Plus-que-parfait
je coupe	j' ai coupé	je coupais	j' avais coupé
tu coupes	tu as coupé	tu coupais	tu avais coupé
il coupe	il a coupé	il coupait	il avait coupé
ns coupons	ns avons coupé	ns coupions	ns avions coupé
vs coupez	vs avez coupé	vs coupiez	vs aviez coupé
ils coupent	ils ont coupé	ils coupaient	ils avaient coupé

Futur	Futur antérieur	Passé simple	Passé antérieur
je couperai	j' aurai coupé	je coupai	j' eus coupé
tu couperas	tu auras coupé	tu coupas	tu eus coupé
il coupera	il aura coupé	il coupa	il eut coupé
ns couperons	ns aurons coupé	ns coupâmes	ns eûmes coupé
vs couperez	vs aurez coupé	vs coupâtes	vs eûtes coupé
ils couperont	ils auront coupé	ils coupèrent	ils eurent coupé

Conditionnel

Présent

je couperais
tu couperais
il couperait
ns couperions
vs couperiez
ils couperaient

Subjonctif

Présent	Imparfait
que je coupe	que je coupasse
que tu coupes	que tu coupasses
qu' il coupe	qu' il coupât
que ns coupions	que ns coupassions
que vs coupiez	que vs coupassiez
qu' ils coupent	qu' ils coupassent

Passé 1re forme	Passé 2e forme	Passé	Plus-que-parfait
j' aurais coupé	j' eusse coupé	que j' aie coupé	que j' eusse coupé
tu aurais coupé	tu eusses coupé	que tu aies coupé	que tu eusses coupé
il aurait coupé	il eût coupé	qu' il ait coupé	qu' il eût coupé
ns aurions coupé	ns eussions coupé	que ns ayons coupé	que ns eussions coupé
vs auriez coupé	vs eussiez coupé	que vs ayez coupé	que vs eussiez coupé
ils auraient coupé	ils eussent coupé	qu' ils aient coupé	qu' ils eussent coupé

Impératif

Présent
coupe, coupons, coupez

Passé
aie (ayons, ayez) coupé

Participe

Présent	Passé
coupant	coupé, ée
	ayant coupé

Les verbes en *-ir* : exemple : *finir*

Indicatif

Présent	Passé composé	Imparfait	Plus-que-parfait
je finis	j' ai fini	je finissais	j' avais fini
tu finis	tu as fini	tu finissais	tu avais fini
il finit	il a fini	il finissait	il avait fini
ns finissons	ns avons fini	ns finissions	ns avions fini
vs finissez	vs avez fini	vs finissiez	vs aviez fini
ils finissent	ils ont fini	ils finissaient	ils avaient fini

Futur	Futur antérieur	Passé simple	Passé antérieur
je finirai	j' aurai fini	je finis	j' eus fini
tu finiras	tu auras fini	tu finis	tu eus fini
il finira	il aura fini	il finit	il eut fini
ns finirons	ns aurons fini	ns finîmes	ns eûmes fini
vs finirez	vs aurez fini	vs finîtes	vs eûtes fini
ils finiront	ils auront fini	ils finirent	ils eurent fini

Conditionnel

Présent
je	finirais
tu	finirais
il	finirait
ns	finirions
vs	finiriez
ils	finiraient

Subjonctif

Présent	Imparfait
que je finisse	que je finisse
que tu finisses	que tu finisses
qu' il finisse	qu' il finît
que ns finissions	que ns finissions
que vs finissiez	que vs finissiez
qu' ils finissent	qu' ils finissent

Passé 1re forme	Passé 2e forme	Passé	Plus-que-parfait
j' aurais fini	j' eusse fini	que j' aie fini	que j' eusse fini
tu aurais fini	tu eusses fini	que tu aies fini	que tu eusses fini
il aurait fini	il eût fini	qu' il ait fini	qu' il eût fini
ns aurions fini	ns eussions fini	que ns ayons fini	que ns eussions fini
vs auriez fini	vs eussiez fini	que vs ayez fini	que vs eussiez fini
ils auraient fini	ils eussent fini	qu' ils aient fini	qu' ils eussent fini

Impératif

Présent
finis, finissons, finissez

Passé
aie (ayons, ayez) fini

Participe

Présent	Passé
finissant	fini, ie
	ayant fini

Révision

■ **578. Mettez les verbes en italique au futur simple ou au conditionnel présent.**

Je *sortir* dès que l'on me le demandera. – Si je continuais à négliger mon entraînement, je *perdre* tous mes matches. – J'*étudier* l'itinéraire si tu me prêtes ta carte. – Si tu t'attardais en route, on *s'inquiéter*. – Le maçon *reconstruire* sa maison s'il en obtenait l'autorisation. – Les joueurs *préparer* leur tournoi lorsqu'ils auront subi une visite médicale. – Si le temps était favorable, j'*aller* à la pêche.

■ **579. Même exercice que 578.**

Je *fixer* le jour de mon départ quand j'aurai reçu votre réponse. – Si j'avais assez d'argent, j'*acheter* ce livre ; j'*attendre*. – Si je pars en voyage, je vous *prévenir*. – Si j'avais de la farine et du beurre, je vous *faire* une tarte délicieuse. – Quand le pilote aura reçu son plan de vol, il *décoller* immédiatement. – Si la tour de contrôle recevait des appels, les ambulances se *placer* près des pistes.

■ **580. Mettez les verbes en italique à la 2ᵉ personne du singulier du présent de l'impératif ou du présent de l'indicatif interrogatif.**

Partager ce gros gâteau. – *Partager*-tu ce gâteau ? – *Manger* ces cerises. – Les *manger*-tu ? – *Croquer* les noisettes. – *Croquer*-tu ce nougat ? – *Écrire* une lettre à tes amis. – Leur *écrire*-tu ? – *Courber* la tête, la porte est basse. – *Accorder*-tu ton violon ? – *Chanter*-nous ce refrain. – *Cacher*-toi derrière ce rideau. – *Arrêter*-toi de bavarder, *écouter*. – *Piocher*-tu la façade de la maison ?

■ **581. Mettez les verbes en italique au temps convenable (présent de l'indicatif ou présent du subjonctif).**

La voiture que j'*avoir* au garage est une Renault. – Je désire que tu *avoir* le temps de venir me voir. – Il faut que j'*avoir* ce renseignement. – Il est regrettable qu'il *avoir* une mauvaise vue. – Les clés que j'*avoir* dans ma poche, je les ai trouvées. – Je crois que j'*avoir* ce livre dans ma bibliothèque. – Il est important que tu *avoir* une bonne santé.

■ **582. Mettez les verbes en italique au temps convenable (passé simple ou imparfait du subjonctif).**

Je surveillais le feu pour qu'il ne *s'éteindre* pas. – Il n'entretint pas le feu, qui *s'éteindre*. – Il cueillit une cerise, qu'il *manger*. – Il lui tendait une cerise pour qu'il la *manger*. – Bien que le vent *souffler*, il faisait bon au soleil. – Bien qu'il *courir* de toutes ses forces, il n'arriva pas le premier.

Les mots usuels restant en dehors de toute règle et contenant une difficulté doivent être appris par cœur.

MOTS INVARIABLES

DONT LA CONNAISSANCE EST INDISPENSABLE.

alors, lors, lorsque, dès lors, hors, dehors,

tôt, sitôt, aussitôt, bientôt, tantôt,

pendant, cependant, durant, maintenant, avant,

dorénavant, devant, davantage, auparavant,

tant (un tantinet), pourtant, autant,

mieux, tant mieux, tant pis,

longtemps (temps, printemps),

moins, néanmoins – plus (plusieurs),

ailleurs, puis, depuis,

près, après, auprès, très, exprès, dès que, ainsi, aussi,

parmi,

assez, chez,

mais, désormais, jamais,

beaucoup, trop, guère, naguère,

gré, malgré,

fois, autrefois, toutefois, parfois, quelquefois, toujours,

aujourd'hui, hier, demain, d'abord, quand,

vers, envers, travers,

volontiers, certes,

sus, dessus, au-dessus, par-dessus,

sous, dessous, au-dessous,

sans, dans, dedans,

selon, loin.

Les listes de mots qui accompagnent les règles des leçons d'orthographe d'usage ne sont pas limitatives.

m devant *m, b, p*

▌ **La jambe, l'ampoule, emmagasiner.**

Devant **m, b, p,** il faut écrire **m** au lieu de **n**.
Exceptions : bo**nb**on, bo**nb**onne, bo**nb**onnière, embo**np**oint,
néa**nm**oins.

mm	mb		mp		
emmancher	ambulant	flambeau	ample	exempt	printemps
emmêler	ombre	framboise	camp	hampe	simple
emménager	bombe	gambade	compas	lampe	sympathie
emmener	emballer	tomber	compter	lampée	symphonie
emmurer	embardée	membre	dompter	pampre	symptôme
immangeable...	embarras	plomb...	empiler	pompon	triomphe...

EXERCICES

■ **583. Donnez le contraire des mots suivants :**

patient	battable	manquable	mangeable	mortel
parfait	pitoyable	déménager	pénétrable	modéré

■ **584. Ajouter le préfixe *em* ou *im* à chacun des mots suivants (et modifiez-les si nécessaire) pour former un verbe.**

mener	murer	bouche	boîte	porter
ménager	pied	pierre	mobile	baume
mêler	peser	prison	poing	patient

■ **585. Même exercice.**

presser	mobiliser	brouiller	pot	paquet
bras	barque	jambe	pâte	paille
maillot	poche	magasin	patient	pire

■ **586. Remplacez le point par la lettre convenable.**

Le co.ptable vérifie une opération. – Le pont de pierre e.ja.be la rivière. – Les e.ployés e.magasinent des caisses. – Il doit venir i.pérativement. – Un homme i.telligent est pro.pt à comprendre. – L'embo.point n'est rien de bon pour la santé. – Le co.fiseur dispose des bo.bons fins dans la bo.bonnière. – Le do.pteur dresse une pa.thère.

■ **587. Même exercice que 586.**

Le funa.bule avançait prude.ment sur son fil. – Ce vin est piqué, il est i.buvable et i.propre à la conso.mation. – Ces longues cheminées e.panachées de fumée e.laidissent le paysage. – Cet avion utilise moins de co.bustible ; néa.moins, il est bruyant. – Un co.co.bre est un gros cornichon.

MOTS À ÉTUDIER :
1. **le plomb, ample, le camp, l'embarras, emménager.**
2. **mangeable, la cheminée, le cornichon, le flambeau, néanmoins.**
3. **le symptôme, la symphonie, la sympathie, le triomphe, exempt.**

Noms en -*eur*

▌ Le jongleur, la fleur, la fraîcheur.

Les noms terminés par le son [œʀ] **eur**, s'écrivent **e.u.r**.
Exceptions : le **beurre**, la **demeure**, l'**heure**, un **heurt** (heurter),
un **leurre**.

Remarque
Les adjectifs en **eur** prennent un **e** au féminin : un vin **supérieur**,
une qualité **supérieure**.

noms féminins				noms masculins	noms en œur
frayeur	splendeur	humeur	minceur	bonheur	la sœur
raideur	odeur	ampleur	noirceur	malheur	le cœur
douleur	tiédeur	liqueur	pesanteur	honneur	la rancœur
ardeur	vigueur	stupeur	senteur	ascenseur	le chœur
candeur	rigueur	horreur	ferveur…	dompteur…	les mœurs…

EXERCICES

■ 588. Donnez les noms en *eur* exprimant la même qualité que :

blanc	laid	grand	ardent	rigoureux	doux
froid	splendide	profond	pâle	vigoureux	furieux
ample	roux	épais	lourd	long	frais

■ 589. Écrivez le nom en *eur* désignant celui qui fait l'action correspondant à chacun des verbes.

afficher	souder	percevoir	veiller
chercher	conduire	diriger	informer
corriger	envahir	servir	sauver

■ 590. Complétez les mots inachevés.

La Bretagne envoie des prim… aux Parisiens. – Les m… de certains insectes
sont intéressantes à étudier. – La fraîch… de la nuit ravive les fl… . – La brise
apporte des sent… agréables. – Le frère et la s… jouent en équipe. – Des
souvenirs se pressent dans mon c… . – Les enfants chantent en ch… . – Élise
tremble de fray… en traversant la rue déserte.

■ 591. Accordez les adjectifs en italique.

Même dans sa partie *inférieur* le Rhône est rapide. – Ces faits sont *antérieur* à
mon arrivée dans cette ville. – Le match est remis à une date *ultérieur*. – Votre
camarade m'a fait des réponses *meilleur* que les vôtres. – L'ornementation
extérieur de ce monument est très belle. – La *majeur* partie des récoltes a été
gâtée.

MOTS À ÉTUDIER :
1. **rigueur, vigueur, fraîcheur, pâleur.**
2. **rousseur, laideur, les souvenirs, ultérieur, le monument.**
3. **l'ascenseur, le chœur, les mœurs, le bonheur, le malheur.**

Noms en -*eau, -au, -aut, -aud, -aux*

▎ **L'eau, l'étau, le défaut, le crapaud, le taux.**

La plupart des noms terminés par le son [o] s'écrivent **e.a.u.**
Quelques-uns se terminent par **a.u. – a.u.t – a.u.d – a.u.x.**
Lorsque le son final [o] s'écrit **a.u** et est suivi d'une **consonne**,
il ne prend **jamais de e** : crap**aud**.

escabeau	anneau	faisceau	trousseau	landau	tuyau
lambeau	panneau	souriceau	biseau	esquimau	artichaut
tombeau	pipeau	pinceau	ciseau	étau	assaut
flambeau	traîneau	arceau	naseau	fléau	badaud
bandeau	tombereau	cerceau	tréteau	noyau	réchaud
hameau	sureau	lionceau	manteau	joyau	faux
rouleau	taureau	monceau	caniveau…	boyau	chaux…

EXERCICES

■ **592. Complétez les mots inachevés.**
Une cliente arriva pour acheter un mant… . – Denise rangeait le chap… sur
l'étagère. – Une nurse anglaise poussait un land…, un berc… d'osier reposait
sur une armature métallique. – Un couple se frayait un passage parmi quelques
bad… . – Le baron Kasenberg offrit un joy… à la princesse.

Extrait de M. GALLO, Le palais des fêtes, R. Laffont.

■ **593. Même exercice que 592.**
La lionne veille sur ses lionc… . – Les explorateurs polaires entassent leurs
provisions sur des traîn… . – La voiture a arraché le pann… de signalisation. –
L'ass… fut vigoureux. – La pêche est un fruit à noy… . – Un monc…
d'immondices recouvrait la chaussée. – L'alpiniste alluma son réch… et fit
chauffer de l'… .

■ **594. Même exercice que 592.**
Autrefois, les blés étaient coupés à la f… . – Marc visse les tuy…
d'arrosage. – Les bijoutiers terminent de splendides joy… . – On cultive
l'artich… en Bretagne. – Un véritable flé… s'est abattu sur cette région. – Il
faut savoir se corriger de ses déf… . – Le pâtissier fait un gât… avec de la
farine de gru… . – Les chiens tiraient un traîn… . – Les phares percent la nuit
de leur faisc… lumineux.

■ **595. Justifiez la dernière lettre du mot en écrivant un mot de la même famille.**
saut   échafaud   sursaut   crapaud   taux   défaut   réchaud

---

MOTS À ÉTUDIER :
1. **un anneau, un hameau, un rouleau, le flambeau, l'assaut.**
2. **le réchaud, l'artichaut, l'esquimau, le ciseau, le panneau.**
3. **le faisceau, le tuyau, le fléau, l'étau, le taureau.**

Noms en -*ot, -oc, -op, -os, -o*

▌ **Le trot, le croc, le galop, le héros, l'écho.**

Certains noms terminés par le son [o] s'écrivent **o.t – o.c – o.p – o.s**.
Il est **souvent** facile de trouver la **terminaison** convenable à l'aide
d'un mot de **la même famille** : le trot, trotter.
D'autres noms terminés par le son [o] s'écrivent **o**.

chariot	manchot	robot	cacao	loto	vélo
îlot	ergot	escroc	trio	piano	lasso
paquebot	escargot	galop	lavabo	domino	verso
haricot	javelot	sirop	écho	casino	recto
coquelicot	mulot	clos	studio	zéro	mémento
magot	hublot	héros…	kimono	numéro	bravo…

EXERCICES

■ **596. Justifiez la dernière lettre des mots en écrivant un mot de la même
famille.**

cahot	cachot	grelot	canot	galop	propos
maillot	tricot	flot	complot	sirop	camelot
rabot	gigot	calot	rôt	croc	pivot
abricot	ballot	sanglot	lot	accroc	linot
sabot	bibelot	tricot	pot	dos	repos

■ **597. Complétez les mots inachevés.**

Un cheval passa au gal… faisant résonner ses sab… sur le pavé luisant de
Brooklyn. – Un char… transportait les pierres. – Une méchante soupe et un
br… d'eau, un pain aux graines de pav…, voilà ce qu'était leur dîner. – Un
balluchon sur le d…, l'homme essayait de trouver du travail ! – La statue de la
Liberté apparut dans un hal… de brume. – Le paqueb… arrivait chargé de
gens venus de toute l'Europe. – Un pian… égrenait sa complainte.

Extrait de D. DECOIN, *Abraham de Brooklyn*, Éd. du Seuil.

■ **598. Même exercice que 597.**

Le pav… est une plante médicinale. – Le plombier vient réparer le lavab… . –
Le menuisier pousse son rab… d'une main sûre. – La cheminée lance des fl…
de fumée. – Les acteurs de cinéma fréquentent beaucoup les studi… . –
L'athlète lance le javel… . – Mercredi soir, c'est le tirage du lot… . – Le vieil
homme avait caché son mag…. – Les chev… frappent le sol de leurs sab…
impatients. – Les camel… vendent des bibel… sans valeur. – Le comédien
recueille les brav… des spectateurs.

MOTS À ÉTUDIER :
1. le vélo, le lasso, zéro, un escargot, un haricot.
2. le tricot, le hublot, un îlot, bravo, le studio.
3. un accroc, le camelot, le gigot, un abricot, le paquebot.

Noms en *-ail, -eil, -euil,* et en *-aille, -eille, -euille*

┃ **La ferraille, la corbeille, la feuille.**

Les noms masculins terminés par **ail**, **eil**, **euil**, ne prennent qu'un **l** et les noms féminins **lle**.

Remarques

Les noms masculins **chèvrefeuille**, **portefeuille**, **millefeuille**, formés sur **feuille**, s'écrivent **lle**, mais il faut écrire **cerfeuil**.

Dans les mots où le son $[\text{œj}]$ **euil**, est précédé d'un **g** ou d'un **c**, on écrit **ueil** pour **euil**.

noms masculins				noms féminins	
émail	soleil	deuil	œil	écaille	abeille
soupirail	sommeil	seuil	accueil	volaille	corbeille
portail	appareil	fauteuil	écueil	marmaille	corneille
gouvernail	conseil	treuil	recueil	trouvaille	oreille
éventail	vermeil	chevreuil	cercueil	broussaille	groseille
épouvantail	orteil	bouvreuil	orgueil…	paille	oseille
bétail	éveil	écureuil		sonnaille	treille
détail	réveil	cerfeuil		maille…	feuille…

EXERCICES

■ **599.** **Donnez des mots de la famille de** *cueillir, œil, orgueil.*

■ **600.** **Complétez les mots inachevés.**

L'œ… fier, la tête haute, il contemplait tout le monde. Ils tiraillaient à travers un tre…is de bois dans le grenier. Les soldats commencèrent la fou… des maisons. Enjolras fut réveillé de son pesant somm… . Cet angle de rue garantissait des balles et de la mitra… . Quelques feu… se détachèrent. L'orgu… de Jean Valjean était donc atteint !

V. Hugo, *Les misérables*, Éd. Livre Club Diderot.

■ **601.** **Même exercice que 600.**

La porte où file l'araignée qui n'entend plus le doux acc… ne tourne plus sur le s… . (Lamartine.) – Nous recu…îmes trois gamines de huit ou dix ans. (H. Troyat.) – Sol… je t'adore ! (J. Cocteau.) — Alors du ciel et de la terre, il me faudra faire mon d…, est-il encore debout le chêne ou le sapin de mon cerc… . (G. Brassens.) — Rien n'est plus seyant qu'un chapeau de p… d'Italie !

MOTS À ÉTUDIER :
1. **un œil, le détail, le bétail, l'écureuil, la feuille.**
2. **une écaille, la volaille, le recueil, l'orgueil, le fauteuil.**
3. **le conseil, un orteil, le gouvernail, le portail, la corbeille.**

-ill

ravitailler, le caillou.

-y

rayer, le crayon.

Quand le son [j] s'écrit **ill**, la lettre **i** est **inséparable** des **deux l** et **ne se lie pas** avec le son de la voyelle qui précède : **ra-vi-ta-iller** ; **ra-vi-ta-ille-ment**.
Au contraire, l'**y** a généralement la valeur de **deux i dont l'un se lie avec la voyelle qui précède et l'autre avec la voyelle qui suit** : rayer : rai-ier, ray-ure : rai-iure.

Remarques
1. Il ne faut pas confondre les verbes terminés par **eiller** ou **ailler** avec les verbes en **ayer**. On évite la confusion soit en **les conjuguant au présent de l'indicatif**, soit en recherchant **un mot de la même famille** : somm**eiller**, je somm**eille**, le somm**eil** ;
bala**yer**, je bal**aie**, le bal**ai**.

2. Dans les **noms**, le son [j] écrit **ill**, est **rarement** suivi d'un **i**.
Exceptions :
l **mouillé** ⟶ quinca**illier**, grose**illier**, joa**illier** ;
l **non mouillé** ⟶ mill**ier**, mill**ion**, mill**iard**.

bataillon	caillou	paillette	boyau	écuyer	noyer
bâillon	tirailleur	poulailler	noyau	plaidoyer	loyer
haillon	défaillance	crémaillère	tuyau	mitoyen	noyade
maillon	vaillance	railler	crayon	citoyen	voyage
médaillon	saillant	détailler	rayon	moyen	voyelle
bouillon	gaillard	écailler	rayure	moyeu	frayeur
caillot	paillasse	piailler	balayure	layette	gruyère
maillot	paillasson	brailler…	payer	foyer	bruyère…

EXERCICES

■ **602.** **Donnez les verbes en** *yer* **de la famille des noms suivants, puis écrivez-les aux trois personnes du pluriel du présent de l'indicatif.**

fête	remblai	balai	raie	verdure
foudre	octroi	essai	paie	frayeur
côte	poudre	monnaie	étai	appui

■ **603.** **Donnez les adjectifs qualificatifs renfermant un** *y* **qui dérivent des noms suivants ; employez-les avec un nom.**

joie	soie	craie	effroi	roi	loi	pitié	ennui

■ **604. Donnez les adjectifs verbaux dérivés des verbes suivants, puis employez-les avec un nom pluriel.**

effrayer	bruire	verdoyer	foudroyer	larmoyer
fuir	flamboyer	rougeoyer	seoir	voir

■ **605. Donnez :**

1° des mots renfermant un *y*, de la famille de *croire*, *voir*, *prévoir*, *loi* ;

2° des mots de la famille de *veiller*.

■ **606. Écrivez les verbes suivants à la 3ᵉ personne du singulier du présent de l'indicatif, puis le nom homonyme au singulier :**

détailler	batailler	mitrailler	éveiller	appareiller
travailler	tailler	conseiller	rouiller	tenailler
sommeiller	émailler	veiller	fouiller	dépouiller

■ **607. Remplacez les points par *y* ou *ill*.**

L'ours entra dans la grotte et avala un ra...on de miel. – L'écu...ère se tient en équilibre sur son cheval. – À la foire à la brocante, on trouve parfois des bou...oires en cuivre. – La tu...ère de la turbine est fêlée. – Aujourd'hui, un poula...er peut compter des milliers de poules. – Le zèbre a un pelage aux ra...ures noires. – Nos voisins ont terminé leur maison, ils pendent la créma...ère. – Il était derrière le b...ard regardant Enjolras. (V. Hugo.) – Ils poursuivaient les fu...ards à travers toute la ville assiégée. (V. Hugo.) – La voiture de mon père a quatre portes et un ha...on. – Le cuisinier éca...ait des poissons. – Tu essa...ais un manteau.

■ **608. Même exercice que 607.**

Les mots sont formés de vo...elles et de consonnes. – Le mo...eu de la roue grince. – Le bou...on fume dans les assiettes. – La fumée sort du tu...au de la cheminée. – Des m...iers d'étoiles brillent dans le ciel. – Le joa...ier fait des bijoux. – Le sol de la Champagne est cra...eux. – Il ne faut pas casser les no...aux avec ses dents. – La ro...auté n'existe plus en France. – Le filet de pêche a des ma...es très fines. – En 1792, lorsque la patrie fut en danger, tous les cito...ens durent la défendre.

■ **609. Écrivez les verbes suivants à la 1ʳᵉ personne du singulier et du pluriel du présent de l'indicatif.**

balayer	prier	sommeiller	surveiller	travailler
essayer	crier	appareiller	rayer	fouiller
déblayer	trier	embouteiller	étriller	vaciller
payer	briller	conseiller	sautiller	contrarier

MOTS À ÉTUDIER :
1. **remblayer, le bataillon, un caillou, le maillot, rayer.**
2. **fouiller, le citoyen, ravitailler, tailler, travailler.**
3. **embouteiller, des milliers, la rayure, surveiller.**

Noms en -et, -ai, -aie

❙   Le billet, le balai, la monnaie.

Les noms **masculins** terminés par le son $[ɛ]$ **è**, s'écrivent généralement **e.t** et les noms **féminins a.i.e**.
Exceptions : la p**aix** ; la for**êt**.

Remarques

1. Les noms masculins terminés par le son $[ɛ]$ appartenant à la famille d'un verbe en **ayer** s'écrivent **a.i** : bal**ai** (bal**ayer**), ét**ai** (ét**ayer**).

2. Des noms féminins en **a.i.e** désignent un lieu planté d'arbres d'une même espèce : **une châtaigneraie**.

masculins e.t			féminins a.i.e	autres terminaisons	
maillet	budget	piquet	baie	mets	laquais
cachet	bourrelet	paquet	haie	après	marais
beignet	bracelet	bosquet	craie	cyprès	engrais
alphabet	objet	ticket	plaie	abcès	rabais
valet	jet	sachet	monnaie	aspect	geai
guichet	sommet	lacet	raie	souhait	quai
guet	cabriolet	cornet	futaie	portrait	jockey
muguet	déchet	corset...	taie...	palais	poney...

EXERCICES

■ **610.** **Donnez le nom d'un lieu planté de :**
    oliviers   chênes   cerisiers   pommiers   rosiers   osiers

■ **611.** **Complétez les mots inachevés.**
    Au bord du perron, devant une large b..., son bonn... à la main, se tenait l'aubergiste. (TH. GAUTIER.) – Un bienf... n'est jamais perdu. – Le lièvre bondit par la h... . (F. JAMMES.) – Les bouquinistes installent leurs boîtes sur les parap... des qu... – Chaque soir, la caissière recompte sa monn... . – Les enfants buvaient dans le fil... des fontaines. (P. NIZAN.)

■ **612.** **Même exercice que 611.**
    Le roug... de roche est un poisson très apprécié des gourm.... – Le cabriol... est une petite voiture de sport. – Cette pl... est très laide. – Un ge... voulait se parer des plumes d'un paon. – Le cavalier nettoie les harn... de son cheval. – Au Premier de l'An, nous présentons nos souh... à nos parents. – Ce magasin accorde actuellement un fort rab... sur tous les canapés.

■ **613.** **À l'aide d'un mot de la même famille, justifiez l'orthographe des mots suivants :** essai – trait – respect – minerai – lait – accès – biais – extrait – rabais.

> **MOTS À ÉTUDIER :**
> 1. **le trait, le lait, la taie, un souhait, un cachet.**
> 2. **le cyprès, le ticket, l'alphabet, un accès, un extrait.**
> 3. **une raie, un abcès, un jockey, un poney, le marais.**

Noms féminin en -ée

▌ **La rentrée, la cheminée, la renommée.**

Les noms **féminins** en [e] **é** qui ne se terminent pas par les syllabes **té** ou **tié** s'écrivent toujours **é.e**, sauf **clé** (qui peut s'écrire **clef**).

poignée	chevauchée	gorgée	maisonnée	chicorée	pincée
saignée	tranchée	rangée	durée	purée	pensée
huée	orchidée	vallée	traînée	denrée	brassée
araignée	idée	assemblée	tournée	chambrée	chaussée
enjambée	embardée	renommée	équipée	orée	rosée
flambée	fée	destinée	mosquée	fricassée	croisée
tombée	bouffée	randonnée	lampée	poussée	traversée…

EXERCICES

▪ **614.** **Donnez un nom de la famille des mots suivants, exprimant le contenu ; ajoutez-y un complément.** Ex. : une pincée de sel.

gorge	cuillère	bouche	four	chambre
poing	maison	nid	table	bras

▪ **615.** **Complétez les noms suivants et ajoutez-leur un complément.**

bouffé…	assemblé…	traîné…	cheminé…	pincé…
lampé…	gorgé…	matiné…	rentré…	couvé…
tombé…	rangé…	puré…	oré…	fricassé…

▪ **616.** **Complétez les mots inachevés.**

« La chevauch… fantastique » est le titre d'un film célèbre. – Les all… du parc sont sablées. – La nouvelle s'est répandue comme une traîn… de poudre. – L'orchid… est une fleur recherchée. – La renomm… de cet homme n'est plus à faire. – L'entr… de ce cinéma est interdite aux enfants de moins de treize ans. – Sous la pouss… du vent les volets se sont disjoints. – La pluie a nettoyé la chauss… .

▪ **617.** **Même exercice que 616.**

Le naufragé s'accroche à la bou… de sauvetage. – Il faudra rajouter une pinc… de sel. – Les terrassiers creusent une tranch… . – Ce n'était pas une bonne id… que de prendre la voiture à la tomb… de la nuit. – Le parrain offre des drag… . – Le navire rentre au port après une bonne travers… . – La girofl… est une fleur. – Les campeurs s'installent à l'or… du petit bois. – Les marcheurs rentrent fourbus de leur randonn… .

MOTS À ÉTUDIER :
1. **la chaussée, la randonnée, la poignée, l'assemblée.**
2. **le panier, une idée, la vallée, la rangée, la rosée.**
3. **la renommée, la traversée, la denrée, la tournée.**

Noms féminins en -*té* ou -*tié*

▌ **La bonté, la propreté, la fidélité, la pitié.**

Les noms **féminins** terminés par le son [te] **té** ou par le son [tje] **tié** s'écrivent généralement **é** sauf :
1. les noms exprimant **le contenu** d'une chose :
la brouettée ⟶ contenu d'une brouette ;
2. les **cinq noms usuels** suivants :
la dictée, la jetée, la montée, la pâtée, la portée.

cruauté	saleté	mendicité	immensité	propriété	hérédité
intrépidité	indemnité	antiquité	adversité	gaieté	hostilité
liberté	brièveté	dextérité	loyauté	habileté	humanité
réalité	société	anxiété	royauté	familiarité	humidité
qualité	naïveté	sobriété	beauté	diversité	pitié
quantité	partialité	fierté	nouveauté	sonorité	amitié
cité	sensibilité	nécessité	calamité	hospitalité	moitié...

EXERCICES

■ **618.** **Donnez un nom de la famille des mots suivants, exprimant le contenu (ou la quantité) et ajoutez-y un complément.**

pelle	bol	assiette	charrette	brouette
plat	pot	fourchette	nuit	cuve

■ **619.** **Remplacez l'adjectif qualificatif par le nom de qualité correspondant.**
Ex. : un mur solide ⟶ la solidité d'un mur.

une histoire banale	un ami généreux	le voyageur intrépide
un pari absurde	l'heure grave	le torrent impétueux
un combat brutal	la belle fleur	une plume légère
une cloche sonore	le paon majestueux	un artisan habile

■ **620.** **Même exercice que 619.**

l'eau limpide	le verre fragile	un accueil cordial
la terre féconde	le devoir nul	un parfum subtil
le chien fidèle	le maître sévère	le tigre féroce
la vendeuse aimable	une explication claire	l'écureuil agile

■ **621.** **Complétez les mots inachevés.**
Les sociét... de musique vont bientôt défiler. – On attendait son retour avec anxiét... . – Des vagues énormes se brisaient sur les jet... . – L'alpiniste s'accroche aux aspérit... du rocher. – Pierre a reçu une indemnit... de

licenciement. – La devise de la République est : « Libert…, Égalit…, Fraternit… ». – L'arbitre a fait preuve d'impartialit… au cours du match. – Mon grand-père achète une petite propriét… à la campagne. – La royaut… a été remplacée par la République.

■ **622. Même exercice que 621.**

Ce roman est d'une triste banalit… ! – Quelle calamit… que cette bête, sa cruaut… est sans pareille. – On admirait le jongleur pour sa grande dextérit… . – La sobriét… du chameau est légendaire. – Il ne faut pas faire preuve de naïvet… dans cette affaire. – On dit que nécessit… fait loi ! – « Le chagrin et la piti… » est le titre d'un film. – La mendicit… est redevenue chose courante.

■ **623. Même exercice que 621.**

La gravit… des événements nous appelle à la prudence. – La port… de musique comprend cinq lignes. – La frugalit… est le contraire de la gourmandise. – Jean et moi nous sommes liés d'une solide amit… . – Une nouvelle sociét… française s'est implantée aux États-Unis. – Cette rencontre a été célèbre pour sa brièvet… . – L'humidit… de cette pièce est insupportable.

■ **624. Même exercice que 621.**

Les impuret… de l'air. – Les inégalit… du sol. – Les propriét… d'un corps. – La perplexit… du voyageur. – La vétust… de la machine. – La fiert… du lion. – Les aspérit… de la pierre. – La solennit… d'une cérémonie. – Les calamit… de la guerre. – Des indemnit… de déplacement. – La loyaut… d'un accord. – La maturit… d'un fruit. – Une charret… de paille. – Une nuit… claire. – La sérénit… du ciel. – Une assiett… de légumes. – La port… du fusil. – Les sinuosit… de la route.

■ **625. Mettez la terminaison convenable (é ou ée).**

brouett…	charret…	probit…	bouff…	gorg…
naïvet…	piti…	pellet…	fourn…	perc…
beaut…	vanit…	assiett…	travers…	lamp…
pot…	mont…	sociét…	autorit…	ténacit…
nuit…	captivit…	docilit…	obscurit…	sûret…
gaiet…	utilit…	nudit…	amabilit…	éternit…

MOTS À ÉTUDIER :
1. la banalité, la cruauté, la qualité.
2. l'absurdité, la limpidité, la charretée, la calamité.
3. la brièveté, la dextérité, l'humidité, une indemnité.

Noms masculins en -é, -er

I **Le congé, l'employé, le chantier, le danger.**

Les noms **masculins** terminés par le son [e] **é**, s'écrivent le plus souvent **e.r.**

Parmi les noms en **é** [e], un certain nombre dérivent de **participes passés** et s'écrivent **é** : un **employé**.

maraîcher	scaphandrier	framboisier	herbier	abbé	curé
horloger	chancelier	oranger	sorcier	gradé	gré
romancier	joaillier	bûcher	guêpier	cliché	degré
créancier	quincaillier	rucher	quartier	duché	pré
financier	voilier	déjeuner	calendrier	marché	fossé
brancardier	amandier	goûter	sentier	congé	thé
routier	marronnier	dîner	sanglier	défilé	pâté
hôtelier	châtaignier	lever	prunier	gué	été
geôlier	mûrier	coucher	balancier	canapé	comité
cantonnier	osier	parler	danger...	fourré	pavé...

EXERCICES

■ **626.** **Écrivez au masculin, puis au féminin, les noms en *é* correspondant aux verbes suivants :**

habituer	se réfugier	associer	initier	blesser	allier
déléguer	protéger	marier	inviter	accuser	fiancer

■ **627.** **Écrivez au singulier, puis au pluriel, les noms en *é* correspondant aux verbes suivants :**

trépasser	énoncer	pointiller	cuirasser	asphyxier	traiter
tracer	corriger	procéder	résumer	défiler	condamner

■ **628.** **Complétez les mots inachevés.**

Un orang… sous un ciel irlandais, on ne le verra jamais. – Les châteaux forts étaient entourés de foss… . – Les invit… sont assis dans les fauteuils et sur le canap… . – Mon oncle était luth…, il fabriquait des violons, c'est un mét… qui se perd ! – Ce problème dépasse largement son degr… de compréhension. – Au lev…, on prend du chocolat, du th… ou du caf… . – Le trésor… de la coopérative a été élu pour toute l'année scolaire. – Le photographe a réussi ses clich… . – Les enfants adorent jouer à l'éperv… dans la cour de l'école.

■ **629.** **1° Écrivez au masculin, puis au féminin, six noms de métier en *e.r* :**
Ex. : le boucher, la bouchère.
2° Écrivez six noms d'arbres fruitiers en *e.r* : Ex. : le prunier.

MOTS À ÉTUDIER :
1. **le danger, le défilé, le degré, le prunier, le canapé.**
2. **le voilier, l'hôtelier, le routier, l'horloger, le thé.**
3. **le cantonnier, des pointillés, les condamnés, asphyxier.**

L'accent

bâtir, précision, pièce.

Premier cas où l'on ne double pas la consonne

On ne double pas la consonne qui suit une **voyelle accentuée**, sauf dans **châssis** et les mots de sa famille.
L'**accent circonflexe** tient souvent la place d'un **s**.

Remarque

Il faut **lever immédiatement le crayon** pour mettre l'accent sur la voyelle, avant d'écrire la consonne qui suit.
Ainsi, dans **bâtir**, si l'on met **immédiatement** l'accent circonflexe sur la lettre **â**, on sait qu'il ne faut qu'un **t**.

affût	pâte	dîner	jeûner	planète	éruption
brûler	appât	faîte	crête	espèce	intéressant
flûte	drôle	chaîne	guêpe	décision	précieux
mûrir	frôler	voûte	frêne	goélette	précipice
piqûre	gîte	croûte	rêne	hélice	récent
grâce	abîme	boîte	poêle...	hérisson	récif...

EXERCICES

■ **630. Justifiez l'accent circonflexe, en donnant un mot de la même famille où l's a subsisté.** Ex. : la pâte, la pastille.

arrêt	bâton	fête	vêtement	fraîcheur	ancêtre
forêt	hôpital	bête	goût	maraîcher	croûte

■ **631. Donnez un verbe de la famille des mots suivants :**

affût	voûte	boîte	intérêt	enquête	traîneau
appât	côte	rôle	décision	prêt	hérisson

■ **632. Complétez les mots inachevés.**

Le boucher affû...e ses couteaux. – J'ai acheté des bâ...onnets de crabe. – Les hé...issons traversent toujours la route. – L'alpiniste franchit le pré...ipice. – La barque s'éloigne des ré...ifs. – La b...che dans la cheminée lançait des é...incelles. – Les é...oiles scintillent. – Nous avons lu des livres inté...essants. – La neige couvre la c...me des montagnes. – Le fond des océans est creusé d'ab...mes insondables.

■ **633. Même exercice que 632.**

La tortue se hâ...e avec lenteur. – La goé...ette rentre au port. – Le jardinier ouvre ses châ...is. – Les épidémies dé...iment la région. – Ce grand savant se voit dé...erner le prix Nobel. – Le platine, l'or, l'argent sont des métaux pré...ieux. – La remorque se dé...ache du camion. – J'ai dé...idé de voyager.

MOTS À ÉTUDIER :
1. **un arrêt, la forêt, le précipice, la planète.**
2. **la goélette, une enquête, un prêt, la guêpe, le goût.**
3. **la flûte, un appât, une croûte, l'hélice, le récif.**

L'accent

I **insecte, ronflement, torsade.**

Deuxième cas où l'on ne double pas la consonne

Après une consonne on ne double pas la consonne qui suit :

artifice	antipode	concours	versoir	plantoir
ronflement	antiquaire	discours	absence	immense
confluent	antenne	concorde	chanson	intention…

sauf à l'imparfait du subjonctif des verbes **tenir** et **venir** et de leurs composés (**maintenir, revenir**, etc.) :

que je tinsse, que tu tinsses, (qu'il tînt)…

que je vinsse, que tu vinsses, (qu'il vînt)…

Par contre, **la consonne qui suit une voyelle** peut être simple ou double selon l'usage et la prononciation.

attention	chope	échoppe	chute	butte
acclamation	proclamation	aggraver	agrandir	souffler
apparaître	apercevoir	alléger	alourdir	souffrir…

EXERCICES

■ **634. Conjuguez les verbes à la 3ᵉ personne du singulier et du pluriel du passé simple et de l'imparfait du subjonctif.**

se souvenir d'une date   se tenir sur ses gardes

■ **635. Conjuguez les verbes au présent de l'indicatif.**

confronter des écritures   s'absenter un instant   gonfler un pneu

■ **636. À la place des points, mettez :**

f ou **ff** : a…ection – in…ection – agra…e – ga…e – sou…le – pantou…le – cara…e – a…luent – con…luent – ra…ale.

t ou **tt** : ar…iste – an…ilope – a…elier – a…elage – pré…endre – en…endre – a…ente – en…ente – ba…ement – bâ…iment.

c ou **cc** : con…ourir – a…ourir – dis…ourir – dis…orde – a…ord – con…orde – a…roc – ré…lamer – a…lamer – re…ord.

■ **637. Écrivez les verbes en italique à l'imparfait du subjonctif.**

Pour que je me *maintenir* en forme, je devrais faire des exercices physiques. – Il conviendrait que tu *revenir* par le même chemin et que tu *retenir* les péripéties de cette randonnée. – Pour que tu te *souvenir* de ce cours, tu aurais dû prendre des notes. – Que vous vous *abstenir* ou que vous ne vous *abstenir* pas, la fête ne pouvait avoir lieu.

Noms en -*oir* et en -*oire*

| **Le trottoir, le soir, l'armoire, la baignoire.**

Les noms masculins terminés par le son [WAR] **oir**, s'écrivent généralement **o.i.r**.
Les noms **féminins** s'écrivent **toujours o.i.r.e**.
Remarque
Les adjectifs terminés par le son [WAR] **oir**, s'écrivent avec un **e** au masculin sauf **noir**.

noms masculins			**noms féminins**	
peignoir	manoir	pressoir	mâchoire	bassinoire
boudoir	laminoir	rasoir	foire	passoire
bougeoir	espoir	grattoir	nageoire	rôtissoire
couloir	terroir	plantoir	mangeoire	balançoire
devoir	miroir	comptoir	bouilloire	victoire
tiroir	entonnoir	abreuvoir	poire	trajectoire
abattoir	déversoir	réservoir...	patinoire	histoire...

Exceptions, **noms masculins en *oire*** : accessoire, interrogatoire, laboratoire, auditoire, territoire, observatoire, réfectoire, ivoire.

EXERCICES

■ **638.** **Écrivez le nom en** *oir* **ou** *oire* **correspondant aux verbes suivants :**

espérer	mirer	compter	sauter	sécher	balancer
parler	tirer	manger	bouillir	racler	égoutter
passer	raser	gratter	laminer	presser	dormir
abattre	rôtir	nager	mâcher	dévider	remonter

■ **639.** **Complétez les mots inachevés.**

Dans les arm..., les piles de linge sont alignées harmonieusement. (G. AIREMANT.) - – Le territ... de Belfort est peu étendu. – Les Chinois sculptent l'ivoi... avec talent. – Le poisson a des nage... . – Les clients s'installent au compt... du bar. – Il paraît que ce vieux man... est hanté ! – Le boxeur s'est fracturé la mâch... au cours du combat.

■ **640.** **Même exercice que 639.**

Il est midi, les employés vont au réfect... . – Le perroquet sautille sur son perch... . – Émilie range ses affaires dans un tir... . – Sur la cheminée s'alignent des boug... anciens. – Cette p... est vraiment délicieuse. – Le juge a prolongé l'interrogat... de l'accusé. – Le savant fait de minutieuses recherches dans son laborat... . – De son observat..., l'astronome suit les déplacements des satellites artificiels.

MOTS À ÉTUDIER :
1. la foire, la mâchoire, la poire, la mangeoire.
2. l'observatoire, le couloir, le réfectoire, l'ivoire, le territoire.
3. égoutter, l'accusé, harmonieusement, minutieux, artificiel.

Noms en -*u* et en -*ue*

▎ La rue, l'avenue, la laitue, le tissu, le talus, le flux.

Les noms **féminins** terminés par le son [y] u, s'écrivent **u.e**, sauf **bru, glu, tribu** et **vertu**.

noms féminins				noms masculins		
cohue	bienvenue	crue	tortue	tissu	cru	flux
étendue	tenue	décrue	laitue	fichu	bossu	reflux
entrevue	étendue	recrue	statue	menu	contenu	bahut
mue	charrue	grue	battue	résidu	zébu	but
nue	verrue	massue	vue	individu	talus	chalut
venue	morue	issue	revue	écu	jus	fût
avenue	rue	sangsue	entrevue...	inconnu	pus	affût...

EXERCICES

■ **641. Complétez les mots inachevés.**

Les Bretons vont à Terre-Neuve pêcher la mor… . – Le sculpteur termine une magnifique stat… . – « Le boss… » est un roman de Paul Féval. – L'avant-centre marque le premier b… de la partie. – Le fleuve est en cr… : de vastes étend… d'eau recouvrent les champs, les r…, les quais où les gr… tendent leurs bras nus. – J'ai la v… qui baisse. – C'est le j… de raisin fermenté qui donne le vin. – Une entrev… eut lieu entre les deux chefs d'État.

■ **642. Même exercice que 641.**

J'ai découvert un vieux bah… dans le grenier. – Le f… de cognac est vide. – L'ab… du tabac nuit à la santé. – Les concurrents du rallye ont rencontré une trib… de nomades en traversant le Sahara. – Il faudrait prendre le temps de jeter ces ferrailles au reb… . – Le beau temps est revenu, la rivière est en décr… . – Les marins ont du mal à relever le chal… plein de poissons. – Les chasseurs ont organisé une batt… au sanglier.

■ **643. À l'aide d'un mot de la même famille, justifiez la dernière lettre des noms suivants :**

but	bahut	abus	salut	institut
début	obus	fût	flux	substitut
rebut	refus	affût	intrus	chalut

■ **644. Construisez une phrase simple avec les mots suivants :**

1. la rue, le ru ; la crue, le cru ; la tribu, le tribut.
2. le salut, il salut ; la glu, il s'englue ; la vertu, il s'évertue.

MOTS À ÉTUDIER :
1. **la tortue, la revue, le refus, le salut.**
2. **la cohue, la tribu, la glu, la crue, l'intrus.**
3. **la bru, le chalut, le fût, le début, l'entrevue.**

Noms en -*ure* et en -*ule*

I La piqûre, le murmure, le véhicule, la majuscule.

1. Les noms terminés par le son [yr] **ure**, s'écrivent **u.r.e** sauf **mur**, **fémur**, **azur**, **futur**.

2. Les noms terminés par **ule** [yl], s'écrivent **u.l.e** sauf **calcul**, **recul**, **consul** ; **bulle** et **tulle** s'écrivent avec deux **l**.

noms féminins					noms masculins
bordure	envergure	teinture	morsure	nourriture	
reliure	peinture	voiture	masure	tenture	pédicure
rayure	blessure	rainure	embrasure	aventure	mercure
piqûre	brûlure	capture	miniature	architecture	murmure…
hachure	éraflure	confiture	stature	sculpture	
embouchure	mûre	fissure	verdure	rupture…	

noms féminins			noms masculins		
mandibule	majuscule	pilule	conciliabule	tentacule	tubercule
fécule	pendule	capsule	vestibule	véhicule	crépuscule
gélule	libellule	péninsule	globule	monticule	opuscule
bascule	cellule	rotule	préambule	pécule	scrupule

EXERCICES

■ **645. Trouvez les noms en** *ure* **dérivés de chacun des verbes suivants :**

relier	border	érafler	déchirer	meurtrir	teindre
rayer	brûler	hacher	blesser	peindre	rompre
piquer	doubler	ferrer	coudre	nourrir	égratigner

■ **646. Complétez les mots inachevés.**

Le mercu… est un métal très dense. – En cueillant des mûr…, les enfants se sont fait des égratignu… . – Les médicaments se présentent souvent sous la forme de petites pilu… . – Le peintre a rebouché la fissu… du mu… avec du mastic. – Mes voisins ont passé leurs vacances sur la Côte d'Azu… . – La reliu… est un art qui se perd. – Le portail de l'église est orné de sculptu… . – Ce peintre fait des miniatu… .

■ **647. Même exercice que 646.**

La pieuvre saisit sa proie avec ses tentacu… . – Une goutte de sang renferme des millions de globu… . – Le lourd véhicu… gravit la côte. – J'ai acheté un petit opuscu… chez un bouquiniste. – Lisez le préambu… de cet ouvrage, vous comprendrez mieux. – Napoléon Bonaparte fut consu… avant d'être empereur. – Conduire au crépuscu… est pénible et dangereux.

MOTS À ÉTUDIER :
1. **la bordure, la rayure, la piqûre, la pilule, la cellule.**
2. **la morsure, la hachure, le crépuscule, les globules.**
3. **le sang, la pieuvre, l'empereur, la proie, une miniature.**

Noms en -*ou* et en -*oue*

▌ Le caillou, la roue.

Les noms **féminins** terminés par le son [u] ou, s'écrivent **o.u.e** sauf la **toux**. Les noms **masculins** se terminent généralement par **o.u**.

noms féminins		noms masculins		terminaisons diverses	
houe	caillou	acajou	genou		
boue	voyou	bijou	pou	houx	goût
joue	hibou	joujou	verrou	époux	égout
moue	bambou	brou	kangourou	saindoux	ragoût
roue	chou	trou	écrou	remous	loup
proue	clou...	mou	sou...	caoutchouc	pouls...

EXERCICES

■ 648. Complétez les mots inachevés.
La sève de l'hévéa donne le caoutch… . – Le mécanicien resserre les écr… . – Le tigre se cache dans les bamb… . – Le médecin tâte le pou… du malade. – L'ébène et l'acaj… sont des bois précieux. – Le marteau sert à enfoncer les cl… . – Le serrurier pose des verr… . – La pr… du navire fend les vagues. – L'avion pris dans un rem… s'écrase au sol.

■ 649. Même exercice que 648.
De nombreuses maisons n'ont pas encore de tout-à-l'ég… . – Le paon fait la rou… . – Les supporters font la m… parce que l'arbitre a refusé un essai. – Le kangour… vit en Australie. – Le malade prend du sirop pour calmer sa t… . – Nous déjeunons d'un rag… de bœuf. – Les l… sont devenus très rares en France. – Dans certains quartiers les rues sont envahies par les voy… .

■ 650. À l'aide d'un mot de la même famille, justifiez l'orthographe de :
bout	coût	coup	dégoût	égout	pouls

■ 651. Écrivez les noms suivants au pluriel.
bijou	genou	clou	pou	kangourou	écrou
joujou	caillou	hibou	coucou	verrou	trou

■ 652. Écrivez les noms suivants au singulier.
les remous	les verrous	les pouls	les choux	les saindoux	les toux
les époux	les égouts	les poux	les jaloux	les houx	les bijoux

■ 653. Faites entrer dans une phrase simple chacun des mots suivants :
houx	joue	moue	mou	cou	coup

MOTS À ÉTUDIER :
1. la boue, le houx, un coup, un égout, un écrou.
2. le caillou, le kangourou, le caoutchouc, le ragoût, le dégoût.
3. le verrou, le coût, le sirop, les supporters, le serrurier.

1 l ou 2 l   1 t ou 2 t

| Des yeux étincelants, une étincelle.
| Le noisetier, la noisette.

EXERCICES

■ **654. Donnez un nom de la famille des noms suivants renfermant un *l* ou un *t*.**

| chamelle | chapellerie | mamelle | chancellerie |
| échelle | hôtellerie | gazette | cervelle |

■ **655. Donnez un nom de la famille des noms suivants, contenant soit deux *l* ou deux *t*, soit un *l* ou un *t* :**

| charretier | batelier | coutelier | vaisselle | ruisseau | sorcier |
| chandelier | oiselier | tonneau | cerveau | dent | feuille |

■ **656. Écrivez les verbes à la 2ᵉ personne du singulier du présent et de l'imparfait de l'indicatif, du passé simple et du futur simple – puis donnez un nom de la famille de ces verbes renfermant un *l* ou deux *l*, un *t* ou deux *t*.**

| amonceler | renouveler | ressemeler | ruisseler | morceler | empaqueter |
| appeler | haleter | atteler | étinceler | jeter | niveler |

■ **657. Complétez les mots inachevés.**

Des étinc…es sortaient du pot d'échappement. – Cet acteur a des yeux étince…ants. – Les parents de Laure sont des artisans bate…iers. – Sur la cheminée, il y a deux vieux chande…iers. – Dimanche soir nous avons dîné aux chande…es. – À Bruges, en Belgique, on trouve de belles dent…es. – La dent…ière maniait prestement ses fuseaux. – La feuille de la violette a une dente…ure régulière. – Autrefois, les chape…iers vendaient des bérets, des chapeaux, des casquettes. – Un ruisse…et traverse la prairie. – On ne voit plus guère aujourd'hui des charre…es, des carrio…es.

■ **658. Même exercice que 657.**

L'intrépide combattant du désert sortit son coute…as. – Le coute…ier vend des couteaux de toutes tailles. – Ce cordonnier fait de bons resseme…ages. – J'ai planté deux noise…iers dans le jardin. – Le vaisse…ier est décoré d'assiettes anciennes. – Le plongeur lave la vaisse…e. – L'oise…ier vantait le chant de ses oiseaux. – L'empaque…age de ce colis est défectueux. – Le cerve…et est une partie du système nerveux. – Les cloche…es du muguet embaument. – Le clocher est orné de cloche…ons ajourés.

MOTS À ÉTUDIER :
1. l'échelle, l'hôtellerie, le batelier, la vaisselle.
2. le muguet, la gazette, le cerveau, la cervelle, le coutelier.
3. ajouré, le sorcier, défectueux, le tonneau, le chandelier.

Noms en -*oi* et en -*oie*

▌ **Le roi, la soie.**

Les noms **masculins** terminés par le son [wa] **oi** s'écrivent souvent
o.i et les noms **féminins o.i.e.**

noms masculins		noms féminins	terminaisons diverses		
aboi	désarroi	oie	l'anchois	le bois	le foie
emploi	effroi	joie	le pois	le mois	la fois (quantité)
émoi	beffroi	soie	le poids	le doigt	la foi (croyance)
tournoi	renvoi	courroie	le putois	le détroit	la loi
roi	envoi	proie	le choix	la croix	la paroi
charroi	convoi…	voie (chemin)…	le chamois	la noix	la voix (organe)…

EXERCICES

■ **659.** **Faites entrer dans une phrase simple chacun des mots suivants :**
foi, foie, fois – voie, voix – emploi, emploie – envoi, envoie.

■ **660.** **Complétez les mots inachevés.**
Le ro… Henri II fut mortellement blessé dans un tourno… . – La courr… du
ventilateur est cassée. – Henri IV protégea l'industrie de la so… . – Les
croisés s'appellent ainsi parce qu'ils portaient une cro… . – La cliente avait du
mal à faire son ch… . – En un été, ce boxeur a pris du poi… . – Dans le nord
de la France, les hôtels de ville sont souvent surmontés d'un beffro… . – Le
corbeau ne se sent pas de joi… ; et pour montrer sa belle voi…, il ouvre un
large bec, laisse tomber sa proi… . (LA FONTAINE.)

■ **661.** **Même exercice que 660.**
Tout citoyen doit se conformer à la lo… . – L'o… est engraissée pour sa chair
et son fo… . – Seules quelques personnes parlent encore le pato… . – L'arbre
agrippe ses racines à la paro… rocheuse. – La no… est un fruit nourrissant. –
Ce chanteur a une très belle vo… . – La vo… ferrée longe la mer. – Le navire
franchit le détro… . – Le lion dévore sa pro… .

■ **662.** **À l'aide d'un mot de la même famille, justifiez l'orthographe des mots
suivants :**

bois	froid	doigt	pavois
bourgeois	toit	exploit	hautbois
droit	chamois	maladroit	poids

MOTS À ÉTUDIER :
1. **un emploi, le choix, la loi, la croix, le poids.**
2. **la courroie, un hautbois, un maladroit, le détroit, le droit.**
3. **nourrissant, le chamois, agripper, mortellement.**

Noms en -*ie*

| **La mairie, la mie, la pluie.**

Les noms féminins terminés par le son [i] **i**, s'écrivent **i.e** sauf **souris, brebis, perdrix, fourmi, nuit.**

pluie	astronomie	intempérie	infanterie	chimie	pharmacie
bouillie	bonhomie	soierie	sortie	dynastie	asphyxie
tragédie	tyrannie	raillerie	féerie	minutie	autopsie
encyclopédie	plaisanterie	sorcellerie	mairie	péripétie	fantaisie
stratégie	insomnie	hôtellerie	prairie	suprématie	hypocrisie
effigie	calomnie	bizarrerie	théorie	ineptie	ortie
mélancolie	harmonie	orfèvrerie	scie	acrobatie	sympathie
physionomie	myopie	coquetterie	scierie	éclaircie	antipathie…

EXERCICES

■ **663. À l'aide d'un mot de la même famille, justifiez la lettre *t* contenue dans les mots suivants :**

acrobatie   démocratie   prophétie   inertie   minutie

■ **664. Complétez les mots inachevés.**

La poul… grince. – Don Basile chante l'air de la Calomni… . – La librair… est fermée le lundi. – Je vais chercher une fiche d'état civil à la mair… . – Les plaisanter… les plus courtes sont les meilleures. – Le maçon passe du sable au tam… . – Les paroles s'envolent, les écri… restent. – Pendant mes nu… d'insomn…, je lis. – En Corse on fabrique des fromages de breb… .

■ **665. Même exercice que 664.**

Le champ est couvert d'ort… . – Ébloui par le soleil, le skieur fronce les sourc… . – La perdr… se cache dans le sillon. – La plu… monotone retient ma pensée dans une rêveri… mélancolique. (A. France.) – C'est une féer… qu'un coucher de soleil. – Ces fauteuils sont couverts de belles soier… . – L'hôteller… est la seule ressource de ce pays. – La scier… se trouve à la sort… du village. – La fourm… porte un brin de paille.

■ **666. À l'aide d'un mot de la même famille, justifiez l'orthographe des mots suivants :**

bruit	persil	bandit	tamis	outil	pays
débit	sourcil	dépit	érudit	acquit	marquis
tapis	avis	commis	permis	apprenti	esprit

MOTS À ÉTUDIER :
1. **la mairie, le sourcil, un écrit, un outil, le pays.**
2. **un érudit, l'esprit, un permis, l'insomnie.**
3. **la stratégie, la théorie, la sympathie, la démocratie, une harmonie.**

-ç

I **Un Français, une balançoire, un reçu.**

Il faut mettre une **cédille** pour **conserver** le son $[s]$ devant **a – o – u**.

commerçant	aperçu	tronçon	glaçon	gerçure
soupçon	laçage	perçage	hameçon	poinçon
façade	caleçon	façon	leçon	rançon
fiançailles	traçage	garçon	maçon	remplaçant…

EXERCICES

■ 667. Écrivez les verbes à la 1ʳᵉ personne du singulier et du pluriel de l'imparfait de l'indicatif.
balancer   rincer   amorcer   pincer   remplacer   tracer

■ 668. Trouvez un nom renfermant un ç de la famille des mots suivants :
gercer   glace   apercevoir   limace   pince   poncer
face   tronc   commercer   forcer   recevoir   lacer

■ 669. Trouvez un adjectif renfermant un ç dérivé des mots suivants :
effacer   soupçonner   remplacer   grimacer   percer   Provence
prononcer   apercevoir   glacer   menacer   influencer   France

■ 670. Trouvez le verbe dérivé de chacun des noms suivants :
rançon   façon   maçon   soupçon   poinçon   amorçage

■ 671. Complétez en remplaçant les points par c ou ç.
le re…u   les fian…ailles   effa…able   dé…u
la re…ette   le fian…é   l'effa…ement   la dé…eption
la fa…ette   le rempla…ant   l'amor…e   le gla…on
la fa…ade   le rempla…ement   l'amor…age   la gla…ière

■ 672. Complétez les mots inachevés.
Les commer…ants ont décoré leurs boutiques à l'occasion de Noël. – Nous devons ravaler la fa…ade de la maison. – Le pêcheur met un hame…on pour pêcher le brochet. – Un joueur est blessé ; son rempla…ant entre immédiatement sur le terrain. – Les ma…ons bâtissent une maison. – Jean Valjean le for…at était un honnête homme. – Nous venons d'achever le tra…age du terrain. – L'accusé a dissipé les soup…ons qui pesaient sur lui.

■ 673. Même exercice que 672.
Autrefois, les chevaliers prisonniers se rachetaient en payant une ran…on. – Le graveur manie le poin…on. – Le froid cause des ger…ures. – Les ouvriers achèvent de goudronner le dernier tron…on de l'autoroute. – Vincent voulait se baigner, mais il a oublié son cale…on de bain. – Il nous a donné un aper…u de ses capacités. – Les vins fran…ais sont renommés.

MOTS À ÉTUDIER :
1. **les soupçons, le remplaçant, la déception.**
2. **un glaçon, un hameçon, apercevoir, le poinçon, la recette.**
3. **les fiançailles, le forçat, la gerçure, la rançon.**

-gea, -geo

| Un geai, un pigeon.

Pour **conserver** le son [ʒ] **je** après le **g**, il faut mettre un **e** devant **a** et **o**.

démangeaison	bourgeois	vengeance	esturgeon	mangeoire	plongeon
intransigeance	geai	bougeoir	geôlier	nageoire	plongeoir
orangeade	obligeance	bourgeon	Georges	pigeon	rougeole…
tu changeais	nous logeons	il rangea	nous longeons	je chargeais	elle bougeait…

EXERCICES

■ 674. **Écrivez les verbes à la 3ᵉ personne du singulier et à la 1ʳᵉ personne du pluriel de l'imparfait de l'indicatif.**

diriger   nager   démanger   plonger   jauger   venger

■ 675. **Trouvez l'adjectif renfermant *gea* ou *geo*, dérivé des mots suivants :**

arranger	échanger	assiéger	engager	obliger
diriger	changer	affliger	encourager	engager
partager	loger	Strasbourg	exiger	outrager

■ 676. **Donnez un ou deux mots renfermant *gea* ou *geo*, de la famille de :**

orange   village   plonger   bourg   rouge   manger

■ 677. **Complétez les mots suivants, s'il y a lieu.**

le villag…ois	bourg…onner	boug…onner	la prolong…ation
roug…oyer	l'orang…ade	la vig…eur	la rig…eur
la bourg…ade	le plong…oir	la g…orgée	la g…imbarde

■ 678. **Complétez les mots inachevés.**

Sandrine monte au plong…oir de cinq mètres. – Nous nous engag…âmes dans une vallée de roseaux secs. (G. DE MAUPASSANT.) – Le caviar est fait d'œufs d'esturg…on. – Le poisson agite ses nag…oires. – Les piqûres d'orties provoquent des démang…aisons. – La maison s'allong…ait, noire avec une lumière au front. Des ombres boug…aient dans la lumière. (M. GENEVOIX.)

■ 679. **Même exercice que 678.**

Le soleil se couche dans un ciel roug…âtre. – Le lad verse de l'avoine dans la mang…oire du cheval. – Cet objectif est interchang…able. – Un g…ai, dit la fable, s'était paré des plumes d'un paon. – Le pêcheur badig…onne sa barque avec du goudron. – Les peuples de l'Antiquité faisaient des sacrifices pour écarter la veng…ance des dieux. – Ce bifteck n'est pas mang…able. – Habituellement on sert le gigot de mouton avec des flag…olets.

MOTS À ÉTUDIER :
1. une orangeade, le bourgeon, le villageois, le plongeoir.
2. la vigueur, la vengeance, affliger, une démangeaison, la prolongation.
3. habituellement, l'Antiquité, rougeâtre, l'avoine.

-c ou -qu　　　　　　　　　　　-g ou -gu

> ▌　**Le fabricant, la fabrique — la vigueur, vigoureux.**

Les verbes terminés par **guer** ou **quer** conservent l'**u** dans toute leur conjugaison : **nous naviguons**, **il navigua**, **nous fabriquons**. Dans les autres mots, devant **a** et **o**, on écrit dans la plupart des cas **g** ou **c** au lieu de **gu** ou **qu** :

navigation, **vigoureux** — **fabrication**, **escouade**.

débarcadère	suffocation	langage	**quelques exceptions**	
convocation	embuscade	cargaison		
dislocation	démarcation	divagation	qualité	attaquable
indication	flocon	prodigalité	quantité	remarquable
praticable	balcon	dragon	quartier	critiquable
éducation	picorer	gondole	piquant	quotidien
embarcation	infatigable	ligoter...	trafiquant	liquoreux...

EXERCICES

▨ **680. Employez avec un nom les adjectifs dérivés des noms suivants :**

Amérique	Mexique	musique	république	vigueur
Armorique	Afrique	tropique	rigueur	langueur

▨ **681. Trouvez un nom contenant** *ga* **ou** *ca* **de la famille des mots suivants :**

suffoquer	éduquer	naviguer	prodiguer	tanguer
carguer	revendiquer	indiquer	démarquer	débarquer

▨ **682. Complétez les mots suivants, s'il y a lieu :**

le lang...age	l'élag...eur	fatig...ant	li...oreux
rug...eux	l'élag...age	le zing...eur	l'embar...ement
la rug...osité	infatig...able	expli...able	le débar...adère
lig...oter	l'é...erre	la lig...ature	inatta...able

▨ **683. Complétez les mots inachevés.**

La Seine est navi...able. – La navi...ation est difficile par gros temps pour les petites embar...ations. – Le navire accoste au débar...adère. – Nous subissons un froid ri...oureux. – L'expli...ation est claire. – Il fait une chaleur suffo...ante. – Ces terres sont fertilisées par l'irri...ation.

▨ **684. Même exercice que 683.**

La prodi...alité est le contraire de l'avarice. – Le bateau rapporte une car...aison de café. – L'or est inatta...able aux acides. – La rascasse dresse ses pi...ants. – Le crocodile a une peau ru...euse. – Ce coureur est infati...able. – Le jardinier procède à l'éla...age des tilleuls. – Le cheval est vi...oureux.

MOTS À ÉTUDIER :
1. **la qualité, la quantité, quotidien, le dragon, la cargaison.**
2. **la navigation, l'embuscade, infatigable, l'indication, une embarcation.**
3. **accoster, le tilleul, l'avarice.**

Les lettres muettes intercalées

La lettre h.

adhérer	exhalaison	orthographe	jacinthe
adhésion	inhalation	améthyste	labyrinthe
appréhender	exhiber	sympathie	léthargie
préhension	prohiber	antipathie	luthier
répréhensible	exhorter	apothéose	méthode
compréhensible	menhir	apothicaire	panthéon
bonheur	rhabiller	amphithéâtre	panthère
malheur	rhinocéros	athlète	pathétique
bohémien	rhododendron	authentique	plinthe
bonhomme	rhubarbe	hypothèse	posthume
cahot	rhum	thèse	rythme
cohérence	rhume	philanthrope	théière
incohérence	rhumatisme	anthologie	thème
cohésion	silhouette	bibliothèque	théorème
dahlia	souhait	cathédrale	théorie
ébahir	trahir	enthousiasme	thon
envahir	véhémence	esthétique	thorax
exhaler	véhicule	éther	thym...

EXERCICES

■ **685. Employez avec un nom les adjectifs dérivés des noms suivants :**

athlète	méthode	rythme	apathie
enthousiasme	orthographe	théorie	sympathie

■ **686. Donnez le sens des mots suivants et faites-les entrer dans une courte phrase . Utilisez vos dictionnaires.**

1. authentique	labyrinthe	luth	silhouette
2. adhérer	inhalation	théorie	envahir
3. hypothèse	théière	plinthe	trahir

■ **687. Complétez les mots inachevés.**

Le lourd vé...icule s'embourbe dans le chemin détrempé. – Le t...ym est une plante aromatique. – Les da...lias parent nos jardins en automne. – L'opéra se termine en apot...éose. – On apercevait à travers le brouillard la sil...ouette d'un arbre. – Les at...lètes vainqueurs reçoivent un accueil ent...ousiaste. – Le soleil couchant incendie les vitraux de la cat...édrale. – Les spectateurs enva...issent la piste. – La base des murs est protégée par une plint...e. – Le pharmacien s'appelait autrefois l'apot...icaire.

MOTS À ÉTUDIER :
1. **la panthère, le véhicule, les athlètes, l'orthographe.**
2. **le bonheur, le malheur, le thon, la cathédrale, une adhésion.**
3. **le thème, le cahot, envahir, trahir, la bibliothèque.**

Les lettres muettes intercalées

La lettre e.
L'**aboiement** du chien, le **dénuement** du Sahel.

Remarque
Certains noms dérivant des verbes en **ier**, **ouer**, **uer**, et **yer** ont un
e muet intercalé.

balbutiement	dénouement	chatoiement	déblaiement
maniement	dévouement	déploiement	paiement...
ralliement	enrouement	flamboiement	**châtiment**
rapatriement	éternuement	nettoiement	gaieté
remerciement	aboiement	bégaiement	tuerie

EXERCICES

■ **688. Donnez après chaque verbe le nom dérivé contenant un** *e muet*. **(Utilisez vos dictionnaires.)**

apitoyer	tuer	éternuer	remuer	rudoyer
bégayer	dénuer	flamboyer	renier	scier
vouvoyer	enrouer	chatoyer	rougeoyer	tournoyer

■ **689. Trouvez le nom renfermant un** *e muet*, **dérivé de chacun des verbes suivants, et donnez-lui un complément.**

licencier	rapatrier	dévouer	égayer	pépier
manier	balbutier	rallier	payer	remercier
nettoyer	déployer	aboyer	déblayer	dénouer

■ **690. Écrivez les verbes aux trois premières personnes du singulier du futur simple, puis donnez le nom dérivé de ces verbes contenant un** *e muet*.

nettoyer	manier	remercier	payer	balbutier

■ **691. Complétez les mots inachevés, s'il y a lieu.**

L'infirmière soigne ses malades avec dévou...ment. – L'apprenti s'exerce au mani...ment des outils. – Le rapatri...ment des prisonniers de guerre n'a pas encore eu lieu. – C'est une fé...rie que la campagne couverte de neige. – Cicéron l'orateur, dit-on, était affligé de bégai...ment. – Trois coups de sifflet étaient leur signe de ralli...ment. – Je m'ass...ois dans le jardin.

■ **692. Même exercice que 691.**

Dans la nuit surgissent les aboi...ments d'un chien. – « Crime et châti...ment » est le titre d'un roman russe. – Le flamboi...ment du soleil couchant donne au ciel des teintes somptueuses – Ces vieilles personnes vivent dans le plus profond dénu...ment. – Cette ténébreuse affaire a eu un dénou...ment inattendu.

MOTS À ÉTUDIER :
1. l'apprenti, les outils, le maniement, le châtiment, la gaieté.
2. le flamboiement, le nettoiement, l'aboiement, un éternuement.
3. le dénuement, le dévouement, le rapatriement, le déploiement.

Les lettres muettes intercalées

▌ La lettre p.

sculpteur	dompteur	compte	comptoir	exempter	baptême
sculpture	indompté	mécompte	comptable	prompt	baptiser
sculpter	indomptable	acompte	escompte	promptement	septième
dompter	compter	décompte	exempt	promptitude	sept...

EXERCICES

■ **693. Conjuguez les verbes aux trois personnes du pluriel du présent et de l'imparfait de l'indicatif.**

dompter les fauves   compter des billets   sculpter un panneau

■ **694. Donnez quelques mots de la famille des mots suivants :**

sculpter   compter   dompter   prompt   exempt

■ **695. Complétez les mots inachevés.**

Les vendeurs attendent les clients derrière le com...toir. – La cliente verse un acom...te sur son achat. – Le dom...teur entre dans la cage des fauves. – Le candidat vif d'esprit répond prom...tement à la question posée. – L'élève malade est exem...t de piscine. – Le médecin réagit avec prom...titude. – Le scul...teur a terminé une statue. – Le futur aviateur reçoit le ba...tême de l'air. – Le savant ne se laisse pas détourner de son but par les mécom...tes. – La gamme comprend se...t notes différentes. – *Si* est la se...tième note de la gamme.

■ **696. RÉVISION. Complétez les mots inachevés.**

Lyon est un grand centre de fabrication de soi...ries. – Le marchand réclame le pai...ment de sa facture. – La jacint...e est une fleur à clochettes. – La pant...ère bondit sur sa proie. – Autrefois, les bo...émiens étaient chassés des villages. – Le soleil met la gai...té dans les cœurs. – Le t...on est un poisson de mer. – Le torrent indom...té dévale de la montagne. – Le com...table recom...te une opération. – Le lut... est un instrument de musique à cordes. – La construction du Pan...éon a débuté sous Louis XV.

■ **697. RÉVISION. Remplacer les points par la lettre muette convenable.**

rougeoi.ment	da.lia	enva.ir	r.ume	fé.rie
flamboi.ment	sou.ait	dom.teur	t.orax	t.é
balbuti.ment	soi.rie	tu.rie	ass.oir	ca.ot
remerci.ment	vé.icule	scul.ter	b.auté	sci.rie
prom.tement	ryt.me	mét.ode	co.ue	ca.ute
enrou.ment	at.lète	gai.té	se.t	t.ym

MOTS À ÉTUDIER :
1. **le sculpteur, le dompteur, compter, prompt, sept.**
2. **le comptable, exempt, un acompte, dompter.**
2. **le candidat, la piscine, le paiement, une gamme, le septième.**

Préfixes *in-*, *dés-*, *en-*

▌ **Inaccessible, innombrable, déshabiller, entraîner.**

Pour bien écrire un **mot** dans lequel entre un **préfixe** comme **in**, **dés**, **en**, il faut penser au **radical**.
– **Inaccessible**, formé du mot **accessible** et du préfixe **in**, s'écrit avec **un n**.
– **Innombrable**, formé du mot **nombrable** et du préfixe **in**, s'écrit avec **deux n**.
– **Déshabiller**, formé du mot **habiller** et du préfixe **dés**, s'écrit avec **un h**.

inacceptable	inexcusable	inhabituel	désaccord	déshabituer	dessaisir
inassouvi	inoccupé	inhumer	désagréable	désherber	desservir...
inavouable	inondé	insatiable	désamorcer	déshériter	enhardir
inattendu	inhospitalier	imbattable	désarçonner	déshonorer	emménager
inexact	inhabité	immérité...	désenfler	désorienter	empailler...

EXERCICES

■ 698. **À l'aide du préfixe** *in* **ou** *im*, **formez le contraire des mots suivants :**

avouable	épuisable	habile	accessible	interrompu
praticable	admissible	buvable	humain	patient

■ 699. **Même exercice que 698.**

achevé	appliqué	espéré	habituel	intelligent	attendu
hospitalier	actif	apte	effaçable	exploré	oubliable

■ 700. **À l'aide du préfixe** *dés*, **formez le contraire des mots suivants :**

accorder	articuler	ennuyer	honorer	obéissance	serrer
altérer	avantage	habituer	infecter	ordonner	servir
approuver	enchanter	hériter	intéresser	saler	unir

■ 701. **Trouvez trois verbes dans lesquels entre le préfixe** *trans* **et faites une phrase avec chacun d'eux.**

■ 702. **Complétez les mots inachevés.**

Cette maison est i...abitée. – Nous avons reçu une visite i...attendue. – L'achat de cette propriété m'est i...accessible. – Le navire s'éloigne de la côte i...ospitalière. – Il est i...umain de faire souffrir les animaux. – Le moineau s'en...ardit et vient picorer sur la table. – Cet homme se dés...abitue de fumer. – Le jardinier dés...erbe les allées. – Les i...ondations ont causé de grands dégâts.

MOTS À ÉTUDIER :
1. **inaccessible, insatiable, inondé, inexact, inachevé.**
2. **inattendu, inhospitalier, le désaccord, désherber, empailler.**
3. **enhardir, inacceptable, inoccupé, inexcusable, ininterrompu.**

La lettre finale d'un nom

I **Tronc (tronçon), rang (ranger), plomb (plombier).**

Pour trouver la lettre finale d'un nom, il faut en général **former le féminin ou chercher un de ses dérivés.**
Quelques difficultés : **abri, brin, favori, chaos, étain, dépôt.**

EXERCICES

■ **703. Formez le féminin des noms suivants :**

époux	apprenti	lauréat	candidat	montagnard
marchand	érudit	villageois	boucher	commerçant

■ **704. À l'aide d'un dérivé, justifiez la dernière lettre des noms suivants :**

1. gant	retard	champ	appât	éclat
brigand	cigare	mât	accord	mandat
poignard	fracas	embarras	dos	débat
2. rabais	tricot	toux	bourg	commis
accès	faim	nom	fusil	drap
excès	pouls	coût	profit	riz

■ **705. Même exercice que 704.**

1. sourcil	galop	lard	toit	hasard
échafaud	sirop	poing	pavois	écart
sursaut	accroc	pied	plomb	plant
2. camp	confort	parfum	chalut	univers
arrêt	porc	salut	cours	concert
ruban	sang	affût	sport	essaim

■ **706. Complétez les mots inachevés.**

Le marchan… a consenti un rabai… . – Le placa… est fermé avec un cadena… . – Le maçon passe le sable au tami… . – Laurie fait cuire la côtelette sur le gr… . – Le couvreur répare le toi… . – La tortue arriva au b… la première. – L'abu… du tabac ruine la santé. – Claire a un joli ruba… . – Ces pays ont signé un accor… de coopération.

■ **707. Même exercice que 706.**

Charlot jouait souvent le rôle d'un vagabon… . – L'artisa… fabrique un meuble. – En Suède, on construit des abr… antinucléaires. – Le médecin masse le do… du joueur de tennis. – Le transpor… de l'alpiniste blessé s'effectue en hélicoptère. – Le crapau… est aussi un fauteuil. – Les badau… s'attardent aux devantures. – Autrefois les marins remontaient les chalu… à la main.

MOTS À ÉTUDIER :
1. **un époux, un excès, le candidat, un profit, autrefois.**
2. **le sourcil, le plomb, le crapaud, l'univers, un éclat.**
3. **consentir, l'accès, le poignard, l'embarras.**

Noms terminés par un *s* ou un *x* au singulier

▌ Un tailli**s**, l'engrai**s**, du velour**s**, une perdri**x**.

rubis	croquis	lilas	palais	héros	parcours
brebis	panaris	verglas	relais	remords	concours
radis	châssis	glas	laquais	pois	discours
taudis	pilotis	frimas	marais	poids	recours
paradis	parvis	fatras	mets	putois	tiers
treillis	remous	plâtras	entremets	talus	perdrix
torchis	cambouis	ananas	cyprès	jus	paix
anis	cabas	canevas	décès	velours	faux
maquis	cervelas	tas	puits	cours	croix…

EXERCICES

■ **708.** **Trouvez le nom en *is* dérivé de chacun des verbes suivants :**

briser	hacher	rouler	caillouter	clapoter
tailler	gâcher	semer	surseoir	cliqueter
fouiller	loger	colorer	lambrisser	laver
gribouiller	ébouler	pailler	ramasser	abattre

■ **709.** **Utilisez chacun des mots suivants dans une phrase.**

cabas engrais treillis relais clapotis torchis

■ **710.** **Complétez les mots inachevés.**

Le discour… du Premier ministre est télévisé. – Le rubi… est une pierre précieuse de couleur rouge. – Un abat-jour en tafetta… rose tamisait la lumière. – J'ai visité le marai… salant de Guérande. – J'ai fait un croqui… pour l'implantation de la nouvelle cuisine. – Si le monde vivait en pai…, il y aurait moins de misère. – Marianne choisit une robe en velour… . – Cette maison est construite sur piloti… .

■ **711.** **Même exercice que 710.**

La voiture a dérapé sur une plaque de vergla… . – Ce pays tropical est un véritable paradi… . – La diligence s'arrêta au relai… de poste. – Il est intéressant d'avoir un puit… dans son jardin. – Nous avons organisé un concour… de tarot. – Laurence n'oublie jamais l'heure de son cour… de piano. – Le mécanicien a les mains tachées de camboui… . – La maison est enfouie dans un fouilli… de verdure. – La petite barque disparaît dans un remou… .

MOTS À ÉTUDIER :
1. le verglas, le marais, la brebis, le radis, le velours.
2. le jus, le parcours, le talus, le héros, un cyprès.
3. le rubis, le croquis, l'ananas, un entremets, enfouir.

Noms masculins terminés par -*ée* ou -*ie*

▌ Un lyc**ée**, un incend**ie**, un fo**ie**.

pygmée	trophée	musée	sosie	parapluie
hyménée	caducée	athée	génie	foie...

EXERCICES

■ **712. Complétez les mots inachevés. (Utilisez vos dictionnaires.)**
Le phoque et l'otarie sont des animaux amphibi... . – Le coureur gagne l'épreuve et remporte le trophé... . – Certains cimetières contiennent de splendides mausolé... . – Le camé... est une pierre précieuse dont on enrichit les bagues et les broches. – Le musé... du Louvre renferme de magnifiques œuvres d'art. – L'incendi... a fait d'importants dégâts. – Victor Hugo et Pasteur sont deux grands géni... . – Les pygmé... sont des hommes de très petite taille qui vivent en Afrique.

■ **713. Révision. Complétez les mots inachevés. (Utilisez vos dictionnaires.)**
Quelques minutes après l'accident, les infirmiers accourent avec un brancar... pour transporter le blessé. – L'abu... du tabac peut causer des malaises. – Un putoi... est un petit animal carnassier qui ressemble à une fouine. – La guêpe se défend avec son dar... . – La vitre s'est brisée avec fraca... . – Étamer un objet, c'est le couvrir d'une couche d'étai... . – L'eau de ce puit... est fraîche et pure. – Dès l'aube, le pêcheur s'installe au bor... de la rivière. – Le ri... est très nourrissant. – Le vergla... rend la rue glissante. – Je repique un plan... de choux. – Le foi... sécrète la bile.

■ **714. Révision. Complétez les mots inachevés. (Utilisez vos dictionnaires.)**
Le scarabé... est un gros insecte. – Mon frère entrera au lycé... . – Sur le pare-brise des voitures de médecins, on voit souvent un caducé... . – Ces papiers peints sont d'un agréable colori... . – Au petit matin, on entend le gazouilli... des oiseaux. – Le siro... calme la tou... . – Le coin... est le fruit du cognassier. – On appelle parvi... la place située devant une église. – Pendant la guerre de 1939-1945, certains Français ont pris le maqui... pour combattre les armées ennemies. – Le ju... fermenté du raisin donne le vin. – Le médecin tâte le poul... du malade. – Le passant s'abrite sous son parapluie... .

■ **715. Révision. Mettez la terminaison convenable.**

badau...	remord...	talu...	salu...	puit...
crapau...	tailli...	géni...	ran...	camé...
velour...	semi...	espri...	accro...	hasar...
poid...	avi...	musé...	galo...	radi...
taudi...	lila...	outi...	lycé...	jai...

MOTS À ÉTUDIER :
1. **une otarie, un phoque, le trophée, le musée, le génie.**
2. **le foie, le parapluie, un accident, un infirmier, un carnassier.**
3. **le puits, l'étain, la toux, le sirop, le parvis.**

Mots commençant par un *h muet*

▌ Une **h**élice, une **h**umeur, une **h**umidité.

Remarques

L'**h muet** veut l'apostrophe au singulier et la liaison au pluriel :
l'hélice, les‿hélices.

L'**h aspiré** exige **le** ou **la** au singulier et empêche la liaison au pluriel :
le hangar, les / hangars ; la hache, les / haches.

habilité	hameçon	héritage	homme	horloge
habiller	harmonie	héréditaire	hommage	horoscope
habituer	héberger	humilier	honnête	horreur
habitation	hectare	hermétique	honneur	horticulteur
haleine	hécatombe	héroïne	hôtel	hospice
humanité	humble	hésiter	hôpital	hostilité
hebdomadaire	hémisphère	hippopotame	horizon	huître...

EXERCICES

■ **716. Employez avec un nom les adjectifs dérivés des noms suivants :**
harmonie   humanité   hostilité   hiver   habitude
herbe   horizon   huile   habitation   horreur

■ **717. Donnez quelques mots de la famille des mots suivants :**
habiter   habituer   habiller   herbe   hippique   honneur

■ **718. Complétez les mots inachevés.**
La vieille …orloge de la cathédrale de Strasbourg est superbe. – Le poisson a mordu à l'…ameçon. – Le suspens du film tenait les spectateurs en …aleine. – L'…ippopotame est un mammifère qui vit dans les fleuves d'Afrique. – Le juge a une toque d'…ermine. – La tempête a endommagé l'…élice du paquebot. – Les …irondelles nous quittent à l'automne. – Pour se maintenir en forme, monsieur Verchère soulève tous les jours des …altères. – La Première Guerre mondiale fit une véritable …écatombe. – La Terre est partagée en deux …émisphères. – Le menuisier est …abile.

■ **719. Même exercice que 718.**
Les montagnards ont …ébergé des alpinistes qui avaient été surpris par le mauvais temps. – L'île Saint-Louis, à Paris, est riche de vieux …ôtels …istoriques. – Le soleil incendie l'…orizon. – J'…umecte les lèvres du blessé. – *La Marseillaise* est l'…ymne national français. – Cette vieille maison n'est plus …abitée depuis longtemps. – Nous revenons par le chemin …abituel. – L'…umble demeure est entourée d'un jardin bien entretenu.

MOTS À ÉTUDIER :
1. l'hameçon, l'hôtel, une huître, un hymne, l'honneur.
2. l'horizon, l'huile, l'hôpital, l'harmonie, un hectare.
3. les haltères, l'hémisphère, une cathédrale, humble.

Le son [f] *f* écrit *ph*

▌ Un **ph**are, un **ph**oque, le triom**phe**.

amphithéâtre	nénuphar	phénix	scaphandrier	téléphone
asphyxie	œsophage	phénomène	sphinx	microphone
atrophie	orphelin	philatéliste	sphère	atmosphère
bibliophile	métamorphose	phrase	symphonie	hémisphère
géographie	périphérie	phonétique	triomphe	strophe
dauphin	phalange	phosphore	typhon	catastrophe
diaphragme	physique	physionomie	autographe	apostrophe
diphtérie	pharaon	prophète	sténographe	philosophe
éléphant	pharmacie	raphia	typographe	
éphémère	pharynx	saphir	aphone	

EXERCICES

■ **720. Employez avec un nom les adjectifs dérivés des noms suivants :**

catastrophe	phénomène	photographe	télégraphe	prophète
orthographe	triomphe	sphère	symphonie	téléphone

■ **721. Donnez les verbes dérivés des noms suivants :**

asphyxie	atrophie	orthographe	apostrophe	télégraphe
téléphone	métamorphose	triomphe	photographie	photocopie

■ **722. Complétez les mots inachevés.**

Pour Noël, on a offert à Cathy un magnéto…one à cassette. – Le pouce n'est formé que de deux …alanges. – Le …ilatéliste collectionne les timbres et le biblio…ile les beaux livres. – Ce célèbre footballeur signe des autogra…es à la fin du match. – Le sca…andrier plonge pour vérifier la coque du navire. – L'œso…age réunit la bouche à l'estomac. – Le plombier est venu changer le si…on du lavabo. – Le sa…ir est une pierre précieuse d'un beau bleu. – Le mot …iloso…e signifie : « ami de la sagesse ». – Le …oque est un animal am…ibie.

■ **723. Même exercice que 722.**

Les rois de l'ancienne Égypte portaient le nom de …araons. – Le por…yre est une sorte de marbre. – Le succès de cette chanson fut é…émère. – Le …are guide les navigateurs la nuit. – Le globe terrestre est partagé en deux hémis…ères par l'équateur. – Les nénu…ars fleurissent l'étang. – Le …os…ore et le soufre entrent dans la fabrication des allumettes. – Les insectes subissent des métamor…oses.

MOTS À ÉTUDIER :
1. le photographe, l'éléphant, le magnétophone, la strophe, la catastrophe.
2. l'orthographe, le téléphone, la photocopie, la métamorphose.
3. le pharaon, la sphère, le soufre, terrestre, les insectes.

Les familles de mots

▌ Flamber (flamme), immense (mesure), écorce (écorcher).

Pour trouver **l'orthographe d'un mot**, il suffit souvent de **rechercher** un autre mot de la même famille :

flamber : de la famille de **flamme**, s'écrit avec un **a** ;
immense : de la famille de **mesure**, s'écrit avec un **e** et un **s** ;
écorce : de la famille de **écorcher**, s'écrit avec un **c**.

EXERCICES

■ **724.** **À l'aide d'un mot de la même famille, justifiez la lettre en gras dans les mots suivants. (Utilisez vos dictionnaires.)**

1. rabais   majesté   main   acrobatie   lait
   aimable   serein   pain   diplomatie   gain
   chair   engrais   partiel   inertie   braise
2. baignoire   frein   humain   chandelier   clair
   chambre   partial   grain   notaire   ruban
   rein   faim   vain   commissaire   maison

■ **725.** **Justifiez la partie en gras dans les mots suivants. (Utilisez vos dictionnaires.)**

re**prés**entation   bien**fait**   af**franch**ir   in**cess**ant
é**panch**er   **sang**sue   in**sens**ible   **cerc**eau
dentellière   mal**fait**eur   **cycl**one   **ascen**sion

■ **726.** **Donnez un verbe de la famille des noms suivants :**

extension   dépendance   empreinte   éteignoir   entente
suspension   contrainte   atteinte   plainte   détente

■ **727.** **Donnez trois mots de la famille des verbes suivants :**

plaindre   teindre   ceindre   attendre   fendre
craindre   peindre   défendre   prétendre   pendre

■ **728.** **Donnez un mot de la famille des mots suivants :**

manger   mélanger   déranger   changer   venger
démanger   ranger   engranger   rechanger   losange
vendanger   arranger   échanger   orange   étrange

■ **729.** **Donnez les noms en** *ence* **ou en** *ance* **dérivés des mots suivants :**

prévoyant   bienveillant   opulent   obligeant   turbulent
tolérant   véhément   éloquent   vaillant   abondant
violent   convalescent   endurant   absent   vigilant

■ **730.** **Donnez quelques mots de la famille des mots suivants :**

immense   flamber   clarté   demander   plaire

MOTS À ÉTUDIER :
1. le cyclone, la majesté, l'acrobatie, une atteinte, serein.
2. l'engrais, le commissaire, partial, le malfaiteur, l'extension.
3. la suspension, une empreinte, l'ascension, prévoyant, bienveillant.

Les homonymes

Un **seau** d'eau – un **saut** de carpe – un enfant **sot** – le **sceau** de l'État – la ville de **Sceaux**.

RÈGLE

Les **homonymes** sont des mots qui ont la **même prononciation**, mais le plus souvent une **orthographe différente**. Il faut donc **chercher le sens** de la phrase pour écrire le mot correctement.

EXERCICES

■ **731. Donnez le sens des mots suivants et faites-les entrer dans une courte phrase.**
1. air, aire, ère, (il) erre.
2. cerf, serf, serre (du jardinier, de l'aigle), (il) serre, (il) sert, (ils) serrent.
3. cœur, chœur.
4. encre, ancre.

■ **732. Remplacez les points par l'un des mots suivants :**
faîte, fête, hêtre, être, signe, cygne, amande, amende, thym, teint.
Je fais … au conducteur de la voiture. – Le … évolue sur l'eau du lac. – Nous atteignons le … de la colline. – De nombreux manèges sont déjà installés, la … sera belle. – La cuisine provençale utilise beaucoup de … et de laurier pour aromatiser les plats. – Carine est malade ; elle a le … pâle. – L'… est le fruit de l'amandier. – L'automobiliste en défaut paie une … . – Autrefois, les sabots étaient le plus souvent taillés dans du … . – De tous les … vivants, la baleine et l'éléphant sont les plus imposants.

■ **733. Remplacez les points par l'un des mots suivants :**
taon, tant, temps, renne, reine, rêne, tante, tente, dessein, dessin.
Dans ce camping, les … sont installées les unes sur les autres. – Je vais passer quelques jours à la campagne chez ma … . – Les Lapons élèvent des troupeaux de … . – Le cavalier tient les … avec beaucoup de sûreté. – Chaque ruche a sa … . – Cet artiste exécute d'admirables … . – Le douanier déjoue les … des contrebandiers. – Les … voraces agacent les chevaux. – Le soleil brille, l'oiseau chante. C'est le beau … . – Il a … plu que les rues sont inondées.

■ **734. Remplacez les points par l'un des mots :**
héros, héraut, saut, sceau, seau, sot, site, cite, cahot, chaos, sellier, cellier.
Les … de la voiture rendent le voyage pénible. – Les roches entassées les unes sur les autres formaient un véritable … . – Le … a la poitrine constellée de décorations. – Le … d'armes lisait à la foule le dernier édit royal. – Le …

fabrique et répare les harnais et les selles. – Le vigneron range les barriques dans son … . – Le ministre appose le … de l'État au bas du traité. – Le maître d'hôtel sert le champagne dans un … à glace. – L'acrobate fait le … périlleux. – La France est riche en … ravissants. – Le conférencier … un passage des « Misérables » . – L'orgueilleux est un … .

■ **735. Donnez un homonyme pour chacun des mots suivants et utilisez-le dans une phrase.**

a) 1. août   2. teinte   3. mais   4. verre
b) 1. pois   2. père   3. laid   4. mur
c) 1. cou   2. vin   3. conte   4. eau

■ **736. Remplacez les points par l'un des mots suivants :**
délasse, délace, exauce, exhausse, gaz, gaze, résonne, raisonne.
La voix du chanteur … à merveille dans cette salle. – Cette vieille personne … avec beaucoup de bon sens. – Une équipe d'ouvriers … les rives du fleuve pour préserver la ville des inondations. – La maman … les vœux de son enfant malade. – Le travailleur se … des fatigues de la journée, en lisant. – Le spéléologue … ses gros souliers. – L'oxygène est un … . – La … est utilisée pour faire les pansements.

■ **737. Remplacez les points par l'un des mots suivants :**
voix, voie, chaume, chôme, antre, entre, pouce, pousse.
La panthère regagne son … . – Le train … en gare. – Xavier s'est tordu le … . – Le judoka … un cri en renversant son adversaire. – Les petites … aigrelettes des grenouilles s'élèvent dans la nuit. – Ces deux hommes ont suivi des … différentes, mais ont également réussi. – Les commandes se font rares ; le personnel de l'usine … plusieurs jours par mois. – Dans certaines régions, les maisons paysannes sont encore couvertes de … .

■ **738. Remplacez les points par l'un des mots suivants :**
desselle, descelle, décèle, pou, pouls, panse, pense, alêne, haleine.
Le cavalier … son cheval et le … . – Le maçon … de vieilles pierres. – Le médecin tâte le … du malade. – La mouche, la puce et le … sont des insectes parasites. – Le mécanicien … une fuite d'huile dans le moteur. – Monsieur Duc … déménager au mois de juillet. – L'artisan perce le cuir avec une … . – Les ouvriers s'arrêtent quelques instants pour reprendre … .

MOTS À ÉTUDIER :
1. **le spéléologue, la teinte, périlleux, orgueilleux, à merveille.**
2. **le cygne, le thym, le faîte, le cœur, le chœur.**
3. **un dessein, le douanier, le contrebandier, le cellier, le chaos.**

qu – ch – k

▌ Le **qu**otient, le **ch**rysanthème, le **k**épi.

quadrille	quotidien	fréquenter	chaos	archéologie	kimono
quai	quotient	hoquet	choléra	écho	kiosque
qualité	antiquaire	laquais	chœur	orchestre	kirsch
quantité	baquet	moustiquaire	chorale	orchidée	klaxon
quadrilatère	bouquet	narquois	chorégraphie	technique…	kola
quarante	raquette	paquet	chrétien	anorak	ankylose
quart	pourquoi	parquet	chlore	kabyle	jockey
quartier	coq	perroquet	chronique	kaki	moka
quincaillier	éloquence	piquant	chronologie	kangourou	ski
quiche	aquarium	quiproquo	chronomètre	kaolin	nickel
quinze	équerre	reliquaire…	archaïque	kermesse	ticket…

EXERCICES

▮ **739. Donnez un nom de la famille des mots suivants :**
fréquenter   bouquet   quincaillier   technique   archéologue
antiquaire   qualité   chorégraphie   chronique   chronomètre

▮ **740. Donnez les verbes de la famille des mots suivants et conjuguez-les aux trois personnes du singulier du présent de l'indicatif :**
orchestre   qualité   piquant   paquet   chronomètre

▮ **741. Complétez les mots inachevés.**
Cette drôle d'histoire ne man…e pas de pi…ant. – Le …incaillier vend des outils. – Jérôme prend grand soin de son anora… neuf. – L'anti…aire vend des tableaux, des bibelots anciens. – Ce joueur de tennis change de ra…ette, car il vient de casser une corde. – À la mi-temps, les joueurs changent de … amp. – Les musiciens ont pris place dans le …iosque. – Le …rysanthème est une fleur d'automne. – L'ar…éologue a découvert un tombeau antique. – L'immobilité an…ylose les membres.

▮ **742. Même exercice que 741.**
À la cafétéria, on a le choix entre un bifte… et de la blan…ette de veau. – Les or…idées sont des fleurs rares. – Les spectateurs reprennent en …œur les paroles de la chanson. – Le …aolin entre dans la fabrication de la porcelaine. – Les …ipro…os sont souvent fort amusants. – La Nouvelle-Calédonie produit beaucoup de nic…el. – L'automobiliste actionne son …laxon. – L'é…o répète les cris des enfants dans la montagne. – Le dessinateur utilise une é…erre. – Le joc…ey a gagné la course.

MOTS À ÉTUDIER :
1. le quai, la qualité, la quantité, le jockey, le paquet.
2. la chorale, un anorak, la kermesse, le nickel, le ticket.
3. l'aquarium, l'équerre, le laquais, le quincaillier.

SC

▌ La con**sc**ience, ira**sc**ible, la **sc**ène.

acquiescer	disciple	osciller	sceller	scinder
adolescence	discipliner	phosphorescence	scène	scintiller
ascension	effervescence	piscine	scénario	s'immiscer
ascenseur	faisceau	pisciculture	sceptique	susceptible
conscience	fascicule	plébiscite	sceptre	susciter...
convalescence	fasciner	recrudescence	sciatique	
convalescent	imputrescible	transcendance	science	
desceller	incandescence	ressusciter	sciemment	
descendre	incandescent	sceau	scier	schéma
discerner	irascible	scélérat	scierie	schiste

EXERCICES

▐ **743. Donnez un nom de la famille des mots suivants :**

adolescent	consciencieux	descendre	sceller
osciller	phosphorescent	convalescent	discerner
ascension	susceptible	acquiescer	fasciner

▐ **744. Donnez des mots de la famille de :** science, discipline, ascension.

▐ **745. Conjuguez les verbes aux trois personnes du singulier de l'imparfait de l'indicatif.**

acquiescer	osciller	discerner	susciter	sceller
schématiser	descendre	fasciner	scinder	scier

▐ **746. Complétez les mots inachevés.**

Le phare ...intille dans la nuit. – Les agents maîtrisent à grand-peine le chauffard ira...ible. – Le ciel gris su...ite des pensées mélancoliques. – Le printemps ressu...ite la terre engourdie. – Il ne faut pas acquie...er à tous les désirs des enfants. – On dit que les serpents fa...inent leur proie. – Il est souvent imprudent de s'immi...er dans les affaires d'autrui. – Les alpinistes ont entrepris une a...ension difficile. – Je suis ...eptique quant à sa réussite.

▐ **747. Même exercice que 746.**

La fréquentation des gens su...eptibles n'est pas toujours agréable. – Le convale...ent se promène au soleil. – Les nageurs s'entraînent dans la pi...ine. – Dans le bâtiment, on utilise des matériaux imputre...ibles. – La nuit, les yeux du chat sont phosphore...ents. – La recrude...ence du froid a provoqué le gel du lac. – Le balancier de l'horloge o...ille inlassablement. – Le tennis est devenu une di...ipline olympique. – L'a...enseur est en panne ; les locataires montent par l'escalier.

MOTS À ÉTUDIER :
1. **un adolescent, descendre, la discipline, fasciner.**
2. **osciller, la scène, le scénario, la science, le fascicule.**
3. **le disciple, discerner, l'effervescence, maîtriser, inlassablement.**

ti = si

▌ Une initiale, la patience, une description.

acrobatie	impartial	partiel		adoption	hésitation
aristocratie	initiative	pénitentiaire		ambition	irruption
balbutier	initier	péripétie		contemplation	mention
confidentiel	gentiane	pétiole		déception	munition
démocratie	martial	présidentiel		description	option
diplomatie	minutie	providentiel		éruption	sanction
essentiel	nuptial	rationnel		fascination	sensation
idiotie	partial	substantiel...		fréquentation	distinction...

EXERCICES

▪ **748.** **Donnez les adjectifs qualificatifs de la famille des noms suivants :**

ambition	patience	prétention	infection	confidence
tradition	superstition	minutie	sensation	providence
substance	présidence	finition	condition	artifice

▪ **749.** **Donnez les verbes dérivés des noms suivants :**

mention	station	ration	fraction	section
sanction	action	condition	perfection	ambition
fonction	révolution	proportion	friction	addition

▪ **750.** **Conjuguez les verbes aux trois personnes du pluriel du présent de l'indicatif.**

balbutier   initier   patienter   additionner

▪ **751.** **Complétez les mots inachevés.**
La feuille est attachée à la branche par le pé...iole. – Le prix Nobel est une distinc...ion importante. – La gen...iane pousse surtout dans les montagnes. – Le navigateur relate les péripé...ies de son voyage. – Il est louable d'avoir de l'ambi...ion à condi...ion qu'elle soit mesurée. – Obélix est tombé dans une marmite de po...ion magique quand il était petit. – Après bien des hésita...ions, nous partons en promenade. – Le vainqueur de l'épreuve reçoit des ova...ions du public.

▪ **752.** **Même exercice que 751.**
L'érup...ion du volcan a causé des dégâts importants. – Je fais mettre mes ini...iales sur mon portefeuille. – Le cortège présiden...iel arriva. – L'ini...iative est une qualité quand elle est raisonnée. – Nous avons fait un repas substan...iel. – Le clown fait irrup...ion sur la piste et fait rire l'assistance par ses facé...ies. – Le mécanicien démonte minu...ieusement le carburateur de cette voiture. – Les pluies torren...ielles ont endommagé les cultures. – Alexis est minu...ieux.

MOTS À ÉTUDIER :
1. **la mention, la station, l'action, une fraction, une distinction.**
2. **la condition, la perfection, l'assistance, une hésitation, partial.**
3. **rationnel, la minutie, une idiotie, la démocratie, confidentiel.**

La lettre *x*

▌ L'e**x**actitude, la ta**x**e, l'e**x**ception.

axe	annexer	vexer	examen	exigeant	excellence
désaxer	bissextile	asphyxie	exaspération	exister	excès
luxe	convexe	réflexion	exaucer	exode	excessif
fluxion	dextérité	phénix	exemption	exotique	excentricité
juxtaposition	flexible	anxiété	exhausser	expansible	excentrique
équinoxe	inexpérimenté	sphinx	exhiber	expulsion	exciter
proximité	inextricable	exagérer	exhumer	extravagant	exclamation
boxe	perplexité	exalter	exigence	excéder	excursion...

Remarques

Dans les mots commençant par **ex**, l'**x** se prononce [gz] s'il est suivi d'une voyelle ou d'un h :
exactitude [ɛgzaktityd] ; **exhaler** [ɛgzale].
Il faut donc mettre un **c** après **ex**, si l'**x** doit avoir la valeur d'un [k] :
exception [ɛksepsjõ] ; **excellent** [ɛkselɑ̃].

EXERCICES

■ 753. **Écrivez les noms suivants au pluriel.** Ex. : le silex, les silex.

silex	vieux	toux	taux	voix
noix	houx	époux	choix	index
perdrix	flux	prix	croix	sphinx

■ 754. **Donnez un nom de la famille des verbes suivants :**

exercer	extraire	exister	exécuter	excepter
exempter	exiler	exciter	exceller	excuser
exalter	expulser	exiger	vexer	expliquer

■ 755. **Mettez un *c* après l'*x* s'il y a lieu.**

ex...ister	ex...ès	ex...iger	ex...entrique	ex...eption
ex...iter	ex...ellent	ex...éder	ex...amen	ex...agérer

■ 756. **Complétez les mots inachevés.**

Le boucher découpe la viande avec de...térité. – Les marées d'équino...e sont très fortes. – Ce nouveau matériau est fle...ible. – L'e...plorateur se fraye un chemin dans la jungle ine...tricable. – À Versailles, la chambre à coucher du roi est d'un lu...e inouï. – Il faut manger à sa faim, mais sans e...ès. – L'an...iété gagne tout le monde, l'avion a du retard. – La récolte de fruits est e...eptionnelle cette année. – Les e...ercices respiratoires sont e...ellents pour la santé. – Le caoutchouc est e...tensible.

MOTS À ÉTUDIER :
1. un axe, une taxe, un explorateur, le luxe.
2. la boxe, le flux, convexe, exagérer, une exigence.
3. l'anxiété, la réflexion, l'asphyxie, l'excès, la dextérité.

La lettre y

▌ Un cycle, le rythme, un symbole.

anonyme	cymbale	gypse	myopie	syllabe
cataclysme	cyprès	hyène	myrtille	symétrie
chrysanthème	cycliste	hymne	mystère	tympan
crypte	dynamo	hypocrisie	papyrus	type
cyclamen	dynastie	labyrinthe	polygone	typhon
cyclone	encyclopédie	lyre	pylône	tyran
cygne	glycine	lynx	pyramide	yacht
cylindre	gymnastique	martyriser	style	zéphyr...

EXERCICES

■ **757.** **Donnez quelques mots de la famille de** *cycle*.

■ **758.** **Employez avec un nom les adjectifs dérivés des mots suivants :**

cylindre	hypocrisie	Olympe	symbole
pyramide	rythme	mystère	paralysie
dactylographie	oxygène	encyclopédie	symétrie

■ **759.** **Mettez la lettre qui convient (*i* ou *y*).**

t...mbale	s...gne	c...clone	p...lône	r...me
r...thme	c...gne	c...terne	p...le	m...the

■ **760.** **Complétez les mots inachevés.**

Le musicien frappe ses c...mbales l'une contre l'autre. – Il y a eu en France trois d...nasties de rois. – L'enfant, en tombant, s'est fait de sérieuses ecch...moses. – Observez les prescriptions de l'h...giène si vous voulez conserver la santé. – L'on...x est une pierre précieuse. – Le c...lindre et la p...ramide sont des volumes. – Apprenez à écrire dans un st...le simple et correct. – Le pap...rus est un roseau d'Égypte. – Les bruits trop violents peuvent crever le t...mpan. – Dans le bassin du port, de beaux ...achts se balancent.

■ **761.** **Même exercice que 760.**

La gl...cine encadre la porte. – Le c...gne glisse sur le lac. – Le c...clone a provoqué un catacl...sme. – Au procès, le m...stère sera peut-être levé. – Le chat s'approche h...pocritement de l'oiseau. – Les feuilles d'eucal...ptus servent à faire des infusions. – L'ox...gène active les combustions. – Le zéph...r est un vent léger. – Allons dans la montagne cueillir des m...rtilles. – Les n...mphes, d'après la m...thologie, étaient les divinités des fleuves, des bois, des fontaines. – Le l...nx est une sorte de chat sauvage.

MOTS À ÉTUDIER :
1. **le cylindre, le cyclone, l'hymne, le cyprès, le symbole.**
2. **la pyramide, le rythme, le style, le tyran, la syllabe.**
3. **la dynastie, le papyrus, l'hypocrisie, l'hygiène, l'oxygène.**

La lettre *z*

▌ Le ga**z**, du ri**z**, la **z**one.

alizé	bronze	gazon	seize	zéphyr	zone
alezan	colza	gazouiller	topaze	zéro	zouave…
amazone	dizaine	horizon	trapèze	zibeline	nez
azote	eczéma	lézard	treize	zigzag	assez
azur	gaz	lézarde	quartz	zigzaguer	chez
bazar	gaze	luzerne	zèbre	zinc	riz
bizarre	gazette	mélèze	zèle	zeste	rez-de-chaussée
bonze	gazelle	onze	zénith	zodiaque	raz de marée

EXERCICES

▊ **762. Donnez un mot de la famille des mots suivants :**

zèbre	zinc	bizarre	gaz	horizon
zèle	azur	bronze	gazon	riz
treize	azote	onze	seize	trapèze

▊ **763. Mettez la lettre qui convient (*s* ou *z*).**

va…e	ha…ard	hori…on	ga…on	mélè…e
u…ure	ba…ar	guéri…on	a…ur	malai…e

▊ **764. Conjuguez les verbes à l'imparfait de l'indicatif.**

bronzer au soleil – zigzaguer dans le pré

▊ **765. Complétez les mots inachevés.**

L'air est un mélange d'a…ote et d'oxygène. – Les hirondelles volent haut dans l'a…ur. – Théophraste Renaudot fonda, en 1631, le premier journal français : « la Ga…ette ». – La Camargue produit beaucoup de ri… . – La ga…elle ressemble un peu à la biche. – Le lé…ard se faufile dans l'herbe. – Le mélè…e est un conifère. – La topa…e est une pierre précieuse de couleur jaune. – Le soleil se lève à l'hori…on. – La rosée emperle le ga…on.

▊ **766. Même exercice que 765.**

Dans le frais matin, on entend le ga…ouillis des oiseaux. – Le bron…e est un alliage de cuivre, d'étain et de …inc. – À Noël, les vitrines du ba…ar attirent les regards des enfants. – Le …èbre est un mammifère africain ressemblant au cheval ; sa robe grise est rayée de brun. – La …ibeline est un petit mammifère dont la fourrure est brune. – La graine du col…a produit de l'huile. – À l'équateur, le Soleil est au …énith le 21 mars et le 23 septembre. – Les ra… de marée ont des effets dévastateurs. – Le petit sentier …ig…ague dans la prairie.

MOTS À ÉTUDIER :
1. le malaise, le hasard, le trapèze, onze, bizarre.
2. le bronze, seize, zéro, le lézard, l'horizon.
3. se faufiler, dévastateur, le mammifère, la fourrure, l'équateur.

Le tréma

▌ Le canoë, haïr, la naïveté, aiguë.

aïeul	canoë	ciguë	faïence	maïs	ouïe
aïeux	caïman	coïncidence	haïr	mosaïque	païen
ambiguïté	caraïbe	égoïsme	héroïsme	naïveté	stoïcisme...

Remarques

On met un **tréma** sur une voyelle pour indiquer qu'elle se détache de celle qui la précède. Les voyelles **e, i, u** peuvent être surmontées du tréma : **canoë, haïr, naïveté**.

Dans **ciguë, aiguë**, etc., on met le tréma sur l'**e** pour indiquer que ces mots doivent être prononcés autrement que **figue, digue**, où la lettre **u** est placée pour donner au **g** le son [g].

EXERCICES

■767. **Donnez les adjectifs de la famille des noms suivants et employez-les avec un nom masculin pluriel, puis avec un nom féminin pluriel. (Utilisez vos dictionnaires.)**

naïveté	stoïcisme	héroïsme	haine	archaïsme
œuf	égoïsme	coïncidence	laïcisation	trapèze

■768. **Employez les adjectifs suivants avec deux noms masculins pluriels, puis avec deux noms féminins pluriels.**

aigu	ambigu	contigu	exigu	inouï

■769. **Complétez les mots inachevés.**

L'a...eul repose dans son fauteuil. – La cigu... ressemble au cerfeuil, mais elle est vénéneuse. – Le gla...eul est une plante ornementale. – Sur les étagères du vaisselier sont disposées des assiettes anciennes en fa...ence. – La mosa...que du couloir a un dessin géométrique. – Le ca...man est une espèce de crocodile qui habite les fleuves d'Amérique. – Une égo...ne est une scie à main. – Les poulets de Bresse sont nourris avec du ma...s.

■770. **Même exercice que 769.**

Marc a descendu l'Ardèche en cano... . – L'oreille est l'organe de l'ou...e. – Soyons toujours dignes de nos a...eux. – Un capharna...m est un lieu où l'on entasse des objets en désordre. – Les Romains étaient pa...ens, ils adoraient plusieurs dieux. – La ba...onnette est un long poignard qui s'adapte au bout d'un fusil. – Pour combattre l'o...dium on soufre les vignes.

MOTS À ÉTUDIER :

1. la naïveté, aigüe, le maïs, ambigüe, la haine.
2. l'aïeul, l'égoïsme, une coïncidence, une mosaïque, inouï.
3. ornemental, vénéneux, géométrique, combattre, le vaisselier.

Révision générale

■ **771. Écrivez correctement les adjectifs qualificatifs et les participes passés en italique.**

Les gerbes *dressé* dans les champs prenaient, sous la clarté *incertain* de la lune, l'apparence de *grand* femmes *blanc agenouillé*. (A. FRANCE.) – On voit à perte de vue des écueils *reluisant* et *blanchi* d'écume. (A. DAUDET.) – Dans les flaques *laissé* par la mer, je pêchais de *minuscule* poissons *argenté*. (J. HOUGRON.) – Le givre fondait et l'herbe *mouillé* brillait comme *humecté* de rosée. (ALAIN-FOURNIER.) – Les heures passaient doucement *battu* par l'horloge. (A. LAFON.) – *Irréel,* comme *suspendu* dans la lumière du soleil, la ville semblait attendre les hommes du désert. (J.-M.G. LE CLÉZIO.) – Une ombre *apaisant* enveloppait les pommiers *chargé* de gui. (É. MOSELLY.) – Il m'a montré un petit bonhomme qui ressemblait à une belette *engraissé*, avec d'*énorme* lunettes *cerclé* de noir. (A. CAMUS.)

■ **772. Même exercice que 771.**

Le chien a l'œil noir et sanglant ; des dents *aigu* et *blanc*. (A. FRANCE.) – La mousse était *gonflé* d'eau et *pareil* à une éponge. (L. HÉMON.) – C'est si vivant, des ailes ! Cela fait frémir de les voir *replié* et *froid*. (A. DAUDET.) – Nous étions *actif, content,* peu *bavard*, je chantonnais une petite chanson. (COLETTE.) – La lumière se retirait. Les arbres paraissaient plus *noir*. (F. CARCO.) – On ne jouait plus au ballon que la veste *enlevé* et la figure vite *rougi*. (A. LAFON.) – La route et le paysage semblaient *maternel* à mon corps lassé par une étape de six lieues. (L. PERGAUD.) – Plus les couleurs sont *vif*, plus elle les trouve *agréable*. (A. FRANCE.) – Les chats-huants, *gavé* de mulots, poussaient de *petit* éclats de rire. (H. BAZIN.)

■ **773. Analysez les mots en italique dans l'exercice précédent.**

■ **774. Même exercice que 771.**

Arrivé aux fraisiers, la chenille se repose. (J. RENARD.) – *Surchauffé* au soleil, *ridé, cuit,* et *recuit,* les prunes étaient *exquis*. (P. LOTI.) – Il s'assit sur une des chaises *garni* de cuir *brun* et fit glisser son index sur les têtes *arrondi* des clous *doré*. (R. SABATIER.) – *Seul* les corbeaux décrivaient de *long* festons dans le ciel. (G. DE MAUPASSANT.) – *Effrayé* par une mouette, les oiseaux repartirent. (J. GIRAUDOUX.) – *Penché* sur le lit de cuivre, ils regardaient dormir Claude. (G. GAULÈNE.) – *Vertical, pesant, acharné,* une grosse pluie s'abattait sur le jardin. (G. DUHAMEL.)

■ **775. Mettez les phrases suivantes au masculin pluriel, puis au féminin pluriel :**

Atterré, je m'éveillais. (J. GIRAUDOUX.) – Sorti du grand hall, il se sentait *dépaysé*. (J. PALLU.) – *Abrité* par les roseaux, il guette les canards. (A. DAUDET.) – *Chétif* et *vieux,* il n'en portait pas moins sa sacoche pleine de lettres. (H. BOSCO.)

■ **776. Mettez la terminaison *é* du participe passé ou la terminaison *er* de l'infinitif.**

La hache faisait vol... à chaque coup un copeau taill... dans le sens de la fibre. (L. Hémon.) – Meaulnes est parti. Sitôt le déjeuner termin..., il a dû saut... le petit mur et fil... à travers champs. (Alain-Fournier.) – Comment l'oubli..., ce premier bol de bouillon parfum..., sem... de cerfeuil. (J. Cressot.) – On peut se faire un nom en littérature pour avoir publi... un seul sonnet, et il n'a pas fallu beaucoup de notes à Albinoni pour obséd... nos attentes aux feux rouges et nos soirées à la campagne. (J. Lacouture.) – Le chien, roul... sur le paillasson, grognait un peu. (G. Duhamel.) – Le vent glac... de la nuit vint lui souffl... au visage et soulev... un pan de son manteau. (Alain-Fournier.) – Oh ! quel silence ! On entend sur le pavé sonn... les pas. (J. Vallès.)

■ **777. Mettez la terminaison *i* du participe passé ou la terminaison *it* du verbe.**

Le convoi se mit en marche, sans cesse gross... de nouveaux arrivants. (A. Le Braz.) – Une banque consent... un crédit rassurée par mes rentrées désormais régulières. (F. Cavanna.) – Le navire, subitement envah... par l'eau, a coulé. (P. Weiss.) – Chassée des salons et des cabines, la foule envah... les ponts. (M. Harry.) – Si le ciel noirc..., il n'y a pas de quoi changer l'humeur des deux compagnons. (Colette.) – Place du Château-d'Eau, un ivrogne faill... me heurter, puis il disparut. (G. de Maupassant.) – Je l'aimais, mon âne, avec son poil blanch... par le soleil. (P. Arène.) – Le lierre fleur... sur le mur retenait l'affairement des abeilles. (A. Lafon.) – L'Américain est un homme qui bât... et sub... les routes, s'en nourr..., s'en grise. (Cl. Roy.) – Il y avait un lit garn... d'une simple natte d'osier tressé. (Camara Laye.)

■ **778. Écrivez le nom propre ou l'adjectif qui convient.**

Trois enfants *Roumanie* poursuivaient une poule. Des buffles remuaient la vase. (J. Giraudoux.) – Le *Roumanie* s'assit à sa place, se cala sur son siège. (G. Arnaud.) – Sans doute cette dame est *France*, car sa voix est *France*. Son compagnon est *Russe*. (A. France.) – L'*Angleterre* voyage aussi, mais d'une autre manière. (J.-J. Rousseau.) – Le peuple *Angleterre* a pour le rouge-gorge un culte tendrement superstitieux. (A. Theuriet.)

■ **779. Écrivez correctement, s'il y a lieu, les adjectifs qualificatifs de couleur.**

Des bousiers *noir* et *bleu* errent sous l'herbe roussie. (Colette.) – Les ombres étaient *violet*, les taxis plus *rouge* et les autobus plus *vert*. (G. Simenon.) – Ses yeux *bleu pâle* et *blanc* interrogeaient la bergère. (R. Bazin.) – Il paraissait presque Parisien avec ses gilets *jaune soufre*. (Balzac.) – Des campanules *mauve*, des aigremoines *jaune* ont jailli en fusées. (Colette.) – Les hautes cheminées dominent les toits *orange* et les toits *bleu ardoise*. (A. Maurois.) – Des volubilis aux grandes fleurs *bleu turquoise* grimpent jusqu'au sommet de la tour. – Elles portent des robes de linon *citron*, *émeraude* et *géranium*. (R. Vailland.)

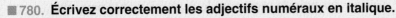

780. Écrivez correctement les adjectifs numéraux en italique.

L'hirondelle, toutes les *5* minutes, arrivait avec quelque chose dans le bec. (E. Fromentin.) – L'étable dormait, chaude de la respiration de *12* vaches. (L. Pergaud.) – Les *500* fils semblèrent se tendre, en tourbillonnant. (J.-R. Bloch.) – Le bourricot trottinait de ses *4* petits pieds blancs. (H. Pourrat.) – Le vent, aux *100* voix, gémissait. (Van Der Meersch.) – Ces *1000* petites abeilles blanches nous piquaient le visage. (F. Carco.) – Je revois les *20* petites têtes qui se dressaient. (É. Moselly.) – Sur les *15* prochaines bornes, la piste est défoncée. (G. Arnaud.)

781. Analysez les adjectifs numéraux de l'exercice précédent.

782. Écrivez correctement, s'il y a lieu, les mots en italique.

La campagne chantait par *tout* ses poulaillers. (E. Pérochon.) – Il connaît *tout* les inégalités du sol, *tout* les rapiéçages de la chaussée. (R. Martin du Gard.) – Ils se mirent à courir de *tout* la force de leurs pieds fatigués. (A. France.) – Les fumées du soir montaient *tout* droites au-dessus des maisons. (P. Neveux.) – Il allait en *tout* lieux avec son tablier de maître boulanger. (H. Béraud.) – Je n'ai pas connu *tout* les histoires de *tout* les familles. Des uns et des autres, j'en ai su ni plus ni moins que *tout* le monde. (L. Calaferte.) – Représentez-vous la foule des travailleurs qui ont peiné *tout* ensemble. (Alain.)

783. Écrivez correctement, s'il y a lieu, les mots en italique.

Les *même* fautes se retrouvaient dans leurs devoirs. (A. Lafon.) – Les chiens tournent sur eux-*même* comme des fous. (A. Daudet.) – Vous sifflotiez et vous avez *même* esquissé une glissade de tango. (P. Modiano.) – *Quelque* arbres, çà et là, lèvent leurs colonnettes grêles. (H. Taine.) – Le directeur de l'hôpital pourra sans doute vous occuper pendant *quelque* temps. (L. Frapié.) – La demeure du grillon est sur *quelque* pente ensoleillée. (F. Fabre.)

784. Écrivez les verbes en italique au présent de l'indicatif. Soulignez les sujets.

C'était la saison tardive où l'on *couper* les fougères qui *former* la toison des coteaux roux. (P. Loti.) – Mes deux chevaux le *connaître*. Maintenant, c'est lui le maître, sa voix les *commander*. (P. Hamp.) – Je *revoir* les préparatifs : la blouse et le cache-nez qu'*imposer* la prudence maternelle. (J. Cressot.) – La lumière, la chaleur, la fatigue *courber* les gens vers la terre. (J. Orieux.) – Le jour naissant qui *éclairer* la verdure, les premiers rayons qui la *dorer*, la *montrer* couverte d'un brillant réseau de rosée. (J.-J. Rousseau.) – Il examine les grappes, les *soupeser*. (M. Chauvet.)

785. Écrivez les verbes en italique à l'imparfait de l'indicatif.

Son nez subtil, sa fine oreille l'*avertir* avant tout le monde. (L. Pergaud.) – Une barque *venir* de la rive. Quatre hommes la *monter*. (H. Bosco.) – Ses yeux étaient brouillés et *brûler* ses paupières quand il les *abaisser*. (G. Arnaud.) – Sur le domaine *déferler* des bois de sapins qui **le** *cacher* à tout le pays plat. (ALAIN-FOURNIER.) – Jacquemort, en se rendant au village, évita de passer par la rue principale et par la place où se *tenir* la foire. (B. VIAN.) – Le pavé gris *luire* sous la flaque de lumière que *projeter* les phares. (VAN DER MEERSCH.) – Dans le dortoir, le jour naissant et le dernier passage du veilleur nous *réveiller*. (A. LAFON.) – Maman **nous** *embrasser*. *Venir* alors les frissons du matin frais, l'eau, l'éponge et la cuvette. (G. DUHAMEL.) – Un lièvre déboucha sur un vaste pâturage **où** *paître* une jument et son poulain. (E. PÉROCHON.)

■ **786.** Analysez les mots en gras de l'exercice précédent.

■ **787.** Mettez le participe passé à la place du verbe en italique.

Derrière ses quais, *élever* comme des remparts, la ville avait l'air d'une citadelle *dominer* par la prison du fort Saint-Jean. (A. CHAMSON.) – Dans le lointain, la Seine *amincir* n'était qu'une lame brillante. (A. MAUROIS.) – Le lièvre se gîte *allonger*, les pattes de devant *joindre* et les oreilles *rabattre*. (J. RENARD.) – Devant leur villa, aux volets fraîchement *repeindre,* un couple de vieux rentiers était assis. (J. L'HOTE.) – Mon père ne m'achetait jamais de joujoux tout *faire* chez les marchands. (C. MENDÈS.) – La petite gare *fleurir* de chèvrefeuille, *ombrager* de marronniers, attend paisiblement le train. (G. MAURIÈRE.) – Le repas *finir* on dormait un peu. (P. ARÈNE.) – Les paniers *remplir* s'en vont à la hotte. (J. CRESSOT.)

■ **788.** Mettez les participes passés des verbes en italique.

Les talus étaient *recouvrir* d'une herbe luisante. (É. MOSELLY.) – Les yeux de Florent étaient *empreindre* de douceur. (A. LAFON.) – Nous sommes *aller* nous promener, très fiers, immensément fiers de notre accoutrement. (CAMARA LAYE.) – Un cheval et son cavalier furent *culbuter* rudement. (P. MÉRIMÉE.) – Il fait un temps déchaîné, les chemises des hommes sont déjà *tremper*. (P. LOTI.) – Par qui donc la bataille a-t-elle été *gagner* ? (V. HUGO.) – Les plantes qui n'ont pas été *tuer* sont tristes. La végétation semble avoir été *fusiller* ou *meurtrir* par le canon. (J. VALLÈS.) – Soyez *remercier* mes yeux. (É. VERHAEREN.) – Tant que la maison n'était pas *fermer*, que les lumières n'étaient pas *éteindre*, Miraut attendait. (L. PERGAUD.)

■ **789.** Mettez les participes passés des verbes en italique.

Sur la place, plusieurs hommes du bourg avaient *revêtir* leurs vareuses de pompier. (ALAIN-FOURNIER.) – *Oublier* ou *punir*, nous étions ceux que le dimanche avait *décevoir*. (A. LAFON.) – La petite oie déplumée, nous l'avons *sortir* des volières et *lâcher* seule dans le pré. (G. DUHAMEL.) – Dans la direction qu'il avait *indiquer*, des taches montaient vers les batteries fascistes, parallèlement à la route, mais *protéger,* utilisant le terrain. (A. MALRAUX.)

■ **790.** Accordez, s'il y a lieu, les participes passés en italique.

Un jour, tu as *ri* si fort que les passants ont *levé* la tête et nous ont *vu*. (G. DUHAMEL.) – Deux barreaux de fer avaient *dû* clore cette ouverture. Mais le temps les avait *descellé*. (Alain-Fournier.) – Que de livres ! s'écria-t-elle. Et vous les avez tous *lu*, monsieur Bonnard. (A. France.) – La neige a *coulé* du ciel bas ; elle a tout *enseveli*. (J. Proal.) – Il avait une clientèle fidèle, grâce à la réputation qu'il avait toujours *conservé*. (L. Guilloux.) – Quelle joie j'ai *eu* à extraire du sol ces belles pommes de terre ! (G. Maurière.) – Les enfants de Monsieur Mozart ont *excité* l'admiration de tous ceux qui les ont *vu*. (F.-M. Grimm.) – Pendant des années, nous l'avions *cherché,* cette source introuvable. (R. Margerit.)

■ **791.** **Accordez, s'il y a lieu, les participes passés en italique.**

Il y a des hommes qui se sont *rossé*, des chiens qui se sont *battu* : les cris se sont *mêlé* aux prières. (L.-F. Rouquette.) – L'herbe si longtemps grillée s'est *rafraîchi*. (J. Renard.) – Les grands ormeaux s'étaient *fleuri* jusqu'au faîte. (A. Lafon.) – Dès les premières nuits froides, les quenouilles des peupliers s'étaient *doré*. Puis les hêtres et les érables s'étaient *allumé* comme des torches. (E. Pérochon.) – Elle s'est *donné* beaucoup de mal. (A. Gide.) – Certains élèves ne s'étaient *mouillé* qu'à peine la figure. (A. Lafon.)

■ **792.** **Accordez, s'il y a lieu, les participes passés en italique.**

Nous [sommes *parti*]. Mes jambes et mes bras [se sont *détendu*]. (R. Boisset.) – Le soleil [a *séché*] la pluie et l'on dirait que les cailloux [ont été *lavé*]. (L. Frapié.) – L'église [avait *choisi*] sa place, les maisons [étaient *venu*] vers elle. (G. Delaunay.) – La lueur que Meaulnes [avait *aperçu*] était celle d'un feu de fagots. (Alain-Fournier.) – Tous ceux qui venaient me voir [s'étaient *donné*] le mot. (R. Rolland.)

■ **793.** **Analysez les verbes entre crochets de l'exercice précédent.**

■ **794.** **Accordez, s'il y a lieu, les mots en italique.**

1. Le soleil entrait par les hautes fenêtres sans *rideau*. (A. France.) – Ni *piéton* ni *voiture* le long des routes qui se déroulaient à perte de vue. (P. Neveux.) – Les rainettes coassaient par *peuplade entière*, une fouine glissait de *branche en branche*. (H. Bosco.) – Sitôt son culot de pipe bourré à *large coup de pouce*, le voilà qui fume. (J. Nesmy.) – L'horloge de bois rouge battait, elle sonnait à *coup pressé*. (A. Theuriet.)

2. Ses cheveux emmêlés sortaient par *mèche épaisse* de sa casquette. (A. Theuriet.) – Partir à *pied* quand le soleil se lève, et marcher dans la rosée, quelle ivresse ! (G. de Maupassant.) – Quatre génisses paissaient attachées en *ligne*. (G. de Maupassant.) – Nous longions les prés humides sur lesquels s'étalait la rivière débordée. Plus de *roseau*, plus de *fleur.* (G. Droz.)

■ **795.** **Mettez les verbes en italique au présent de l'indicatif ; justifiez la terminaison en écrivant l'infinitif entre parenthèses.**

Rien ne *ser*... de courir, il faut partir à point. (La Fontaine.) – Le moineau *ser*... la branche avec ses pattes et *pépi*... d'un bec tendre. (J. Renard.) – Le chien *aboi*..., se dresse sur ses pattes de derrière, puis se *tapi*... sur le sol. (A. Lichtenberger.) – La pluie augmente, la terre sèche la *boi*... avec avidité. (M. Colomb.) – La poule noire se glisse entre deux rousses, *jou*... des ailes. (C. Sainte-Soline.) – L'ingénieur ne *se résou*... pas à interrompre son travail. (G. Arnaud.) – En quelques heures je me *per*... dans les millénaires, je me *trouv*... à l'ère de la pierre polie, je *m'enfonc*... dans les âges. (L. Bodard.) – Éclaboussée de lumière, la façade *ri*... . (É. Moselly.) – Le vert-bleu du figuier *se mari*... au vert foncé de l'abricotier. (J.-J. Tharaud.)

■ **796. Même exercice que le précédent.**
La vigne *tor*... ses pieds entre les cailloux. (H. Taine.) – L'immense lac semble paisible. Il *dor*... sous les fleurs. (F. de Croisset.) – Le sommet des coteaux se *dor*... au soleil déclinant. (R. Bazin.) – Je *pli*... et ne *romp*... pas. (La Fontaine.) – Un sifflement lointain *répon*... aux rauques sirènes : c'est le train. (Colette.) – Heureuse tortue qui ne *crain*... pas la soif ! (A. Maurois.) – Le beau grain roux se *répan*... par terre de tous côtés. (A. Daudet.) – Pour la première fois, au crépuscule, j'*enten*... le merle. (A. Suarès.) – Une joie m'*étrei*... je ne *peu*... la définir. (M. Herzog.) – La servante m'apporte les pots que je *rempli*... de sirop rouge. (G. Franay.) – J'*oubli*... souvent que j'ai quinze ans passés. (Colette.)

■ **797. Mettez les verbes en italique au présent de l'indicatif.**
La roulotte *crier*, *grincer*, *geindre* à chaque tour de roue. (E. Moselly.) – Le printemps ! Aussitôt du vert *apparaître* partout. (Benech.) – Pour mieux voir le bijou, elle *clore* à demi les yeux. (J. Renard.) – J'*apprendre* petit à petit à connaître la rivière. Je m'*asseoir* [aux 2 formes] auprès d'un saule. J'*apercevoir* à l'horizon de belles montagnes. (G. Duhamel.) – La faux du moissonneur *flamboyer* dans l'or ondoyant des blés. (G. Duhamel.) – Le pivert *interrompre* son travail de bûcheron. (R. Mazelier.) – Claude *renvoyer* la balle avec force. Il se trouve un peu nerveux. (J. Jolinon.) – J'admire ton courage et je *plaindre* ta jeunesse. (Corneille.)

■ **798. Écrivez au présent, puis à l'imparfait de l'indicatif.**
La joie des choses nous *pénétrer* et nous *recommencer* à espérer. (A. Theuriet.) – Partout des fleurs *percer* la mousse. (E. Pérochon.) – Oh ! ces larges beaux jours dont les matins *flamboyer* ! (É. Verhaeren.) – Les poulies *grincer*, les câbles *crisser*, les filins *frémir*, le filet s'*élever* lentement. (R. Vailland.) – L'hippopotame ne *craindre* pas le lion. (J.-H. Rosny.) – Une soif ardente *étreindre* ma gorge. (L.-F. Rouquette.)

■ **799. Même exercice que le précédent.**
Elle *approcher* de son nez la boule fleurie, elle *essayer* de sentir, mais elle ne *sentir* rien. (A. France.) – L'herbe *noyer* le pied des arbres d'un vert délicieux et apaisant. (Colette.) – Les souches basses et les racines *émerger* des plaques de neige. (L. Hémon.) – Sur notre chemin, nous *déranger* de gros lézards verts. (B. Bonnet.)

■ **800. Mettez les verbes en italique au passé simple.**

Jean *s'asseoir*, *souffler*, *s'éponger* et *demander* à boire. (O. Mirbeau.) — Le lendemain, la brume *se dissiper* et un vapeur les *apercevoir*. (R. Vercel.) — Cinq heures *sonner*. Les hommes *grogner*, *bâiller*, mais aucun n'étant tenu de partir aussitôt, ils *se rendormir*. (G. Nigremont.) — Une des vieilles clefs *parvenir* à entrer dans la serrure. (R. Escholier.) — Les rires, s'autorisant de ce sourire, ne *se retenir* plus. (A. Gide.) — En un instant, le chien *bondir* près de la haie et *apparaître* la gueule ouverte. (R. Bazin.) — Nous *partir*, je ne sais comment je *se trouver* sur le dos de l'âne. (P. Arène.)

■ **801. Mettez les verbes en italique au futur simple.**

Un jour, c'est la maison entière qui *disparaître*, c'est la rue et le quartier entiers qui *mourir*. (G. Pérec.) — Ils *voir* la mer splendide, ils *respirer* l'air délicieux, plein d'odeurs. (M. Butor.) — Sous le cloître de la mosquée, je vis une figure que je n'*oublier* jamais. (Th. Gautier.) — Francesco est dans l'attente du cri qui *faire* se refermer la mâchoire du filet et alors les hommes *courir* autour des cabestans. (R. Vailland.) — Cette nuit, par une faveur insigne, vous *recevoir* le don de changer votre personnalité contre celle qu'il vous *plaire* d'élire : vous *devenir* ce que vous *vouloir*. (J. Green.) — Si tu veux, mon ami, nous l'*appeler* Justine. (A. France.)

■ **802. Mettez les verbes en italique à un temps simple de l'indicatif.**

Alors, Henriette *s'avancer* sur le seuil, couvert de bestioles qui s'enfuyaient, et *jeter* un coup d'œil au-dehors. (R. Escholier.) — Debout sur sa herse pour la rendre plus lourde, le paysan *paraître* se livrer, derrière son buffle, au ski nautique. (Vercors.) — Alors, pan ! voilà un agent qui *sortir* d'une encoignure, à quatre pas de nous. (G. Duhamel.) — Comme jadis, l'eau *courir* et *chanter* au long des rues, mais au carrefour, je ne *vouloir* pas tourner la tête vers la maison au grand jardin. (J. Cressot.) — Maintenant va voir quand nous *se revoir*. (J. Giono.) — Je suis seul, ce soir, seul depuis des mois, et je *être* seul encore demain. (L.-F. Rouquette.)

■ **803. Mettez les verbes en italique aux temps composés demandés ; accordez les participes passés, s'il y a lieu.**

La femme pèle une pomme rouge qu'elle *choisir* (passé comp.) dans le panier. (M. Butor.) — Au cours des années qui *précéder* (pl.-q.-parf.) l'explosion et la destruction de l'île civilisée, Robinson *s'efforcer* (pl.-q.-parf.) d'apprendre l'anglais à Vendredi. (M. Tournier.) — Gisèle *se fouler* (passé comp.) le pied. C'est pour cela qu'elle *ne pas pouvoir* (passé comp.) venir en classe. (A. Gide.) — Cette fois-là, nous *parvenir* (pl.-q.-parf.) à sauver l'équipage. (A. Daudet.)

■ **804. Même exercice que 803.**

Tant d'anxiétés et de troubles divers nous *empêcher* (pl.-q.-parf.) de prendre garde que mars *venir* (pl.-q.-parf.). (Alain-Fournier.) — Le jeune cerf au poil rouge *rejoindre* (pl.-q.-parf.) sa mère. Lui aussi *entendre* (pl.-q.-parf.), reconnu, l'approche de l'homme. (M. Genevoix.) – Dès que nous *entendre* (passé ant.) les assaillants crier, nous fûmes persuadés que nous avions affaire à des jeunes gens du bourg. (Alain-Fournier.) – Dépêchons-nous, dépêchons-nous. Plus tôt nous *finir* (fut. ant.), plus tôt nous serons à table. (A. Daudet.) – Vous ferez tout le tour de la ville où les tramways et les trolleybus *commencer* (fut. ant.) leur tintamarre. (M. Butor.)

■ 805. Mettez les verbes en italique au temps convenable ; indiquez le nom du temps entre parenthèses.

Si tu voulais, on *creuser* un canot dans un arbre, on *se laisser* aller au fil de l'eau. (M. Genevoix.) – Il paraissait certain que je ne pouvais aborder qu'à une île déserte, où je *dresser* des buffles, où je *pêcher* des tortues et où je *voir* des flamants roses. (M. Du Camp.) – J'*continuer* ma route si une racine n'avait arrêté ma barque et ne m'avait forcé à sauter sur la rive. (J. Martet.) – D'ailleurs, si j'étais sorti, le jardinier m'*battre*. Donc je ne suis par sorti. (G. Duhamel.) – L'âne cherchait toujours ma grand-mère, dont il savait qu'il *recevoir* quelque friandise. (G. Sand.)

■ 806. Mettez les verbes en italique au présent de l'impératif.

Ne *musarder* pas : *aller* travailler et *laisser*-moi tranquille. (A. France.) – Surtout aujourd'hui, ne te *salir* pas, n'*agrandir* pas les trous de ta veste. (L. Frapié.) – *Attendre* un peu. Tu es toujours trop pressé. (F. Sagan.) – *Écouter*, tu es vraiment très peureux. Il n'y a rien dans la cave de ce que tu supposes. *Descendre* avec moi. (R. Charmy.) – Ne *pétiller* pas trop, ne *cracher* pas d'étincelles ; *être* clément, feu varié, que je puisse t'adorer sans crainte. (Colette.)

■ 807. Mettez les verbes en italique au temps convenable du mode subjonctif ; indiquez le nom du temps entre parenthèses.

De peur que tu ne *rompre* ta corde, je vais t'enfermer dans l'étable. (A. Daudet.) – Il veut qu'on l'*écouter*, il veut qu'on le *comprendre*. (R. Delange.) – Bien que je n'*atterrir* que depuis quelques jours, j'*aspire* déjà à lever l'ancre. (A. Gerbault.) – On voulait écouter la voix de l'espace d'où qu'elle *venir*. (R. Guillot.) – La nuit était tombée. Il valait mieux qu'elle *tomber*. (H. Bosco.) – Il n'y avait pas de rats dans la maison. Il fallait donc qu'on *apporter* celui-ci du dehors. (A. Camus.) – J'avais obtenu qu'on *faire* tapisser ce galetas, qu'on y *placer* des étagères. (P. Loti.)

■ 808. Écrivez comme il convient les mots en italique.

Maisons mortes. – Il m'*arriver* (passé comp.) de revenir dans le village de mes ancêtres et de le parcourir pour dénombrer (*ses* ou ces : choisissez) *maison morte*. Beaucoup en effet, *usé, abandonné, oublié, s'effondrer* (pl.-q.-parf. de l'ind.) par un lent désespoir, sous les *coup féroce* du mistral, et là (*ou, où* : choisissez) des familles de jadis *florissant*, aujourd'hui *disparu, élever* (passé comp.) des enfants qui avaient été mes *condis.iples* (mettez la lettre qui convient à la place du point), je ne *trouver* (passé simp.) qu'amas de *pierre grise, toiture pantelante, muraille décharnée*. Le spectacle désolant avait je ne *savoir* (prés. de l'ind.) *quel* saveur de désastre qui me *monter* (imp. de l'ind.) à la tête.

■ **809.** **Écrivez comme il convient, en les modifiant s'il y a lieu, les mots en italique ; mettez les verbes en italique à l'imparfait de l'indicatif.**

Rentrée scolaire. – Il *pouvoir* être huit *heure* du matin. Le soleil *rôder, triste,* derrière les *nue*. Les *travail* des champs étaient *achevé*, et un à un, (*ou, où* : choisissez) par *petit groupe*, on *voir* revenir (*à* ou *a* : choisissez) l'école les *petit berger* à la peau *tanné, bronzé* de soleil, *au cheveu dru, coupé* ras (*a* ou *à* : choisissez) la tondeuse, la même qui servait pour les bœufs, aux *pantalon rapiécé* aux *genou* et au *fond*, mais *propre*, aux *blouse neuve, raide*, qui, en *déteindre* (part. prés.) leur *faire*, les premiers jours, les mains *noir* comme des pattes de *crapaud*. Ce jour-là *il traîner* le long des chemins et leurs pas *sembler alourdi* de toute la mélancolie du *temp.* (mettez la lettre qui convient à la place du point), de la saison et du paysage.

L. Pergaud, *La guerre des boutons*, Mercure de France.

■ **810.** **Écrivez comme il convient, en les modifiant s'il y a lieu, les mots en italique.**

Les hirondelles *apprivoisé*. – Une année de mon enfance *se dévouer* (passé simp.) (*a* ou *à* : choisissez) capturer, dans la cuisine, (*ou, où* : choisissez) dans l'écurie, les *rare* mouches d'*hiver*, pour la pâture de deux hirondelles, couvée d'octobre *jeté* bas par le vent. Ne fallait-il pas sauver (*ses* ou *ces* : choisissez) *insa.iables* (mettez la lettre qui convient à la place du point) *au bec large*, qui *dédaigner* (imp. de l'ind.) toute proie morte ? C'est grâce à *elle* que je *savoir* (prés. de l'ind.) combien l'hirondelle *apprivoisé* passe, en *so.iabilité* (mettez la lettre qui convient à la place du point) insolente, le chien le plus gâté. Les deux *nôtre vivre* (imp. de l'ind.) *perché* sur l'épaule, sur la tête, *niché* dans la corbeille (*à* ou *a* : choisissez) *ouvrage*, courant sous la table comme des poules et piquant du bec le chien interloqué, *piailler* (part. prés.) au nez du chat qui perdait contenance. *Elle venir* (imp. de l'ind.) à l'école au fond de ma poche et *retourner* (imp. de l'ind.) à la maison par les airs. Quand la *fau.* (mettez la lettre qui convient à la place du point), luisante de *leur aile grandir* et *s'affûter* (passé simple), elles *disparaître* (passé simp.) à toute heure dans le haut du ciel *printemps* (mettez l'adjectif dérivé de ce mot), mais un seul appel aigu : « Petî-î-î-tes ! » les *rabattre* (imp. de l'ind.) fendant le vent comme deux flèches, et elles *atterrir* (imp. de l'ind.) dans mes *cheveu, cramponné* de toute *leur serre courbe*, couleur d'acier noir. Que tout était *fé.rique* (mettez la lettre qui convient à la place du point) et simple parmi cette faune de la maison *natal* !

Colette, *La maison de Claudine*, Hachette.

■ **811.** **Écrivez comme il convient les mots en italique ; mettez les verbes dont on n'a pas précisé le temps à l'imparfait de l'indicatif.**

Une parfaite ménagère. – Chaque *jour*, Mme Branche *laver* à *grande eau* non seulement son plancher, mais encore la table et les *tabouret* de *hêtre* qui avec un poêle (*flamand* ou *Flamand* : choisissez) (*fourbi* ou *fourbit* : choisissez) à la mine de *plom.* (mettez la lettre qui convient à la place du point), *compléter* le mobilier dont elle *disposer*. (*Ses* ou *Ces* : choisissez) enfants, tout aussi *soigné* que son ménage, *sembler* en outre avoir été *traité* de la même manière. On les *dire* (cond. pass. 2ᵉ f.) *récuré* ; mieux encore : *bouilli* dans la lessive. *D'ailleur.* (mettez la lettre qui convient à la place du point), ils *sentir* la lessive. Hiver comme été, ils étaient uniformément *vêtu* de tabliers à *carreau rouge* et *blanc* ou *bleu* et *blanc* sur … (mettez le pronom relatif qui convient) on ne *voir* jamais une tache.

ANDRÉ PERRIN, Le père, Julliard.

■ **812.** **Écrivez comme il convient les mots en italique ; mettez les verbes dont on n'a pas précisé le temps à l'imparfait de l'indicatif.**

Au wagon-restaurant. – Vous *aller* (passé comp.) jusqu'au wagon-restaurant pour y prendre non point le précieux café (*italien* ou *Italien* : choisissez), cette liqueur *vivifiant* et *concentré*, mais simplement une eau noirâtre dans une épaisse tasse de faïence *bleu pâle* avec les *curieux* biscottes *rectangulaire*, *enveloppé* par trois dans de la *cello..ane* (mettez les lettres qui conviennent à la place des points)… *Dehor.* (mettez la lettre qui convient à la place du point), sous la pluie, *passer* la forêt de Fontainebleau dont les arbres *être* encore *garni* de feuilles que le vent *arracher* comme par *touffe* et qui *retomber* lentement *pareil* à des essaims de *chauve-souris pourpre* et *fauve*. (*Ses* ou *Ces* : choisissez) arbres *perdre* (passé comp.) en *quelque jour* tout leur *appara.* (mettez la lettre qui convient à la place du point).

MICHEL BUTOR, La modification, Éditions de Minuit.

■ **813.** **Écrivez comme il convient les mots en italique ; mettez les verbes dont on n'a pas précisé le temps à l'imparfait de l'indicatif.**

Sur le cerisier. – Les deux *grimpeur atteindre* la cime que la foudre *rogner* (pl.-q.-parf. de l'ind.) *quelque année auparav.nt* (mettez la lettre qui convient à la place du point). Une gerbe de *rameau tendre* vers le ciel (*ses* ou *ces* : choisissez) bras *suppliant au larges* manches *alourdi* de *feuille* et de *fruit*. En cet endroit proche du soleil, les cerises *changer* (pl.-q.-parf. de l'ind.) leur teinte *tr.nslucide* (mettez la lettre qui convient à la place du point), en une nuance plus épaisse, un rouge qui *foncer* au violet. Les plus *mûr éclater* sous l'averse (*ou*, *où* : choisissez) le coup de bec d'un merle, *montrer leur noyau pâle* au creux d'une plaie *noir* et *charnu*. Le garçon *tirer* les fruits par *poignée*, la pulpe lui *juter* dans les *doi.ts* (mettez la lettre qui convient à la place du point) et les *noyau rester* sur l'arbre. *Installé* sous un rameau prodigue, Aline, le *becqueter*, *avancer* (part. prés.) et renversant la tête à mesure que les richesses *fondre* dans sa bouche comme neige au soleil.

RAYMOND DUMAY, *Le raisin de maïs*, Gallimard.

■ 814. **Écrivez comme il convient les mots en italique.**

Vieilles choses. – Nous *avoir* (prés. de l'ind.) en haut, sous le toit, une grande pièce de *débar.as* (mettez la lettre qui convient à la place du point), qu'on *appeler* (prés. de l'ind.) « la pièce *au vieux objet* ». Tout ce qui ne *servir* (prés. de l'ind.) plus est jeté (*la* ou *là* : choisissez). Souvent j'y monte et je regarde autour de moi. Alors je retrouve un tas de *rien* … (mettez le pronom relatif qui convient) je ne *penser* (imp. de l'ind.) plus et qui me *rappeler* (prés. de l'ind.) un tas de *chose*. Et je *aller* (prés. de l'ind.) de l'un à l'autre avec de *légère secousse* au cœur. Je me dis : « *Tenir* (impératif prés. singulier), j'*briser* (passé comp.) cela le soir (*ou*, *où* : choisissez) Paul *partir* (passé comp.) pour Lyon. » Ou bien : « Ah ! voilà la lanterne de maman … (mettez le pronom relatif qui convient) elle se servait pour aller au salut les soirs d'hiver. » Il y a même (*la* ou *là* : choisissez) des choses qui ne me *dire* (prés. de l'ind.) rien, qui *venir* (prés. de l'ind.) de mes *grand-parent*. Personne n'*voir* (passé comp.) les mains qui les *manier* (passé comp.), ni les yeux qui les *regarder* (passé comp.).

GUY DE MAUPASSANT, *Le Père Milon.*

■ 815. **Écrivez comme il convient les mots en italique.**

Une petite ouvrière. – Nous *arriver* (passé simp.) à l'usine de chicorée. Mon oncle me *conduire* (passé simp.) au bureau, puis dans l'atelier (*ou*, *où* : choisissez) je *devoir* (imp. de l'ind.) travailler. Une grande femme brune, l'œil noir, l'air autoritaire, nous *recevoir* (passé simp.). La dame *s'emparer* (passé simp.) de moi, m'*installer* (passé simp.) devant une table et m'*expliquer* (passé simp.) mon ouvrage. Je *savoir* (passé simp.) qu'elle était contremaîtresse.

La salle était grande, basse de plafond, chaude comme dans un four, en ce mois d'août. Une poussière rousse y *flotter* (imp. de l'ind.). J'y *distinguer* (imp. de l'ind.) autour de moi d'*autre table* comme la mienne et devant des ouvrières qui *s'agiter* (imp. de l'ind.).

Le travail me *plaire* (passé simp.). Nous étions *assis* chacune devant une sorte de *com.toir* (mettez la lettre qui convient à la place du point) (*garni* ou *garnit* : choisissez) d'une balance, d'une pile de *paquet aplati* et d'une grande caisse de chicorée avec une truelle. Je *saisir* (imp. de l'ind.) un paquet, l'*emplir* (imp. de l'ind.), le *peser* (imp. de l'ind.), le *rouler* (imp. de l'ind.)… J'avais l'impression de jouer (*a* ou *à* : choisissez) l'épicière.

MAXENCE VAN DER MEERSCH, *Le péché du monde*, Albin Michel.

■ **816. Écrivez comme il convient les mots en italique ; mettez les verbes dont on n'a pas précisé le temps à l'imparfait de l'indicatif.**

Paysage d'automne. – Le paysage était magnifique : le chemin *contourner* le pied d'un coteau mollement mamelonné. De *haut c.près* (mettez la lettre qui convient à la place du point) lui *prêter* une dignité, une sévérité *florentine*.

Plus bas des *olivier roulé* en boule comme des chats *dévaler* les pentes *bleuté* ; *de v.eilles* (mettez la lettre qui convient à la place du point) maisons couleur de maïs *sourire* sous *leur tuile fleurie*. Et continuant ce coteau, une autre colline *apparaître*, d'*autre* encore, *toute* se levant et se suivant à la file comme si elles *faire* un pèlerinage vers l'occident. Dans la campagne *s'allumer* des *feu* de *feuille morte*. De chacun de ces brûlots *monter* des tourbillons de fumée. Ils *être massif* d'abord comme une colonne, puis *s'amenuiser*, *se fondre* peu à peu, *s'en aller* en *filament ténu*, en *flocon bleu*, en *trait estompé* qui *se mêler* au brouillard, si bien qu'on ne *pouvoir* savoir si ce rideau qui *tomber* peu à peu était fait de *brume* ou de *fumée*.

Et l'odeur des feuilles *se mêler* (*a* ou *à* : choisissez) l'air : odeur âcre, vivifiante et agréable, odeur de bois vert qui *fla.be* (mettez la lettre qui convient à la place du point).

E. JALOUX, *Fumées dans la campagne*, Plon.

■ **817. Écrivez comme il convient les mots en italique.**

Tempête au Sahara. – D'un seul coup, le décor *changer* (passé simp.) : ils étaient *enfermé* dans un *c.aos* (mettez la lettre qui convient à la place du point) de dunes *enchevêtré*... Ils n'*pouvoir* (cond. pass. 1re f.) dire par (*ou*, *où* : choisissez) ils avaient forcé, quelques instants (*plus tôt* ou *plutôt* : choisissez) cette muraille mouvante ; c'était comme si l'étroit couloir qui leur avait *donné* passage entre deux *grand* dunes s'était subitement *bouché*... Le vent, au lieu de tomber avec le soir, *s'amplifier* (passé simp.). Bientôt, ils *être* (passé simp.) *au prise* avec la plus effrayante tempête de sable qu'ils aient jamais *essuyé*. Il n'était plus question d'avancer. On *former* (passé simp.) le carré avec les *six* chameaux qui *crier* (imp. de l'ind.), de faim et de rage. On *serrer* (passé simp.) les bêtes ; les hommes *se blottir* (passé simp.) contre *elle* et *attendre* (passé simp.)...

Chacun *s'apercevoir* (passé simp.) alors qu'ils avaient tous prématurément *vieilli*. Ces six *dernier jour* les avaient plus *marqué* que le mois de route qui avait *précédé* leur départ d'Issalane.

R. FRISON-ROCHE, *La piste oubliée*, Arthaud.

■ **818. Écrivez comme il convient les mots en italique ; mettez les verbes au présent de l'indicatif.**

La glissade. – Faire une *glissoir.* (mettez la lettre qui convient à la place du point) est une œuvre *long* et délicate. Des attelages de *marmouset traîner* les grands aux *large sabot plat*. On *courir*, on *suer*, on *crier*, on *expulser* les sabots *ferré*, on *s'essuyer* le nez du *rever.* (mettez la lettre qui convient à la place du point) de la manche. Peu à peu, la neige se tasse, *durcir*, brille…

Les intrépides *se lancer*, *filer debout*. Les peureux *vaciller*, bras et jambes *écarté*, *penché* en avant, *accroupi*. Les apprentis *faire* la piste sur le ventre (*ou*, *où* : choisissez) sur le dos ; on *s'élancer* à la file, on *se rejoindre*, tout *culbuter* et *dévaler* et *s'entasser* avec des *.urlements* (mettez la lettre qui convient à la place du point) de joie.

Certain jour de glissade m'ont *valu* la correction. Mais *quel* soirée sur cette rigole *glacé*, *miroitant*… J'avais le nez pourpre, les mains *gonflé*, les cuisses et les mollets *brûlé* par la laine humide… L'irréparable, c'est que – *bridé*, tout *neuf* le matin – les sabots étaient *percé*.

Jules Cressot, *Le pain au lièvre*, Stock.

■ **819. Écrivez comme il convient les mots en italique.**

La rue. – La rue est faite pour qu'on y passe, mes enfants, et non pour qu'on y *jouer* (prés. de l'ind.). Ne vous *attarder* (prés. de l'imp.) jamais dans la rue…

Qu'*être* (imp. de l'ind.) à nos yeux, les *péril* de la rue au prix de (*ses* ou *ces* : choisissez) enchantements. À peine *sorti* de l'école, nous *flairer* (imp. de l'ind.) comme de *jeune limier* tout le long des *trottoir chaud*, les *inquiétante odeur* de la *j.ngle* (mettez la lettre qui convient à la place du point) citadine. J'*aimer* (imp. de l'ind.) la rue Vercingétorix, la rue du Château, la rue de l'Ouest et si je *ressus.ite* (mettez la lettre qui convient à la place du point) un jour, fantôme aveugle, c'est au nez que je *reconnaître* (imp. de l'ind.) la patrie de mon enfance. Senteurs d'une fruiterie, *fraîche*, *acide* qui vers le soir *s'attendrir* (prés. de l'ind.). Fumet de la blanchisserie qui *sentir* (prés. de l'ind.) le linge (*roussi* ou *roussit* : choisissez). Bouquet chimique du pharmacien qu'*illuminer* (prés. de l'ind.), dès la chute du jour, une flamme rouge, une flamme verte, *noyé*, *toute* les deux dans des *bocal rond*.

G. Duhamel, *Le notaire du Havre*, Mercure de France.

■ **820. Écrivez comme il convient les mots en italique.**

Souvenir d'enfance. – (*C'est* ou *S'est*) dans la maison de mes *grand-parent* (*a* ou *à*) la campagne, je *vouloir* (prés. de l'ind.) dire à St Maur, que je *naître* (passé simp.).

Je *couch...* (imp. de l'ind.) dans la chambre de mes parents, j'en *revoir* (prés. de l'ind.) le papier (*a* ou *à* : choisissez) ramage d'une *tonalité bleu clair*. Mon petit lit était *placé* (*près* ou *prêt* : choisissez) de la cheminée et dans mon souvenir *s'éveiller* (prés. de l'ind.) les *inflexion caressant* de la (*voix* ou *voie*) de ma mère quand, *penché* sur moi, elle me *parler* (imp. de l'ind.) pour m'*aid...* (*é* ou *er* : mettez la (ou les) lettre(s) qui convient (conviennent) à la place des points) (*a* ou *à* : choisissez) *trouv...* (*é* ou *er* : mettez la (ou les) lettre(s) qui convient (conviennent) à la place des points) un paisible sommeil.

Cette chambre était spacieuse heureusement, car elle était un peu *encombré* de *meuble*. Outre le lit-bateau de mes parents et le mien, elle *contenir* (imp. de l'ind.) une armoire, une commode (*ou*, *où* : choisissez) chaque nuit la flamme d'une veilleuse (*a* ou *à* : choisissez) huile *répandre* (imp. de l'ind.) sa lueur *discret* et *rassurant*, enfin un piano dont ma mère *jouer* (imp. de l'ind.) (*quand*, *quant* : choisissez) elle avait un moment de répit (*ou*, *où* : choisissez) de détente. Ils étaient *rare*.

ÉDOUARD BLED, *Mes écoles*, Robert Laffont.

■ **821.** **Écrivez comme il convient les mots en italique ; mettez les verbes à l'imparfait de l'indicatif.**

Marché marocain. – C'était jeudi, jour du marché. La grande cour *entouré* d'*arcade foisonner* de *bête* et de gens. Dans la poussière, le purin et les *flaque d'eau* (*près* ou *prêt* : choisissez) du *pui*... (mettez les lettres qui conviennent à la place des points), *âne*, *cheval*, *mulet*, *mouton*, *chat rapide* et comme *sauvage*, *chien* du bled au poil jaune, *pareil* à des *chacal*, poules *affairé* et *glouton*, *pigeon* sans cesse en route entre la terre et le toit, cent *animal vaguer*, *bondir*, *voleter* (*ou*, *où* : choisissez) *dormir* au soleil autour des *chameau immobile*, *lent vaisseau* du désert *ancré* dans le fumier desséché. Sous les arcades *ânier* et *chamelier se reposer* (*a* ou *à* : choisissez) l'ombre parmi les *selle* et les *bât*, *jouer* aux *carte* et *au* échecs ou à *quelque jeu semblable*. C'était un spectacle charmant, *tout* ces bêtes *rassemblé* (*la* ou *là* : choisissez) comme dans une arche de Noé. *Accroupi* sur *leur genou*, les chameaux *balancer*, au bout de *leur cou inélégant*, des têtes *pensive* et un peu *vaine*.

JÉROME ET JEAN THARAUD, *Rabat, ou les heures marocaines*, Plon.

■ **822.** **Écrivez comme il convient les mots en italique ; mettez les verbes à l'imparfait de l'indicatif.**

À travers la maison. – J'*aller* seul et par jeu, chercher du bois dans le bûcher, salle basse attenante à la cuisine et qu'une petite fenêtre *éclairer*. Les *fagot empilé*, les tas de *pomme rainette*, les *pomme de terre fleurer* (part. prés.) le sillon, l'*emplir* d'une senteur d'*auto.ne* (mettez la lettre qui convient à la place du point), qui *suffire* peut-être par ce qu'elle *évoquer* des sous-bois et des champs (*a* ou *à* : choisissez) chasser toute idée gênante. J'y *jouer* à balancer les *tresse d'oignon doré accroché* aux *poutre basse* sur ... (mettez le pronom relatif qui convient) *sécher* des *pain de savon* ; parfois l'un des bulbes *détaché*, *rouler* dans le bruit de sa pelure plus fine qu'un *él.tre* (mettez la lettre qui convient à la place du point) de hanneton. Je *traverser* cet endroit d'un pied sûr pour gagner une autre pièce dans ... (mettez le pronom relatif qui convient) *au jour* de la récolte *manger* les vendangeurs et qui, vide toute l'année, *garder* sur (*ses* ou *ces* : choisissez) *banc long* et (*ses* ou *ces* : choisissez) *table grasse* l'odeur vineuse des *repas paysan*.

A. LAFON, *L'élève Gilles*, Librairie Académique Perrin.

■ **823.** **Écrivez comme il convient, les mots en italique.**

Installation. – Le hasard des changements nous *conduire* (pl.-q.-parf. de l'ind.) (*la* ou *là* : choisissez). Vers la fin des vacances, il y a bien longtemps, une voiture de paysan, qui *précéder* (imp. de l'ind.) notre ménage, nous avait *déposé*, ma mère et moi, devant la petite grille *rouillé*. Des gamins qui *voler* (imp. de l'ind.) des pêches dans le jardin *s'enfuir* (pl.-q.-parf. de l'ind.) silencieusement par les *trou* de la haie... Ma mère que nous *appeler* (imp. de l'ind.) Millie, et qui était bien la ménagère la plus *mét.odique* (mettez la lettre qui convient à la place du point) que j' jamais *connaître* (passé du subj.), était *rentré* aussitôt dans les pièces *rempli* de paille poussiéreuse, et tout de suite elle *constater* (pl.-q.-parf. de l'ind.) avec désespoir que nos meubles ne *tenir* (cond. prés.) jamais dans une maison si mal *construit*...

Elle était *sorti* pour me confier sa détresse... Tout en parlant, elle *essuyer* (pl.-q.-parf. de l'ind.) doucement, avec son mouchoir, ma figure *noirci* par le voyage.

A<small>LAIN</small>-F<small>OURNIER</small>, Le grand Meaulnes, Fayard.

■ **824.** **Écrivez comme il convient, les mots en italique.**

La cueillette du riz. – La grande aire était maintenant *dépouillé* de sa richesse et nous *regagner* (imp. de l'ind.) en cortège le village, *précédé* de l'inlassable joueur de tam-tam et *lancer* (part. prés.) à *tout* les échos la chanson du riz.

Au-dessus de nous, les hirondelles déjà *voler* (imp. de l'ind.) plus bas, bien que l'air *être* (imp. du subj.) toujours aussi transparent, mais la fin du jour *approcher* (imp. de l'ind.). Nous *rentrer* (imp. de l'ind.) heureux, las et heureux. Les *géni..* (mettez les lettres qui conviennent à la place des points) nous avaient constamment *secondé*, pas un de nous qui *être mordu* (pl.-q.-parf. du subj.) par les serpents que notre piétinement dans les champs *déloger* (pl.-q.-parf. de l'ind.). Les fleurs que l'approche du soir *réveiller* (imp. de l'ind.), *exhaler* (imp. de l'ind.) comme de *fraîche guirlande*. Si notre chant *être* (pl.-q.-parf. de l'ind.) moins puissant, nous *percevoir* (cond. pass. 2ᵉ f.) le bruit familier des fins de journée : 'les *cri*, les *rire éclatant mêlé* aux *long meuglement* des *troupeau* rejoignant l'*enclo.* (mettez la lettre qui convient à la place du point) ; mais nous chantions ! *A.* ! (mettez la lettre qui convient à la place du point) que nous étions heureux (*ces* ou *ses* : choisissez) jours-là !

C<small>AMARA</small> L<small>AYE</small>, L'enfant noir, Plon.

Difficultés orthographiques

abri	chaotique	dissonance	honneur	pique *(la)* n. f.
abriter	charrette	dissous *adj. m.*	honorer	pôle
absous *p. passé m.*	charroi	dissoute *adj. f.*	honorable	polaire
absoute *p. passé f.*	chariot	donner	imbécile	précédant *p. prés.*
accoler	chaton	donneur	imbécillité	précédent *adj.*
coller	chatte	donation	immiscer	préférence
adhérant *p. prés.*	colonne	donataire	immixtion	préférentiel
adhérent *adj. et n. m.*	colonnade	égoutter	infâme	présidant *p. prés.*
adhérence	colonel	égoutier	infamie	président *n. m.*
affluant *p. prés.*	combattant	émerger	intrigant *adj. m.*	présidence
affluent *n. m.*	combatif	immerger	intriguant *p. prés.*	présidentiel
affluence	confidence	équivalant *p. prés.*	invaincu	providence
affoler	confidentiel	équivalent *adj.*	invincible	providentiel
affolement	cône	équivalence	jus	rationnel
follement	conique	essence	juteux	rationalité
folle	consonne	essentiel	mamelle	réflecteur
Afrique	consonance	étain	mamelon	réflexion
Africain	côte	étamer	mammifère	résidant *p. prés.*
alléger	côté	excellant *p. prés.*	mammaire	résident *n. m.*
alourdir	coteau	excellent *adj.*	millionnaire	résidence
annuler	courir	excellence	millionième	salon
annulation	coureur	exigeant	monnaie	salle
nullité	courrier	exigence	monétaire	siffler
nullement	concourir	fabrique	musique	persifler
attraper	concurrent	fabricant	musical	sonner
attrape	concurrence	famille	négligeant *p. prés.*	sonnette
trappe	cuisseau *(bouch.)*	familial	négligent *adj.*	sonnerie
trappeur	cuissot *(gibier)*	familier	négligence	sonore
barrique	déposer	fatiguant *p. prés.*	nommer	sonorité
baril	dépôt	fatigant *adj.*	nommément	souffrir
basilic *(le)* n. m.	déshonneur	infatigable	nominal	soufrer
basilique *(la)* n. f.	déshonorer	favori *adj. m.*	nomination	souffler
bonasse	déshonorant	favorite *adj. f.*	nourrice	essouffler
bonifier	détoner	fourmiller *v.*	nourricier	essoufflement
bonne	détonation	fourmillement	nourrisson	boursoufler
débonnaire	tonner	fourmilier	nourrissant	substance
bonhomme	tonnerre	fourmilière	patte	substantiel
bonhomie	diffamer	fusilier	pattu	tâter
bracelet	infamant	fusillade	patiner	tâtonner
brassard	différant *p. prés.*	fût	patin	tatillon
cahute	différent *adj.*	futaie	patronner	teinture
hutte	différence	grâce	patronnesse	tinctorial
cantonnier	différentiel	gracieux	patronal	vermisseau
cantonal	discuter	jeûner	patronage	vermicelle
ceindre	discutable	déjeuner	pestilence	
cintrer	discussion	homme	pestilentiel	
chaos	dissoner	homicide	pic *(le)* n. m.	

Quelques mots dont l'orthographe et la prononciation ne correspondent pas

femme	condamner	aquatique	square	muséum
solennel	second	équatorial	poêle	préventorium
solennité	seconde	équation	poêlée	rhum
solennellement	seconder	quadragénaire	poêlon	sanatorium
ardemment	secondaire	quadrangulaire	faon	sérum
évidemment	parasol	quadriennal	paon	ns. faisons
excellemment	tournesol	quadrige	taon	je faisais
innocemment	vraisemblable	quadrilatère	asthme	tu faisais
intelligemment	vraisemblance	quadrupède	monsieur	il faisait
patiemment	Alsace	quadrupler	messieurs	ns. faisions
prudemment	Alsacien	quaternaire	examen	vs. faisiez
récemment	aquarelle	quatuor	album	ils faisaient
violemment	aquarelliste	in-quarto	géranium	
automne	aquarium	squale	minium	

Index alphabétique

Les numéros renvoient aux pages

Table des matières

ORTHOGRAPHE GRAMMATICALE

CONJUGAISON

ORTHOGRAPHE D'USAGE

11/5513/4 - N° Coll. : 15 - N° Ed. : 09 - Dépôt légal 0859 - 03/97
Imprimé en Italie par G. Canale & C. S.p.A. - Borgaro T.se (Turin)